TREMBLAY, *La renaissance du XIIe siècle ; les écoles et l'enseignement*, Paris, 1933 ; S. D'IRSAY, *Histoire des Universités françaises et étrangères des origines à nos jours*, t. I, *Moyen âge et Renaissance*, Paris, 1933 ; J. DE GHELLINCK, *Le mouvement théologique du XIIe siècle. Études et documents*, Paris, 1914 ; P. POURRAT, *La spiritualité chrétienne*, t. II, Paris, 1921 ; P. DUHEM, *Le système du monde. Histoire des doctrines cosmologiques de Platon à Copernic*, Paris, 1913-1917, 5 vol. Pour l'art, l'ouvrage de base est A. MICHEL, *Histoire de l'art depuis les premiers temps chrétiens jusqu'à nos jours*, t. I, 2e partie et t. II, 1re partie, Paris, 1905-1906. On consultera plus utilement encore l'ouvrage, si riche de pensée, de E. MALE, *L'art religieux du XIIe siècle en France*, Paris, 1922, et, pour l'architecture, R. DE LASTEYRIE, *L'architecture religieuse à l'époque romane*, 2e édit., Paris, 1929, et *L'architecture religieuse à l'époque gothique*, Paris, 1926-1927, 2 vol. ; d'autres livres essentiels seront indiqués à la bibliographie des chapitres relatifs à la vie religieuse et à l'art chrétien.

HISTOIRE DE L'ÉGLISE

*****
***
*

e qui va du premier concile du Latran (11
(1198), l'orientation donnée à l'Église par
se, s'amplifie et se développe. De plus en
la direction des affaires ecclésiastiques et,
essor de la vie religieuse dans les différe
action, cherche à exercer sur le gouverne
ace qui tend parfois à dépasser les limite
vers une monarchie pontificale qui s'eff
ssi bien que les Églises à ses directions e
sous le pontificat d'Innocent III (1198-1
second quart du XIIe siècle, cette évoluti
princes de tendances absolutistes, Frédér
emagne, Henri II en Angleterre, Philipp
amoindrisse pour cela l'élan imprimé aux
es.

l'objet du présent volume n'étant que le
ente, les indications de bibliographie gé
III s'appliquent à elle. On les complétera

I. — SOURCES.

textes, répertoires et instruments de tra
x ouvrages cités aux tomes VII et VIII
HALPHEN, *Initiation aux études d'histoire*
trouvera de précieuses indications aus
ts historiques que sur les répertoires l
d'archives auxquels il y aura lieu de
à mesure que l'on avancera dans la pér

OLAIRES. — Ce groupe conserve sa place
les papes, en particulier celle d'Innocent
159), d'Alexandre III (1159-1181), reste,
demment signalés, la partie la plus essent
p de bulles ont été publiées dans la *Pat*
VI et suiv.), mais on peut déplorer l'ab
à celles d'E. CASPAR pour le registre d
pour les autres recueils épistolaires qui
tificales. Parmi eux figurent d'abord cel
ernardi epistolae) dont une bonne partie
r par son secrétaire, Geoffroy d'Auxerre (*I*
lettres de Thomas Becket publiées dans
Becket, édit. ROBERTSON, Londres, Rolls
rsonnages ecclésiastiques ont laissé des
ements : tels Hildebert de Lavardin, é
Tours, Étienne de Senlis, évêque de
de Reims, Arnoul de Lisieux, Pierre
le Salisbury.

ONIQUES. — Le mouvement canonique
régoire VII (1073-1085) et d'Urbain II

LIVRE PREMIER

L'ÉPILOGUE
DE LA RÉFORME GRÉGORIENNE
(1123-1153)

CHAPITRE PREMIER

SAINT BERNARD [1]

§ 1. — Son idéal monastique.

IMPORTANCE DU ROLE DE SAINT BERNARD
Toute l'histoire ecclésiastique du second quart du XIIᵉ siècle converge autour de la prodigieuse personnalité de saint Bernard. « Raconter sa vie, affirmait Achille Luchaire, serait écrire l'histoire des ordres monastiques, de la réforme, de la théologie orthodoxe, des doctrines hérétiques, de la seconde croisade, des destinées de la France, de l'Allemagne et de

(1) BIBLIOGRAPHIE. — I. SOURCES. — La source la plus essentielle est constituée par l'ensemble de l'œuvre de saint Bernard que l'on trouvera dans *P. L.*, CLXXXII-CLXXXIV, en particulier par sa correspondance (*P. L.*, CLXXXII, 67-722). Quelques lettres, qui ne figurent pas dans ce recueil, ont été éditées par G. HUEFFER, *Der heilige Bernard von Clairvaux, Eine Darstellung seines Lebens und Wirkens*, t. I, Münster, 1886, p. 184-246. Certains traités ont fait l'objet d'éditions plus modernes. On aura recours notamment pour le *De diligendo Deo* et pour le *De gradibus humilitatis et superbiae* à l'édition de W. WILLIAMS et R. V. MILLS dans *Cambridge patristic texts*, Cambridge, 1926, pour les sermons à B. GSELL et L. JANAUSCHEK, *Sancti Bernardi sermones de Tempore, de Sanctis, de Diversis* dans *Xenia Bernardina*, Pars I, Vienne, 1891. On trouvera dans l'ouvrage, cité ci-dessous, de E. VACANDARD d'excellentes traductions de plusieurs de ces textes, qui seront le plus souvent reproduites dans les pages qui suivent.

Outre les œuvres de saint Bernard, nous avons conservé plusieurs biographies du saint. Seule la *Vita prima* (*P. L.*, CLXXXV, 225-454) a une valeur historique. Elle est divisée en sept livres dont le dernier est constitué par des fragments de l'*Exordium magnum* (cf. t. VIII, p. 449). Le premier a été écrit, du vivant même de saint Bernard, par son ami GUILLAUME DE SAINT-THIERRY, auteur lui aussi d'une œuvre théologique d'une grande valeur (cf. E. GILSON, *La théologie mystique de saint Bernard*, Paris, 1934, appendice V, p. 216-232), mort en 1147 ou 1148, c'est-à-dire cinq ou six ans avant saint Bernard ; c'est un récit tout à fait contemporain, dû à un témoin qui, sans se défendre d'une réelle admiration pour celui dont il écrit la vie, a cherché à faire œuvre d'historien et utilisé ou interrogé des évêques, clercs et moines en rapport avec le saint. Après la mort de saint Bernard, ERNAUD DE BONNEVAL, puis GEOFFROY D'AUXERRE ont continué la *Vita prima* en se servant des documents recueillis et non utilisés par GUILLAUME DE SAINT-THIERRY ; on doit au premier le livre II, au second les livres III-VI. L'un et l'autre ont eu souci de faire œuvre historique ; comme l'avait déjà fait Guillaume de Saint-Thierry, ils ont eu sous les yeux les documents publiés par Migne sous le nom de *Vita tertia* et souvent désignés sous le nom de *Fragmenta* ou *Collectanea*, qui avaient été réunis de bonne heure par Geoffroy d'Auxerre lui-même, mais ils en ont souvent banni les faits d'une authenticité douteuse et en particulier ceux d'un caractère miraculeux qui leur paraissaient suspects. Aussi la *Vita prima* a-t-elle une réelle autorité. Il en est tout autrement des vies ultérieures, à savoir la *Vita secunda* composée entre 1167 et 1170 par ALAIN D'AUXERRE (*P. L.*, CLXXXV, 469-524), résumé sans valeur de la *Vita prima*, avec des additions contestables, et la *Vita quarta*, écrite par JEAN L'ERMITE entre 1180 et 1182 (*P. L.*, CLXXXV, 531-550). Sur la valeur de ces différentes vies, voir G. HUEFFER, *op. cit.*, et E. VACANDARD, *Vie de saint Bernard, abbé de Clairvaux*, t. I, p. XX-LIV.

II. TRAVAUX. — L'ouvrage de E. VACANDARD, *Vie de saint Bernard, abbé de Clairvaux*, Paris, 1895, 2 vol., quoique déjà ancien, reste la meilleure monographie envisageant l'ensemble de l'activité de saint Bernard. On peut utiliser aussi celle, plus récente, de W. WILLIAMS, *Saint Bernard of Clairvaux*, Manchester, 1935, qui est également très complète, mais à laquelle il manque une introduction sur les sources et des notes critiques. Il faut signaler aussi, quoique plus sommaires : E. CASPAR, *Bernhard von Clairvaux* dans *Meister der Politik*, t. III, Stuttgart et Berlin, 1923, p. 181-220 ; G. G. COULTON, *Five centuries of religion*, I. S. Bernard, his predecessors and successors, 1000-1200, Cambridge, 1923 ; W. VON DER STEINEN, *Vom heiligen Geist des Mittelalters : Anselm von Canterbury ; Bernhard von Clairvaux*, Breslau, 1926 ; A. J. LUDDY, *Life and teaching of S. Bernard*, Dublin, 1927 ; E. GOYAU, *Saint Bernard*, Paris, 1927. Sur les diverses formes d'activité de saint Bernard, voir : *Saint Bernard et son temps. Recueil de mémoires et commentaires présentés au congrès de l'Association bourguignonne des Sociétés savantes. Congrès de 1927*, Dijon, 1928.

l'Italie pendant une période de quarante ans »[1]. De fait, il n'y a pas un événement auquel saint Bernard n'ait été mêlé : Orient et Occident, Église et société laïque, clergé séculier et clergé régulier ont subi l'empreinte de son génie ; papes, évêques, rois, seigneurs, paysans, artisans ont été à des titres divers repris, morigénés, flagellés, mais aussi récon fortés, exhortés, encouragés, enflammés par ce moine ardent et impétueux, véritable envoyé de Dieu pour arracher les hommes à l'iniquité et au vice, pour les entraîner ensuite vers les plus hauts sommets de l'idéal chrétien.

On ne saurait donc écrire l'histoire de l'Église entre les années 1123 et 1153 sans s'arrêter au préalable devant cet homme extraordinaire qui, à n'en juger que par les apparences, semblait né pour l'action. Homme d'action, saint Bernard l'a été surtout par la force des circonstances, souvent à son insu et malgré lui. Il se croyait destiné à la vie contemplative et, lorsqu'adolescent il a renoncé au monde pour entrer à Cîteaux, il n'avait d'autre pensée et d'autre désir que de fuir le monde et de s'adonner dans la solitude au service de Dieu. Il a voulu être moine, moine avant tout, moine toujours, n'aspirant qu'à la seule méditation des choses divines, à la pratique de l'ascétisme qui, en mortifiant la chair et l'esprit, permet d'atteindre ce Jésus crucifié qu'il considère comme le résumé de sa philosophie. C'est avant tout un mystique qui se transformera, sous le choc des contingences, en homme d'action, ou plutôt une force spirituelle presqu'unique dans les annales de l'histoire ecclésiastique.

ENTRÉE DE SAINT BERNARD A CITEAUX « Le Seigneur, lit-on dans l'*Exordium magnum ordinis Cisterciensis* [2], parla au cœur d'un tout jeune homme nommé Bernard et, bien qu'il fût jeune, noble, délicat et instruit, il s'embrasa d'un si grand feu d'amour divin que, méprisant tous les plaisirs et les délices du siècle, aussi bien que les dignités ecclésiastiques, il se proposa, dans la ferveur de son âme, d'embrasser la vie rigoureuse des Cisterciens ». La vocation monastique de saint Bernard est résumée en ces quelques lignes : à l'origine se place le « mépris des délices du siècle » avec lequel il a été en contact pendant les vingt-deux années de sa jeunesse.

Né en 1090 à Fontaine-les-Dijon, saint Bernard appartenait à une famille de vieille noblesse bourguignonne. Son père, Tescelin, était un chevalier de Châtillon-sur-Seine ; sa mère, Alette, fille du seigneur Ber-

2 vol. ; E. GILSON, *La théologie mystique de saint Bernard*, Paris, 1934 ; J. RIES, *Das geistliche Leben, in seinen Entwicklungsstufen nach der Lehre des hl. Bernhard*, Fribourg, 1906 ; J. SCHUCK, *Das religiöse Erlebnis beim hl. Bernhard von Clairvaux, ein Beitrag zur Geschichte der christlichen Gotteserfahrung*, Würzbourg, 1922 ; J. M. BESSE, *Les mystiques bénédictines des origines au XIIe siècle. Essai historique*, Paris, 1927 ; R. LINHARDT, *Die Mystik des hl. Bernhards von Clairvaux*, Munich, 1928 ; P. GUILLOUX, *L'amour de Dieu selon saint Bernard*, dans *Revue des Sciences religieuses*, t. VI, 1926, p. 499-512, t. VII, 1927, p. 52-68, t. VIII, 1928, p. 69-90 ; Dom C. BUTLER, *Le monachisme bénédictin. Études sur la vie et la règle bénédictines*, trad. CH. GROLLEAU, Paris, 1924 ; Dom U. BERLIÈRE, *L'ascèse bénédictine des origines à la fin du XIIe siècle. Essai historique*, Paris, 1927 ; P. POURRAT, *La spiritualité chrétienne*, t. II, Paris, 1928 ; H. FECHNER, *Die politischen Theorien des Abtes Bernhard von Clairvaux in seinen Briefen*, Bonn et Cologne, 1933 ; J. THIEL, *Die politische Tätigkeit des Abtes Bernhard von Clairvaux*, Diss. Koenigsberg, 1885.
(1) A. LUCHAIRE, *Les premiers Capétiens (987-1137)*, dans *Histoire de France* sous la direction d'E. LAVISSE, t. II, 2e p., p. 266.
(2) *Exordium magnum ordinis Cisterciensis*, I, xv.

nard de Montbard, paraît avoir été une femme d'une haute vertu, mais elle mourut alors que Bernard n'avait encore que seize ou dix-sept ans [1]. Le futur Cistercien a vécu, à ce foyer chrétien et uni, une jeunesse paisible et, si plus tard il s'est reproché à lui-même de n'avoir pas su éviter de dangereuses amitiés (*amicitiae inimicissimae* [2]), il semble qu'il ait par humilité exagéré le péril qu'il a couru de la sorte et que les plaisirs mondains l'aient à peine effleuré sans jamais entamer sa vertu [3].

En avril 1112, saint Bernard entre à Cîteaux [4]. Il y entraîne trente de ses parents ou de ses amis auxquels il veut communiquer l'élan d'amour qui l'enflamme. Le cloître lui apparaît comme le seul refuge où il puisse répondre à l'appel divin et, sans hésiter, il opte pour Cîteaux plutôt que pour Cluny dont la richesse extérieure ne manquait pas de le choquer un peu et où la règle bénédictine avait reçu des adoucissements en opposition avec ses aspirations ascétiques [5]. A Cîteaux, il espère trouver ce qu'il a vainement cherché ailleurs, c'est-à-dire Dieu qu'il n'a pu atteindre ni dans le monde, ni à l'école de Saint-Vorles, près de Châtillon-sur-Seine, où on l'a initié à la science séculière, afin de faire de lui un homme de lettres ; déçu par les auteurs profanes, auxquels il doit d'ailleurs ce style alerte, vif, coloré, imagé, parfois ironique, qui est le sien, il veut se nourrir non de la sagesse antique, mais de l'Évangile et, comme à Cluny il risquerait d'être à nouveau saisi par cet humanisme qu'il a pris en horreur, c'est à Cîteaux qu'il ira vivre de Dieu, s'unir à lui, le mieux connaître, suivant la discipline bénédictine [6]. Trois ans après son entrée au cloître, il a acquis une telle autorité qu'il est chargé de prendre la direction des frères qui, pour dégager l'abbaye devenue trop nombreuse, vont fonder une filiale dans la vallée de l'Aube, à Clairvaux [7]. Devenu abbé à Clairvaux, il n'en restera pas moins le type accompli du moine cistercien.

SAINT BERNARD MOINE CISTERCIEN « On ne saurait trop insister sur ce point, a très justement écrit dom Berlière, qu'il n'est pas un écrivain renfermé dans son individualité ; c'est un moine qui vit dans une communauté de moines, qui pense comme eux, qui agit comme eux, qui ne s'écarte en rien de l'esprit de la Règle

(1) Sur la famille de saint Bernard, voir : M. CHAUME, *Les origines familiales de saint Bernard* dans *Saint Bernard et son temps*, t. I, p. 75-112.

(2) Cf. *In Cant. sermo* XXIV, 3.

(3) On notera que les biographes de saint Bernard, s'ils font une allusion discrète aux luttes qu'il a pu soutenir pour maintenir la pureté de son âme et de ses sens, n'ont pas eu recours au thème classique des hagiographes qui se plaisent souvent à indiquer comment le saint dont ils racontent la vie a reçu tout à coup, après une jeunesse débauchée, l'aiguillon de la foi, ce qui le détermine à quitter le monde pour la solitude. Le fait qu'un tel développement n'ait pas trouvé place dans les différentes vies de saint Bernard prouve que l'entrée de saint Bernard à Cîteaux a été le couronnement d'une adolescence pieuse et chaste. — Sur les premières années de saint Bernard, voir E. VACANDARD, *Vie de saint Bernard, abbé de Clairvaux*, t. I, p. 1 et suiv. ; WATKIN WILLIAMS, *Saint Bernard of Clairvaux*, p. 1 et suiv.

(4) Sur la date, cf. E. VACANDARD, *op. cit.*, t. I, p. 33, n. 2.

(5) Sur les caractères respectifs de Cluny et de Cîteaux, cf. t. VIII, p. 438-440 et 452-454.

(6) Cet état d'âme de saint Bernard a été bien mis en lumière par son biographe, Guillaume de Saint-Thierry, dans la *Vita S. Bernardi*, I, III. Cf. E. GILSON, *La théologie de saint Bernard*, p. 80-81.

(7) Sur les débuts de Clairvaux, cf. E. VACANDARD, *op. cit.*, t. I, p. 64 et suiv. ; WATKIN WILLIAMS, *op. cit.*, p. 18 et suiv.

et de la pratique journalière de la Règle [1] ». Convaincu qu'il ne peut parvenir à Dieu par ses propres forces, c'est à la Règle bénédictine qu'il confie son âme pour qu'elle le fasse monter vers les pures sphères de la contemplation. Il a lu, au dernier article, cette phrase suggestive :

> Toi donc, qui que tu sois, qui presses tes pas vers la patrie céleste, suis jusqu'au bout, avec l'aide du Christ, cette minime règle de commencement que j'ai écrite, et alors tu parviendras enfin, avec la protection de Dieu, à ces plus hauts sommets de doctrine et de vertu que je viens de rappeler [2].

Confiant en la parole du père de la vie monastique, saint Bernard mettra en pratique ses enseignements avec une scrupuleuse minutie.

SON ASCÉTISME Le point de départ de l'ascension mystique de saint Bernard, c'est l'idée que l'amour de Dieu qui, en soi, est le seul amour véritable parce qu'expression de la reconnaissance de l'homme envers le Créateur, est combattu en nous par un autre amour, essentiellement égoïste, « l'amour charnel », que l'on peut définir « l'amour par lequel l'homme s'aime lui-même, pour lui-même et avant toutes choses » [3]. Pénétré du texte de saint Paul : *Ce qui est spirituel ne vient pas en premier lieu, mais ce qui est animal et, après, ce qui est spirituel ; le premier homme est de la terre, terrestre, le second du ciel (I Cor.* xv, 46), persuadé que, si l'amour charnel est le premier en fait, l'amour de Dieu est au contraire le premier en droit, saint Bernard estime que, pour arriver à cet amour de Dieu, le moine doit s'efforcer avant toutes choses d'éliminer l'amour charnel par la mortification continue des sens et de l'esprit ; en d'autres termes, c'est par l'ascétisme que l'on peut parvenir à la vie mystique, car l'ascétisme supprime l'amour immodéré du corps qui retient l'âme éloignée de Dieu [4].

Aussi la vie monastique apparaît-elle tout d'abord à saint Bernard comme une vie d'abstinence, de jeûne, de travail ou, pour mieux dire, de perpétuel sacrifice. C'est, suivant l'expression dont se sert la règle bénédictine, « par les duretés et par les aspérités que l'on va à Dieu » ; si l'on veut façonner l'âme, il faut d'abord assouplir le corps « pour l'amendement des vices et pour la conservation de la charité » [5]. A peine entré à Cîteaux, le jeune seigneur devenu moine se plie joyeusement à toutes les rigueurs de la discipline, avec une tendance manifeste à les aggraver encore : manger à sa faim constitue à ses yeux une forme du péché de gourmandise et il se contente de prélever sur la livre de pain et les deux plats de légumes, auxquels il a droit chaque jour, ce qui est strictement nécessaire pour ne pas tomber en défaillance ; il estime également que dormir est une perte de temps, se prive volontairement de sommeil et critique avec âpreté les moines qui ronflent, ce qui est, dit-il, « dormir

---

(1) U. BERLIÈRE, *L'ascèse bénédictine,* p. 101.
(2) *Benedicti regula,* LXXIII.
(3) *De diligendo Deo,* VIII, XXIII. Cf. E. GILSON, *op. cit.,* p. 48 et suiv.
(4) Cf. E. GILSON, *op. cit.,* p. 90.
(5) *Benedicti regula,* LVIII. Cf. U. BERLIÈRE, *op. cit.,* p. 137-138.

d'une manière charnelle et à la façon des séculiers »[1] ; le mépris de la propreté, prescrit par la règle bénédictine qui limite les ablutions et réduit au minimum les soins du corps, lui est plus pénible, mais il s'y astreint comme les autres : *in vestibus ei paupertas semper placuit, sordes nunquam*[2]. Saint Bernard ne néglige d'ailleurs aucune des obligations de la règle : quoique peu préparé au travail manuel par sa vie antérieure, il balaye le cloître, lave les écuelles, fend le bois et le porte au bûcher, mais il n'arrivera jamais, malgré toute sa bonne volonté, à conduire une charrue. Lorsqu'il deviendra, en 1114, abbé de Clairvaux, il s'imposera de telles mortifications qu'il tombera malade et l'évêque de Châlons, Guillaume de Champeaux, sera obligé d'aller chercher à Cîteaux des pouvoirs spéciaux pour l'obliger à se soigner[3].

L'HUMILITÉ   On pourrait glaner dans la biographie du saint par Guillaume de Saint-Thierry beaucoup d'autres détails sur cet inépuisable sujet de l'ascétisme de Bernard. Conformément à la règle bénédictine, la mortification des sens s'accompagne chez lui de la mortification de l'esprit. Dans une de ses lettres, il insiste sur la valeur du sacrifice de l'obéissance à un maître qui est l'abbé et il aperçoit dans cette obligation essentielle un moyen de contraindre le moine à pratiquer la vertu fondamentale d'humilité, vrai moyen de parvenir à Dieu[4]. Il a écrit sur ce sujet tout un traité, le *De gradibus humilitatis*[5], où il reprend la conception de saint Benoît qui assimile l'humilité, « vertu par laquelle l'homme s'abaisse grâce à la connaissance exacte de lui-même »[6], à une échelle dont il faut gravir les douze échelons et dont les côtés sont le corps et l'âme, tandis que le sommet est Dieu, si bien que le terme de l'humilité n'est autre que la vérité. Pour y parvenir, il nous faut avant toutes choses connaître notre propre misère, « mépriser notre propre excellence », prendre conscience de notre caractère d'image divine défigurée, ce qui est le meilleur moyen de nous élever vers Dieu en nous jugeant comme il nous juge lui-même[7]. Et ainsi l'humilité revêt pour le moine une extraordinaire valeur éducative, fruit de cette règle bénédictine qui révèle une fois de plus sa profonde expérience de la misère humaine.

LA SCIENCE DE L'ÉCRITURE   Ce degré une fois franchi, saint Bernard va en gravir un autre en prenant contact avec l'Écriture. L'ascétisme n'exclut pas la science, mais la science, telle que la conçoit saint Bernard, ne ressemble en rien à celle des dialecticiens ; pour lui, la raison ne doit pas chercher à comprendre ce que la foi lui enjoint d'accepter et obéir à ce précepte, c'est encore faire acte d'humilité.

(1) Guillaume de Saint-Thierry, *Bernardi vita*, I, iv, 21-23.
(2) *Ibid.*, III, ii, 5.
(3) *Ibid.*, I, vii, 32. Cf. E. Vacandard, *op. cit.*, t. I, p. 68 et suiv.
(4) *Epist.* cxlii. Cf. U. Berlière, *op. cit.*, p. 121.
(5) On trouvera ce traité dans *P. L.*, CLXXXII, 941-972.
(6) *De gradibus humilitatis*, I, ii.
(7) Saint Bernard est revenu avec insistance sur cette idée. Cf. *Tractatus de moribus et officio episcoporum*, v, 19 ; *Tractatus de gradibus humilitatis*, iv, 14. Comme l'a fort bien montré M. Gilson (*op. cit.*, p. 91 et suiv.), il a certainement subi l'influence de saint Augustin et aussi celle de saint Ambroise auquel il faut attribuer un rôle important dans la formation de la mystique cistercienne.

Il a dénoncé en termes amers l'orgueil d'Abélard qui « cherche, dit-il, à évacuer le mérite de la foi chrétienne en pensant qu'il faut comprendre par des arguments humains tout ce qui est Dieu » [1]. Apprendre pour savoir lui semble une honteuse curiosité ou même un trafic des choses spirituelles, une forme de simonie (*turpis curiositas, turpis quaestus, simonia* [2]). A cette vaine curiosité il oppose la prudence qui recherche les sciences nécessaires au salut, et celles-ci se ramènent à une seule, la connaissance de l'Écriture. « Pierre, André, les fils de Zébédée et leurs autres condisciples n'ont pas été choisis dans une école de rhétorique ou de philosophie, et c'est pourtant par eux que le Sauveur a accompli l'œuvre de salut [3] ». Comme eux, le moine cistercien, au lieu de travailler pour comprendre, au lieu de lire Platon ou Aristote, se mettra à l'école du Christ, car on ne va au Père que par le Fils, à Dieu que par le Christ : c'est là une des caractéristiques de la spiritualité de saint Bernard, toujours en parfait accord avec la règle bénédictine qui enjoint aux moines de n'agir que par amour du Christ, de souffrir avec lui, de n'avoir rien qui leur soit plus cher que lui.

L'ÉCOLE DU CHRIST   Fidèle à cette pensée, saint Bernard s'attachera tout d'abord à percevoir les mystères de la vie du Christ, tels qu'ils se dégagent de l'Écriture sainte.

Quiconque est rempli de cet amour se laisse aisément émouvoir par tout ce qui a trait au Verbe fait chair. Il n'est rien qu'il entende plus volontiers, rien qu'il lise avec plus de goût, rien qu'il médite avec plus de suavité. De là ces holocaustes de prières qui s'échappent de l'abondance de son cœur. Quand il prie, l'image sacrée de l'Homme-Dieu est devant lui : il le voit naître, grandir, enseigner, mourir, ressusciter, monter au ciel, et toutes ces images allument nécessairement dans son cœur l'amour de la vertu et apaisent les désirs mauvais. Aussi suis-je persuadé que, si le Dieu invisible a voulu se montrer dans la chair et converser humainement avec les hommes, c'était en vue d'attirer d'abord sur sa chair les affections des âmes charnelles qui ne savaient aimer que la chair et de les conduire ainsi, insensiblement, à l'amour spirituel [4].

Toutefois cet amour, par son caractère sensible, a encore quelque chose de charnel, car, par suite de la faute originelle qui a rendu l'incarnation nécessaire, c'est par l'humanité du Christ qu'il mène à sa divinité. Il faut donc le dégager de ce qu'il pourrait avoir de trop matériel et, en l'éclairant des données de la foi, le rendre plus spirituel, afin d'aboutir à ces états mystiques auxquels veut parvenir saint Bernard [5].

MÉDITATION ET ORAISON   Aussi bien la lecture est-elle inséparable de la méditation qu'elle précède et qu'elle prépare. L'Écriture révèle les étapes du pèlerinage du Christ parmi les hommes ; par la méditation nous pouvons communier davantage à cette vie du Christ, en mesurer la place dans l'économie divine, et la médi-

(1) *De erroribus Abailardi*, IV, x et V, xii-xiii. Cf. E. Gilson, *op. cit.*, p. 84-85.
(2) *In Cantica Canticorum sermo* xxxvi, 3.
(3) *Ibid.*, xxxvi, 1.
(4) *Ibid.*, xx, 6.
(5) Voir surtout à ce sujet le *De diligendo Deo*, III, vii et IV, xi. Cf. E. Gilson, *op. cit.*, p. 102 et suiv.

tation engendre elle-même la prière qui va élever le moine jusqu'à Dieu.
Nulle part saint Bernard n'a mieux développé sa pensée sur ce point
que dans un sermon à l'occasion de la fête de saint André :

> Montons avec l'aide de la méditation et de la prière qui seront, en quelque
> manière, nos deux pieds. La méditation nous apprend ce qui nous manque
> et la prière nous l'obtient. La méditation nous montre la voie et la prière nous
> y fait marcher. La méditation enfin nous fait connaître les dangers qui nous
> menacent et la prière nous les fait éviter par la grâce de Notre-Seigneur Jésus-
> Christ [1].

LA CONTEMPLATION Ainsi lecture, méditation, oraison acheminent
le moine mortifié et humilié, tout rempli de la
science des Écritures, vers la contemplation, but suprême de la vie monastique, jouissance de la vérité. Par des étapes successives, saint Bernard
est parvenu au plus haut sommet de l'échelle qui conduit à Dieu. L'amour
du Verbe fait chair contenait encore quelque chose de corporel ; maintenant la pénitence, la méditation et la prière ont accompli leur œuvre ;
l'âme purifiée, pacifiée, dépouillée des éléments matériels qui pourraient
la faire défaillir, ornée de toutes les vertus, réconfortée du breuvage
divin qu'apporte la prière, embrasée et embaumée par la grâce, peut se
dilater à son aise, « brûler d'amour pour ce Dieu » que celui qui sommeille
dans la contemplation « devine et sent plus qu'il ne le voit » [2].

C'est sans doute dans les commentaires sur le Cantique des Cantiques
que saint Bernard a le plus éloquemment défini ce qu'il entend par cet
amour purement spirituel :

> C'est le cantique de l'amour : nul ne saurait le chanter, si l'onction ne le
> lui a appris. Ce n'est pas un frémissement de la bouche, c'est un hymne du
> cœur ; ce n'est pas un bruit des lèvres, c'est un mouvement de joie ; ce sont
> les volontés qui sont en harmonie et non les paroles. On ne l'entend pas au
> dehors ; il ne retentit pas en public ; personne ne l'entend que celle qui chante
> et celui à qui elle le chante, l'épouse et l'époux. C'est un chant nuptial où sont
> exprimés les chastes et délicieuses étreintes des âmes, l'accord des sentiments
> et la mutuelle correspondance des affections. L'âme novice ne le sait pas. Pour
> le chanter, il faut qu'elle ait atteint l'âge parfait, l'âge nubile et que par ses
> vertus elle soit devenue digne de l'époux [3]...
> Qu'y a-t-il de plus délicieux que cette union ? Qu'y a-t-il de plus désirable
> que cette charité qui rapproche l'âme du Verbe et la rend si familière qu'elle
> ose lui exprimer tous ses désirs ? C'est bien là le lien du saint mariage ; le lien,
> c'est peu dire ; c'en est l'intimité, la fusion, une fusion où deux esprits ne
> font plus qu'un par l'union même des volontés exaltée jusqu'à l'unité... Lorsque
> Dieu aime, il ne veut qu'une chose, être aimé, et il n'aime que pour qu'on
> l'aime, sachant que l'amour rendra bienheureux tous ceux qui l'aimeront. C'est
> une grande chose que l'amour [4].

(1) *In festo S. Andreae apostoli. Sermo* i, 10.
(2) *In Cantica Canticorum sermo* xviii, 5. Voir aussi *De gradibus humilitatis*, VII, xxi ; *De
consideratione*, I, vii et II, ii et iii. Cf. U. Berlière, *op. cit.*, p. 227 et surtout E. Gilson,
op. cit., p. 125-129.
(3) *In Cantica Canticorum sermo* i, 11.
(4) *In Cantica Canticorum sermo* lxxxiii, 3. On pourrait citer d'autres passages du commentaire
de saint Bernard sur le Cantique des Cantiques où la même idée s'exprime sous forme d'images
hardies où se complaît le langage mystique de saint Bernard : l'âme, nubile, devient l'épouse du
Verbe, contracte avec lui des noces spirituelles, reçoit un baiser de sa bouche, jouit de lui si fami-
lièrement qu'elle se sent entourée de ses bras, réchauffée sur son sein ; tout est commun entre
l'âme et le Verbe : maison, table, chambre, lit.

L'AMOUR DE DIEU   Tout saint Bernard est dans cette dernière phrase : il a aimé Dieu sans mesure[1], jusqu'à s'annihiler totalement en lui, jusqu'à n'avoir d'autre volonté que la sienne ; il a voulu jouir de cet amour sans entrave aucune, dans une retraite où l'âme, détachée de tout, reste seule à seul avec le souverain maître dans un état de ravissement et d'extase que l'on ne peut atteindre que loin des bruits du monde extérieur, dans la solitude et le silence d'une cellule monastique. C'est pour réaliser cet idéal que saint Bernard est entré à Cîteaux et il faut convenir qu'il est pleinement parvenu à ses fins : ce moine au corps exténué par les veilles et consumé par les jeûnes multipliés, à l'esprit dompté par la pratique ardente et continue de l'humilité, à l'âme pénétrée des enseignements évangéliques, est sans doute le plus parfait mystique qu'ait produit la religion chrétienne, un mystique qui se garde avec horreur de toutes les subtilités de la dialectique et qui, n'ayant d'autre nourriture intellectuelle que l'Écriture et la littérature ascétique, est parvenu à s'abîmer à tel point dans la contemplation divine qu'il a eu dès ici-bas un avant-goût de la vision béatifique ; personne n'a connu autant que lui les joies inaccessibles du pur amour dans lesquelles il n'a cessé de se complaire, considérant toutes les autres comme inutiles et vaines[2].

L'ACTION EXTÉRIEURE   Et pourtant ce mystique, que son désir de contemplation aurait dû river à sa cellule nue et austère, après quinze ans de vie monastique, passera les vingt-cinq dernières années de son existence par voies et par chemins. On le trouvera partout, en France, en Italie, en Allemagne, en Angleterre. Il discutera avec les hérétiques, confondra les schismatiques, admonestera évêques, seigneurs et rois, conseillera les papes, prêchera la croisade. Il semble qu'il y ait là un véritable paradoxe et l'on est quelque peu déconcerté par cette action extérieure de tous les instants qui paraît en contradiction avec l'idéal monastique si exclusif de saint Bernard.

Toutefois le paradoxe n'est qu'apparent et il y a en réalité dans cette vie aux aspects si divers une profonde unité.

On remarquera tout d'abord que, lorsque saint Bernard intervient dans les affaires de l'Église et de la Chrétienté, c'est avant tout par obéissance et nullement par ambition ou par désir de se mettre en avant. Il ne sortira jamais de son monastère que sur l'ordre de son évêque ou d'un légat pontifical et non, semble-t-il, sans une certaine répulsion[3]. Il

---

(1) *De diligendo Deo*, 1, 1 : *Causa diligendi Deum, Deus est* ; *modus, sine modo diligere*. On lit dans le même traité (vi, 16) : « Comprenez avec quelle mesure ou plutôt comment sans mesure Dieu mérite d'être aimé. Lui, qui est si grand, nous a aimés le premier gratuitement et si complètement, nous qui sommes si petits et si méprisables !... Puisque notre amour se rapporte à Dieu, il se rapporte donc à l'immensité, à l'infini ; Dieu est en effet infini et sans limite. Quels pourraient être alors, je vous le demande, le terme et la mesure de notre amour ? »

(2) On a parfois prétendu que la mystique de saint Bernard avait contribué sinon à la naissance, du moins au développement de l'amour courtois. Cf. à ce sujet : E. GILSON, *op. cit.*, appendice IV, *Saint Bernard et l'amour courtois*, p. 193-215, où l'impossibilité de cette filiation est lumineusement prouvée. M. Gilson montre fort bien, en particulier, que l'amour courtois n'exclut nullement l'amour charnel sous une forme que saint Bernard eût énergiquement réprouvée.

(3) *Epist.* xlviii. Cf. aussi *Epist.* lii au chancelier Aimeric, écrite vers 1128, où il écrit : « Rien n'est plus sûr pour moi que d'obéir à la volonté du seigneur pape ».

n'opposera, il est vrai, en la plupart des cas, aucune fin de non recevoir aux invitations qui lui seront adressées, car il n'agit pas seulement par obéissance, mais aussi par amour des âmes : c'est sa conception de la charité qui explique à la fois pourquoi il est entré au cloître et pourquoi il en est si souvent sorti.

L'AMOUR DU PROCHAIN   La théologie catholique enseigne que l'amour du prochain est inséparable de l'amour de Dieu. Saint Bernard est pénétré de cette vérité : ce n'est pas seulement pour son profit personnel que le moine a reçu de Dieu le grand don de l'amour ; il serait égoïste de le garder pour lui seul et de ne pas le répandre autour de lui en cherchant à conquérir les âmes à Dieu.

Cette idée est développée avec beaucoup de force dans le dix-huitième sermon sur le Cantique des Cantiques, entièrement consacré aux conditions nécessaires à l'apostolat [1]. Bernard considère que les dons du Saint-Esprit peuvent se ramener à deux groupes, d'une part les grâces intérieures par lesquelles nous arrivons à nous sauver nous-mêmes et qu'il désigne sous le nom d' « infusion divine », d'autre part l'effusion, c'est-à-dire les dons extérieurs qui serviront à gagner les âmes à Dieu, et il insiste sur l'obligation où nous sommes de ne pas retenir pour nous ce que nous avons reçu pour les autres :

> Vous retenez certainement pour vous ce qui appartient à votre prochain si, ayant l'âme non seulement débordante de vertus, mais encore extérieurement ornée des dons de la science et de l'éloquence, par crainte, par paresse ou par une humilité hors de propos, vous réprimez une bonne parole qui pourrait servir à plusieurs, si vous gardez un silence infécond et même condamnable. Vous devez être en effet appelés maudits, vous qui cachez au peuple votre blé au lieu de le distribuer libéralement.

Toutefois il serait non moins criminel de s'adonner à l'apostolat avant une préparation intérieure sérieuse :

> Au contraire, vous dissipez et perdez ce qui est à vous si, avant d'avoir entièrement reçu l'infusion divine, vous vous hâtez de vous répandre, violant ainsi la loi qui interdit de faire labourer le premier veau d'une vache et de tondre le premier agneau d'une brebis. Assurément, vous vous privez vous-même de la vie et du salut que vous prétendez porter aux autres, lorsque vous agissez ainsi, vide de vertus, enflé de vaine gloire ou infecté d'un venin de terrestre cupidité, intérieurement boursouflé d'une tumeur mortelle [2].

Et saint Bernard conclut :

> Apprenez donc à ne répandre que les dons dont vous avez la plénitude et ne soyez pas plus libéral que Dieu de la plénitude duquel nous avons tout reçu. Que le bassin imite sa source. La source ne s'écoule en ruisseaux et ne se répand en lac qu'après s'être rassasiée de ses propres eaux. Que le bassin n'ait donc point honte à n'être pas plus abondant que sa propre source... Remplissez-vous d'abord et c'est seulement après l'avoir fait que vous songerez à vous répandre. Une charité bienveillante et prudente a coutume de surabonder, mais non de se dissiper [3].

Ainsi l' « infusion » doit précéder « l'effusion » ; l'humilité, la chasteté,

(1) *In Cantica sermo* XVIII. Cf. aussi *Sermones* VII, XIII, XLV.
(2) *In Cantica sermo* XVIII, 2.
(3) *Ibid.*, 4.

l'obéissance, la mortification, la contemplation sont les sources de la charité, mais, du jour où ces sources auront une alimentation suffisante, elles devront se déverser en abondance :

Prêchez alors, fructifiez, renouvelez les prodiges, surpassez toutes les merveilles. Il n'y a plus de place pour la vanité dans un cœur que possède la charité, car la charité est la plénitude de la loi et du cœur, si du moins elle est vraiment totale. Dieu est charité et il n'y a rien qui puisse mieux remplir la créature faite à l'image de Dieu que Dieu qui est charité et qui seul est plus grand qu'elle [1].

ACTION RÉFORMATRICE DE SAINT BERNARD Ainsi la conclusion de la vie contemplative, c'est l'action, mais une action qui ne pourra commencer que le jour où l'apôtre aura acquis la plénitude de la charité. Saint Bernard ne s'est pas dérobé à cette obligation de l'âme qui a la possession de Dieu. Il s'est conformé toute sa vie aux préceptes qu'il a posés dans le sermon qui vient d'être cité. Son action extérieure a été, avec raison, considérée comme prodigieuse par les historiens modernes, mais en a-t-il eu lui-même conscience ? Il est permis d'en douter. Quoiqu'il domine de sa puissante personnalité, comme on le verra dans les pages qui suivent, toute la période de l'histoire de l'Église qui va de l'avènement d'Honorius II à la mort d'Eugène III, qu'il dirige les événements et les hommes, y compris les papes, il ne semble pas avoir jamais été effleuré par l'idée qu'il accomplissait une mission divine ; ce moine, qui a enflammé les masses, touché bien des cœurs, convaincu les hérétiques, ramené les schismatiques au bercail, suggéré des réformes qui font honneur à son sens pratique autant qu'à son esprit de foi, est probablement mort sans s'être rendu compte du rôle primordial qu'il avait joué dans la Chrétienté, tellement il était confondu en Dieu dont il essaie seulement de traduire la volonté. Non seulement il n'a jamais éprouvé aucune ambition personnelle ni brigué aucune dignité dans l'Église [2], mais il est resté toujours le moine contrit et humilié qui, après chacune des missions qui lui ont été confiées, vient se retremper dans la solitude du cloître et la contemplation divine. Bref, saint Bernard est avant tout, suivant le programme qu'il a tracé dans plusieurs de ses sermons, une âme qui rayonne, qui porte aux autres sous des formes variées le Dieu qu'il a trouvé dans sa cellule, qui veut infuser à une société chrétienne par sa foi, mais trop souvent païenne par ses mœurs, l'esprit monastique capable de la régénérer et de la maintenir dans les voies du salut.

Aussi bien saint Bernard va-t-il, pendant le second quart du xiie siècle, continuer l'action réformatrice de Grégoire VII et d'Urbain II en l'adaptant à une situation parfois différente, en brisant les obstacles qui se sont dressés contre elle, et cela avec un sens extraordinaire des réalités qui porte l'empreinte de sa vaste intelligence. Cette action s'alimente elle-même à un certain nombre d'idées directrices qu'il importe de définir avant d'en percevoir, à travers les événements, les applications successives.

(1) *In Cantica sermo* xviii, 6.
(2) Il a notamment refusé l'évêché de Langres et l'archevêché de Reims qu'on lui a offert avec insistance. Cf. E. VACANDARD, *op. cit.*, t. II, p. 43.

§ 2. — Ses idées réformatrices.

SAINT BERNARD
DISCIPLE DE GRÉGOIRE VII

Le but de l'apostolat, tel que le comprend saint Bernard, c'est la diffusion de l'esprit monastique à travers le siècle. Or la première de toutes les vertus monacales, celle qui sert de soutien et d'aliment à toutes les autres, c'est à coup sûr l'obéissance. Aussi n'est-il pas surprenant que le saint de Clairvaux, qui exige des moines une soumission quotidienne à la volonté de l'abbé, considère que le premier devoir de tout chrétien est le respect des décisions du Siège apostolique, pierre angulaire sur laquelle repose l'Église.

Par là saint Bernard rejoint Grégoire VII dont il est le disciple et le continuateur. Si ses lettres ne portent aucune trace textuelle des bulles du grand pape réformateur [1], elles n'en sont pas moins nourries de sa pensée. Entre le pontife et le moine on peut d'ailleurs relever certaines analogies de caractère.

Le trait dominant du caractère de Grégoire VII, c'est une foi ardente illuminée par une piété toute mystique [2] ; saint Bernard a reçu lui aussi la « grande et suave blessure de l'amour » [3] et s'est uni au Verbe devenu l'époux de son âme [4]. « Je meurs en moi, mais je vis en Jésus », confiait Grégoire VII à son ami Hugues de Cluny, confident de ses plus secrètes pensées [5]. « Savoir Jésus et Jésus crucifié, c'est là le résumé de ma philosophie », s'écrie à son tour saint Bernard [6]. Grégoire VII a été, au moyen âge, l'un des promoteurs de la dévotion envers la Vierge, « reine de tous les anges, honneur et gloire de toutes les femmes, salut et noblesse de tous les élus » [7], et c'est encore la Vierge qui inspirera à saint Bernard de sublimes accents [8]. De même enfin, lorsque saint Bernard fait dériver son amour pour l'humanité de son amour pour Dieu et qu'il aperçoit dans la contemplation la source de l'apostolat des âmes auxquelles il veut communiquer sa science du salut, il s'attache une fois de plus aux pas de Grégoire VII pour qui « le Dieu tout puissant a résumé sa loi dans le précepte de la charité » [9].

On pourrait citer d'autres traits de cette parenté spirituelle. La similitude des deux tempéraments explique dans une certaine mesure pourquoi saint Bernard, du jour où il prend contact avec le monde extérieur, obéit aux directives tracées un demi-siècle plus tôt par le pontife qui a attaché son nom à la réforme de l'Église.

---

(1) Cela ne saurait d'ailleurs surprendre : si on excepte l'Écriture dont de multiples passages reviennent sous sa plume, saint Bernard, à la différence des écrivains ecclésiastiques de son temps, n'est pas prodigue de citations ; même les Pères et autres docteurs, dont on retrouve la pensée, ne sont que rarement mentionnés.
(2) Cf. t. VIII, p. 58-59.
(3) *In Cantica sermo* XXIX, 8.
(4) *Ibid.*, VII, 2 ; XXIII, 12, 15, 16 ; XLVI, 4 ; LXXXIII, 3-6. Cf. *supra*, p. 19.
(5) GRÉGOIRE VII, *Registrum*, V, 21.
(6) *In Cantica sermo* XLIII, 4.
(7) *Registrum*, VIII, 22. Cf. aussi *Ibid.*, I, 47.
(8) Cf. *infra*, p. 39-40.
(9) *Registrum*, II, 37. Cf. t. VIII, p. 59-60.

*SAINT BERNARD
ET LA PRIMAUTÉ ROMAINE*
Ce qui imprime à cette réforme sa physionomie propre, c'est qu'elle poursuit la régénération morale et l'affranchissement de l'Église, sous la direction du pontife romain, successeur de Pierre, dont elle restaure au préalable l'autorité absolue, illimitée, universelle. Toutes les mesures qu'elle a inspirées sont fondées sur le pouvoir de lier et de délier que le Christ a remis au Siège apostolique en la personne de l'Apôtre [1]. Or saint Bernard, que l'on a représenté parfois comme un dictateur impérieux et hautain de la Chrétienté, n'agit jamais qu'au nom du pape auquel il réserve les décisions suprêmes et dont il s'efforce de faire prévaloir les avis. En 1131, les Milanais veulent empêcher leur archevêque de prêter serment de fidélité à Innocent II ; saint Bernard essaie de conjurer cette désobéissance sacrilège et, dans la lettre qu'il rédige à cette occasion, il définit en ces termes les prérogatives de l'Église romaine :

La plénitude du pouvoir sur toutes les églises du monde a été conférée au Siège apostolique par un privilège spécial. Celui qui résiste à ce pouvoir résiste à l'ordre de Dieu. Le pontife romain peut, s'il le juge utile, créer de nouveaux évêchés. Quant à ceux qui existent, il peut, à son gré, diminuer l'importance des uns, augmenter celle des autres, en sorte qu'il peut transformer les évêques en archevêques et inversement, si cela lui paraît nécessaire. Il peut appeler devant lui des extrémités de la terre les personnes ecclésiastiques les plus élevées en dignité et les contraindre à venir en sa présence autant de fois qu'il lui plaira [2].

Dans le *De consideratione*, l'abbé de Clairvaux affirmera encore que « le pape n'a pas d'égal sur la terre », qu'il a pour héritage le monde entier, qu'il est « le grand prêtre, le pontife suprême, le prince des évêques, le successeur des apôtres,. Pierre par le pouvoir, Christ par l'onction, le seul pasteur non pas seulement de toutes les brebis, mais de tous les pasteurs », et, après avoir rappelé que la raison d'être de cette puissance unique réside dans la parole du Christ à Pierre : *Pais mes brebis* (JOAN. XXI, 15), il conclura une fois de plus à la « plénitude du pouvoir » du pontife romain qui est assez puissant, dit-il, pour « fermer le ciel à un évêque, le déposer et le livrer à Satan » [3].

Pénétré des théories grégoriennes sur la prééminence du Siège apostolique, saint Bernard n'agira jamais qu'au nom du Saint-Siège [4]. Rien de plus significatif à cet égard que son intervention, en 1133, à Tours où, à la mort de l'archevêque Hildebert de Lavardin, le comte Geoffroy avait expulsé plusieurs dignitaires du chapitre et fait élire par les quelques chanoines restés au siège métropolitain le diacre Philippe, tandis que le doyen, les archidiacres et les autres exilés sacraient dans la cathédrale du Mans un autre candidat du nom de Hugues. Saint Bernard, commis par Innocent II pour trancher le différend, cassa l'élection de Philippe,

(1) Cf. t. VIII, p. 80-83.
(2) Saint BERNARD, *Epist.* CXXXI. Cette lettre est visiblement inspirée par les *Dictatus papae* où l'on trouve déjà, presque dans les mêmes termes, les formules dont se sert saint Bernard (GRÉGOIRE VII, *Registrum*, II, 55 a). Cf. t. VIII, p. 79-80.
(3) *De consideratione*, I, I ; III, I ; II, VIII.
(4) Cf. *supra*, p. 22.

mais, comme celle de Hugues lui paraissait entachée d'un vice de forme, il jugea que seul le Saint-Siège avait qualité pour prononcer et renvoya le dossier à Rome[1]. C'était affirmer le pouvoir suprême du pape qui, d'après les principes grégoriens, a seul qualité pour terminer les affaires importantes ou délicates[2].

Saint Bernard a donc hérité de toutes les idées de Grégoire VII sur la suprématie romaine. C'est au nom du pape qu'il défendra l'orthodoxie chaque fois qu'elle lui paraîtra en danger, tandis qu'il s'efforcera d'affermir l'autorité du Siège apostolique sur les églises de la Chrétienté.

SAINT BERNARD ET LA DÉFENSE DE L'ORTHODOXIE — Saint Bernard a toujours éprouvé une appréhension sincère à l'égard non seulement de l'hérésie proprement dite, mais même des déviations que pouvait entraîner une dialectique trop détachée de la théologie, et c'est sur le Saint-Siège qu'il compte pour maintenir l'orthodoxie dans toute sa rigueur. Le rôle qu'il a été amené à jouer dans l'affaire d'Abélard mérite, à cet égard, d'être évoqué ici[3].

SAINT BERNARD ET ABÉLARD — L'intervention de saint Bernard a été sollicitée par Gautier de Mortagne, évêque de Laon, et par Guillaume de Saint-Thierry, moine de Signy, inquiets des tendances que manifestait un traité d'Abélard, la *Theologia christiana*[4]. L'abbé de Clairvaux essaya d'abord de se dérober, en faisant valoir qu'il ne s'était jamais livré à la dialectique, mais, comme il était pénétré de l'Écriture, au point, disait-il, de connaître la Bible par cœur et de pouvoir en citer de mémoire n'importe quel passage, il accepta de do ner son avis sur les treize propositions touchant la foi, la Trinité, la grâce, l'humanité du Christ, l'Eucharistie et le péché, que lui soumit Guillaume de Saint-Thierry ; il alla trouver Abélard, afin de tenter d'obtenir de lui une rétractation, mais ce fut peine perdue et il fut décidé qu'une confrontation aurait lieu devant le concile qui allait se tenir à Sens le dimanche de la Pentecôte (2 juin) de l'année 1140[5].

APPEL A ROME — Il n'y a pas lieu d'analyser ici les divergences doctrinales qui se sont manifestées à l'occasion de cette assemblée qui réunit, en présence du roi Louis VII, les archevêques de Sens et de Reims, leurs suffragants et un grand nombre d'abbés et de clercs[6]. Ce

---

(1) *Epist.* ccccxxi. Cf. E. VACANDARD, *Saint Bernard*, t. I, p. 345-350.

(2) Cf. t. VIII, p. 81-82.

(3) Les discussions doctrinales auxquelles ont donné lieu les écrits et l'enseignement d'Abélard seront étudiées au tome XIII avec l'ensemble du mouvement intellectuel du xiie siècle.

(4) Voir la lettre de Guillaume de Saint-Thierry, publiée dans le recueil des lettres de saint Bernard, *Epist.* cccxxvi.

(5) Cf. saint BERNARD, *Epist.* cccxxvii.

(6) L'histoire du concile de Sens est surtout connue par les lettres de saint Bernard (*Epist.* clxxxvii, clxxxix, cxc) et par le récit de GEOFFROY D'AUXERRE, *Bernardi vita*, III, v. Cf. MANSI, t. XXI, col. 559 et suiv. ; HEFELE-LECLERCQ, *op. cit.*, t. V, 1re p., p. 753 et suiv. ; E. VACANDARD, *op. cit.*, t. II, p. 143 et suiv., S. M. DEUTSCH, *Die Synode von Sens 1141 und die Verurtheilung Abälards, eine kirchliche Untersuchung*, Berlin, 1880. Ce dernier auteur prétend placer le concile de Sens en 1141, contrairement à l'opinion traditionnelle défendue par E. VACANDARD, *La date du concile de Sens, 1140*, dans *Revue des questions historiques*, t. VI, 1891, p. 235-245.

qu'il importe de souligner, c'est que saint Bernard, aussitôt les débats terminés, a saisi le pape et son entourage. On a conservé trois lettres de lui à Innocent II, l'une au nom de l'archevêque de Sens et de ses suffragants, la seconde au nom de l'archevêque de Reims, la troisième en son nom personnel [1]. On y trouve une analyse des débats du concile de Sens, mais elles valent davantage encore par les supplications ardentes, enflammées, en même temps qu'imagées et pittoresques, qui caractérisent si bien le style de saint Bernard :

> Si votre sainteté daignait imposer silence à maître Pierre, lui interdire d'enseigner et d'écrire, supprimer ses livres semés de dogmes pervers, elle arracherait des sanctuaires les épines et les ronces ; la moisson du Christ aurait dès lors la force de croître, de fleurir, de fructifier [2].

Une autre lettre se termine par cette pressante adjuration :

> Maintenant c'est à vous, successeur de Pierre, de juger si celui qui attaque la foi de Pierre doit trouver un refuge auprès de la chaire de Pierre. Rappelez-vous les devoirs de votre charge... Si Dieu a suscité de votre temps la fureur des schismatiques, c'était afin qu'ils fussent brisés par vos soins... Afin que rien ne manque à votre gloire, voici maintenant des hérésies qui s'élèvent... Père bien-aimé, saisissez, tandis qu'ils sont encore petits, les renards qui ravagent la vigne du Seigneur [3].

En même temps, saint Bernard cherche à déjouer les manœuvres d'Abélard qui avait des relations dans l'entourage pontifical. Il dénonce partout ce moine sans règle et sans discipline, qui « n'a du moine que le nom et l'habit », homme à double face, « couleuvre tortueuse », précurseur de l'Antéchrist [4]. Mais, tandis qu'il désarçonne l'homme avec une ironie cinglante et qu'il est permis de trouver excessive, il s'attache à constituer un dossier où les erreurs d'Abélard soient nettement définies et opposées à l'enseignement traditionnel de l'Église, afin que le pape puisse se prononcer en toute connaissance de cause. Une de ses lettres à Innocent II est un véritable traité, connu sous le nom de *Capitula haeresum Petri Abelardi*, où apparaît une fois de plus l'opposition des deux hommes et des conceptions qu'ils se font des moyens d'arriver à Dieu [5]. Abélard est dépeint comme ayant foi dans la raison humaine pour atteindre Dieu, tandis que saint Bernard dénonce cette même raison comme trop limitée dans ses moyens pour résoudre les grands problèmes qui restent comme le secret de Dieu et auxquels seule l'Écriture apporte une solution satisfaisante [6].

Aussi bien, ce que saint Bernard demande avant tout à Innocent II de proclamer par la condamnation d'Abélard, c'est que la parole divine supplée aux insuffisances de la raison, car toutes les erreurs procèdent de la méconnaissance de cette vérité fondamentale. L'Église a été instituée

---

(1) *Epist.* CLXXXIX-CXCV. Selon S. M. DEUTSCH, la lettre de l'archevêque de Sens ne serait pas de saint Bernard, mais d'un clerc de l'église de Sens. Cf. en sens contraire E. VACANDARD, *op. cit.*, t. II, p. 152, n. 1, dont les arguments paraissent probants.
(2) Saint BERNARD, *Epist.* CXC.
(3) Saint BERNARD, *Epist.* CLXXXIX.
(4) Saint BERNARD, *Epist.* CXCIII, CCCXXXI, CCCXXXII, CCCXXXIV.
(5) Saint BERNARD, *Epist.* CXC.
(6) Pour l'opposition des deux tendances, nous renvoyons au tome XIII où seront décrites les différentes conceptions doctrinales du moyen âge.

par le Christ comme dépositaire de cette parole et il n'y a qu'à rejeter ce qui est contraire à son enseignement ; aussi n'y a-t-il pas lieu de discuter les théories d'Abélard sur la Trinité, sur la justification, sur l'incarnation, sur la rédemption et tant d'autres « propositions malsonnantes » ; elles tombent d'elles-mêmes comme contraires à l'enseignement de l'Église.

SOUMISSION D'ABÉLARD.
SA RÉCONCILIATION AVEC SAINT BERNARD

Le terrain a donc été vigoureusement préparé à Rome par saint Bernard. De son côté, Abélard a essayé de se défendre. Au lendemain du concile de Sens, il composa une *Apologie*, dont il ne reste malheureusement qu'un fragment, et où il accuse son antagoniste « d'ignorance, de falsification, de frénésie »[1]. Il comprit cependant qu'une telle polémique ne ferait qu'aggraver son cas et entraîner sa condamnation. Or il tenait à rester au sein de l'Église. « Je ne veux pas être Aristote, écrivait-il à Héloïse, si je suis séparé du Christ, car il n'est pas sous le ciel d'autre nom que le sien, en qui je doive trouver mon salut »[2]. Au lieu de prolonger une polémique stérile avec saint Bernard, il prit le chemin de Rome. En cours de route, à Cluny où il s'arrêta pour prendre conseil de Pierre le Vénérable, il apprit que, le 16 juillet 1140, le pape s'était prononcé contre lui[3]. « En vertu de l'autorité des saints canons », Innocent II condamnait Abélard et son œuvre, lui imposait, « en qualité d'hérétique, un perpétuel silence », frappait d'excommunication « tous les sectateurs et défenseurs de son erreur »[4].

Abélard, malgré toute l'amertume qu'il ressentit de cette condamnation, eut une attitude très digne. Il avait toujours professé qu'il était fils de l'Église. Il se montra tel en cette heure douloureuse. Pierre le Vénérable fut pour lui le meilleur des conseillers et, non content de l'incliner à la soumission, il lui ménagea une entrevue avec saint Bernard. Les deux antagonistes se réconcilièrent et se donnèrent le baiser de paix[5]. Après quoi Abélard se retira dans un prieuré clunisien où il mourut peu de temps après, le 21 avril 1142[6]. L'orthodoxie triomphait et saint Bernard avait eu le dernier mot, ou plus exactement ce dernier mot il l'avait réservé au Siège apostolique derrière lequel il s'est constamment effacé.

SAINT BERNARD ET LA RÉFORME
DES MŒURS CLÉRICALES

Grégoire VII s'était servi du « pouvoir de Pierre », avant toutes choses, pour réformer un clergé démoralisé et pour purifier un épiscopat contaminé par les vices du temps. Les résistances qu'il a rencontrées l'ont entraîné dans d'autres voies et, si la réforme de l'Église n'a cessé d'être l'une des préoccupations essentielles du pape et de ses successeurs, elle n'a pas été la seule ; les nécessités

---

(1) *Disputatio anonymi abbatis* (P. L., CLXXX, 283 et suiv.).
(2) *Epist.* xvii (P. L., CLXXVIII, 375).
(3) Cf. Pierre le Vénérable, *Epist.* iv, 4.
(4) Jaffé-Wattenbach, 8148.
(5) Pierre le Vénérable, *Epist.* iv, 4.
(6) Cf. E. Vacandard, *Vie de saint Bernard*, t. II, p. 175-176.

de la lutte du Sacerdoce et de l'Empire, de la querelle des investitures, de la reconquête chrétienne les ont empêchés de s'y consacrer exclusivement, en sorte que, malgré une réelle amélioration des mœurs cléricales, il reste beaucoup à faire. Saint Bernard en est plus persuadé que quiconque. Peut-être juge-t-il les séculiers de son temps avec un pessimisme excessif : « Les biens des églises, s'écrie-t-il dans un de ses sermons, sont dissipés en usage de vanité et de superfluité », et il ajoute, prenant Dieu à témoin : « Tous les chrétiens ou presque tous cherchent uniquement leurs intérêts et non les vôtres [1] ». Dans un autre sermon, qui a trait à la conversion de saint Paul, il s'en prend plus spécialement au clergé : « Il n'est plus suffisant de dire : comme le peuple sont les prêtres, car la corruption du peuple est loin d'égaler celle des prêtres [2] ». Aussi saint Bernard, reprenant sur ce point encore la pensée de Grégoire VII, va-t-il s'efforcer à son tour de ramener les clercs à la pratique des vertus sacerdotales.

LE « DE MORIBUS ET OFFICIO EPISCOPORUM » — Les tendances de saint Bernard à ce sujet se sont surtout exprimées dans une lettre à l'archevêque de Sens, Henri Sanglier, véritable traité sur les mœurs et les devoirs des évêques (*De moribus et officio episcoporum*) [3]. On y retrouve toutes les idées de Grégoire VII sur le recrutement de l'épiscopat : saint Bernard rappelle les lourdes responsabilités qui pèsent sur l'évêque ; il décrit les trois vertus primordiales que doit plus spécialement cultiver celui qui est investi de la fonction pastorale, à savoir la chasteté, la charité et l'humilité, que Grégoire VII considérait déjà comme la parure de l'évêque selon Dieu [4]. Toutefois, tandis que pour Grégoire VII le premier rang parmi elles revient à la chasteté, source des deux autres [5], saint Bernard attache un prix supérieur à la charité sans laquelle « la chasteté est une lampe sans huile ». Cette différence n'a rien qui puisse surprendre : au temps de Grégoire VII, la corruption des mœurs était telle que le pape se souciait avant tout de communiquer à des prélats plus ou moins paralysés par la débauche sa flamme d'évangélique pureté ; à l'époque de saint Bernard, les passions de la chair, réprimées par Grégoire VII et par ses successeurs, sont moins ardentes, mais la soif des honneurs et des richesses reste dévorante et il faut l'éteindre à tout prix, pour que l'épiscopat puisse remplir sa mission auprès des âmes.

COMMENT SAINT BERNARD FLÉTRIT LE LUXE ET L'AMBITION DES ÉVÊQUES — Aussi, pour amener l'épiscopat à un degré supérieur de perfectionnement moral, saint Bernard est-il amené à combattre chez lui ce qu'il appelle « l'amour de la vanité » [6] ou encore avec saint Augustin « l'amour déréglé

(1) *Sermones*, vi, 7.
(2) *In conversione S. Pauli sermo* i, 3. Cf. aussi *In Cantic. sermo* xxxiii, 15-16.
(3) On trouvera ce traité dans *P. L.*, CLXXXII, 809-834.
(4) *De moribus et officio episcoporum*, ii et iii.
(5) Cf. Grégoire VII, *Registrum*, ii, 25.
(6) *De diversis sermo* xxiii, 3 ; *Epist.* cvii, 11, 12.

de sa propre excellence »[1] qui revêt d'ailleurs des formes assez variées. La première est le luxe que saint Bernard a stigmatisé avec la plus mordante ironie.

Pourquoi portez-vous des toilettes de femmes, si vous ne voulez pas qu'on vous applique le reproche qui tombe sur elles ? ...Si vous ne voulez pas qu'on vous traite comme des femmes, cessez de commettre la même faute qu'elles. Distinguez-vous par vos œuvres et non par vos broderies et par vos fourrures... Vous me fermerez la bouche en disant que ce n'est pas à un moine de juger des évêques. Plaise à Dieu que vous me fermiez aussi les yeux, afin que je ne puisse pas voir ce que vous me défendez de condamner... Mais, quand je me tairais, les pauvres, les nus, les faméliques se lèveraient pour crier avec un poète païen : « Dites-moi, pontifes, que fait l'or au frein de vos chevaux ? » Pendant que nous souffrons misérablement du froid et de la faim, pourquoi tant d'habits de rechange étendus sur vos perches ou pliés dans vos armoires ? Nous sommes vos frères et c'est de la portion de vos frères que vous repaissez ainsi vos yeux. C'est notre vie qui forme votre superflu. Tout ce qui s'ajoute à vos vanités est un vol fait à nos besoins. Vos chevaux marchent chargés de pierres précieuses, et vous n'avez cure de nos membres nus. Des anneaux, des chaînettes, des clochettes, des courroies cloutées d'or et d'argent et tant d'autres choses aussi brillantes que précieuses pendent au cou de vos mules, et vous n'avez pas assez de piété au cœur pour procurer à vos frères un misérable ceinturon qui recouvre leurs flancs [2].

On pourrait citer d'autres passages analogues [3]. Le luxe des évêques choque l'âme cistercienne de saint Bernard en raison même de la haute conception qu'il se fait de la dignité épiscopale, mais aussi parce qu'il est contraire aux vertus de charité et d'humilité. Pour le même motif, il tonne aussi contre l'orgueil et l'ambition, autres formes de la vanité :

O ambition toujours sans bornes, combien dans le clergé, de tout âge et de tout ordre, doctes ou ignorants se précipitent vers les cures ecclésiastiques, comme si, quand ils obtiennent une cure, de rien ils ne devraient plus avoir cure !... Lorsqu'ils ont gravi dans l'Église les premiers degrés des honneurs, acquis soit au prix de leur mérite, soit à prix d'argent, soit en vertu des prérogatives de leur race, ils ne s'arrêtent pas là ; leurs cœurs brûlent de s'étendre plus au large et de s'élever plus haut. Par exemple, à peine un clerc est-il devenu doyen, prévôt, archidiacre d'une église, non content d'une seule dignité, il s'applique à en acquérir plusieurs, tant dans cette église que dans plusieurs autres. A tous ces titres il préférera, si l'occasion se présente, la dignité épiscopale. Sera-t-il enfin rassasié ? Devenu évêque, il désire être archevêque. S'il y arrive, il rêve alors je ne sais quoi de plus haut encore, prêt à entreprendre de laborieux voyages, à éblouir par ses somptuosités les familiers de la cour de Rome et à s'y acquérir ainsi de coûteuses amitiés [4].

Aux yeux de saint Bernard, la vie de l'évêque ne saurait être qu'une lutte perpétuelle contre ces deux formes de l'orgueil qui menacent de tarir le dévouement au bien des âmes. Le prélat idéal a été pour lui son ami saint Malachie qui, « pauvre quand il s'agissait de lui-même, savait être riche à l'égard des pauvres »[5]. Plaire à Dieu et non pas au monde, rechercher les biens du ciel et non ceux de la terre, tel est, en fin de compte, le but que doit poursuivre celui qui a reçu le bâton pastoral

(1) *De moribus et officio episcoporum*, v, 19.
(2) *Ibid.*, ii, 4, 6, 7.
(3) Voir notamment *In Cantica sermo* xxiii, 15 et *sermo* lxxvii, 1 et 2. Cf. E. VACANDARD, *op. cit.*, t. i, p. 211-214.
(4) *De moribus et officio episcoporum*, vii, 27.
(5) *In transitu S. Malachiae episcopi sermo* ii, 2.

et auquel l'abbé de Clairvaux cherchera à infuser l'esprit cistercien d'humilité et de charité, seul capable d'assurer dans l'Église séculière le maintien et le rayonnement des tendances réformatrices.

LE « DE CONVERSIONE AD CLERICOS »   Tout en se montrant avant tout soucieux de rehausser le niveau moral de l'épiscopat, saint Bernard ne se désintéresse pas du clergé inférieur. Celui-ci avait été moins touché par la Réforme grégorienne et, malgré les avertissements des papes et des conciles, la loi du célibat ecclésiastique n'était pas encore implantée dans tous les presbytères. Les désordres qui y sévissaient ne pouvaient qu'indigner l'ascète de Clairvaux qui a consacré à la « conversion des clercs » un de ses plus beaux sermons, véritable traité que l'on peut rapprocher du *De officio episcoporum*, le *De conversione ad clericos* [1].

L'appel qu'il adresse aux prêtres impudiques est tout inspiré de la tradition grégorienne et de l'esprit cistercien. Après avoir évoqué le spectre de Sodome et de Gomorrhe, il reproche amèrement à ces clercs d'être entrés dans les ordres sans songer à la gravité des obligations qu'ils assumaient :

Certes, l'Église paraît s'être étendue et l'ordre très saint du clergé s'est accru comme elle ; le nombre de nos frères s'est infiniment multiplié. Mais, si vous avez multiplié la race, Seigneur, vous n'avez point de la même manière élevé sa vertu : les mérites semblent avoir décru en proportion du nombre. On court de toutes parts vers les ordres sacrés ; ces fonctions, que redoutent même les esprits angéliques, les hommes s'en emparent sans respect et sans réflexion. Ils ne craignent point de porter les marques de ce ministère céleste ceux que l'avarice asservit, que l'ambition gouverne, que l'orgueil domine, mais surtout que la luxure tient sous son joug, ceux dont peut-être les abominations horribles apparaîtraient dans le lieu saint si, selon ce que dit le Prophète, on en perçait la muraille. Plaise au ciel qu'outre les fornications, les adultères, les incestes, ils ne se laissent point aller à des crimes plus horribles [2] !

Et saint Bernard n'hésite pas à conclure :

Plût au ciel que ceux qui n'ont pas le courage de rester chastes ne se fussent pas engagés témérairement dans la profession religieuse ! Ne valait-il pas mieux pour eux se marier que de brûler intérieurement et se sauver dans les rangs les plus humbles du peuple fidèle que de vivre honteusement dans les sublimes dignités de la cléricature où ils seront si sévèrement jugés [3] ?

Pour les détourner de ces vices qui compromettent leur salut, Bernard une fois de plus rappelle que dans le monde tout n'est que vanité : les plaisirs de la table appesantissent le corps et la maladie en est la rançon ; les voluptés de la chair troublent le cœur et ne laissent, après elles, que déception et hontes ; la gloire n'est qu'une source de haines et de peines ; les richesses, amassées au prix de tant d'efforts, se dissipent en un jour. Que le clerc se souvienne donc qu'il n'est pas de consolation « en soi ni sous soi ni autour de soi », pour apprendre à rechercher cette consolation uniquement au-dessus de soi, c'est-à-dire en Dieu [4].

---

(1) *P. L.*, CLXXXII, 833-856.
(2) *De conversione ad clericos*, xx, 34.
(3) *Ibid., loc. cit.*
(4) *Ibid.*, xi.

Ce sont donc les étapes par lesquelles il est arrivé lui-même à la pure contemplation que saint Bernard voudrait faire franchir au clerc séculier, en le persuadant avant tout de la fragilité des choses du monde. Du jour où le prêtre, quelle que soit sa place dans les degrés de la hiérarchie, aura réussi à vivre de Dieu, il sera conduit tout naturellement à remplir sa mission de pasteur qui est d'évangéliser [1]. Briser les entraves de la chair pour aller à Dieu, puis porter Dieu aux âmes, du jour où on l'aura atteint, tel est en quelque sorte l'itinéraire sacerdotal qu'il trace au clergé de son temps aussi bien qu'aux moines. On verra par la suite par quels moyens pratiques saint Bernard s'efforce de réaliser ce programme : il suffit pour le moment de noter que l'abbé de Clairvaux a puisé dans son tête-à-tête avec Dieu un zèle réformateur qui dépasse toutes limites.

SAINT BERNARD ET LA SOCIÉTÉ LAIQUE Ce zèle s'étend aussi à la société laïque sur laquelle saint Bernard exercera une action morale et religieuse non moins intense. Son apostolat cherchera à atteindre toutes les conditions sociales ; aux grands et aux petits, aux seigneurs et aux paysans, aux rois et aux sujets il prêchera indistinctement la loi chrétienne fondée sur l'amour de Dieu et du prochain.

On retrouve dans cette nouvelle forme de prédication les mêmes tendances que dans les exhortations aux évêques et aux clercs. C'est encore le luxe qui fait l'objet des invectives de l'apôtre de la pauvreté cistercienne. Aux chevaliers, comme aux évêques, saint Bernard reproche le faste de leur costume : chemises aux manches bouffantes et aux longues traînes, écus décorés de figures d'animaux ou de fleurons aux couleurs éclatantes, heaumes ornés de pierreries, étriers en or, couvertures en soie pour les chevaux sont âprement critiqués, sans oublier la longue chevelure qui recouvre le front et les tempes [2]. Bien entendu, il ne ménage pas les dames qui ne le cédaient en rien à leurs époux. Dans certaines de ses lettres, il a tracé un ironique portrait des grandes coquettes qui, avec leurs riches fourrures, avec les boucles d'or enchâssées de pierreries qui pendent à leurs oreilles, avec les bracelets dont elles chargent leurs bras, lui apparaissent « parées et ornées à la manière d'un temple, laissant traîner après elles une queue d'étoffe précieuse qui soulève sous leurs pas des nuages de poussière ». Scandalisé par de tels excès de toilette, saint Bernard ne parvient pas à comprendre qu'une femme chrétienne en arrive à se créer par de tels artifices une beauté extérieure et mensongère :

La soie, la pourpre et le faux éclat des peintures ont leur beauté sans doute, mais ils ne la transmettent pas. C'est une beauté que l'on applique à son corps et que l'on ôte en se déshabillant [3].

---

(1) *De conversione ad clericos*, XXII.
(2) Voir en particulier le *De laude novae militiae* (*P. L.*, CLXXXII, 921-940) où saint Bernard oppose au luxe des chevaliers occidentaux la simplicité imposée par la règle du Temple (cf. t. VIII, p. 491).
(3) *Epist.* CXIII.

Il y a plus : la coquetterie et les parures excessives apparaissent comme un outrage à la misère, comme un ferment de cet orgueil dédaigneux et méprisant qui ne craint pas de faire souffrir les indigents privés du nécessaire pour se vêtir et se nourrir. Si saint Bernard dénonce le luxe avec une si ardente ténacité, ce n'est pas seulement parce qu'il lui apparaît comme la négation de la vertu chrétienne d'humilité ; c'est aussi parce qu'il est persuadé que, le jour où il serait aboli, les riches seraient mieux disposés à s'oublier eux-mêmes et se montreraient plus sensibles à la détresse des pauvres[1]. La réforme morale, poursuivie par le saint de Clairvaux, aboutirait ainsi à une réforme sociale selon l'ordre chrétien.

Le luxe n'est pas le seul objet de scandale ; il faut y joindre la frivole oisiveté où se complaît une bonne partie de la société féodale. Avec la même âpreté saint Bernard la pourchasse sous ses diverses formes : chasse, jongleries, jeux, danse, musique, récits et farces où la morale est trop souvent outragée. Il va jusqu'à condamner l'abus des conversations, même inoffensives, parce qu'il voit là un gaspillage inutile des dons que Dieu nous a donnés pour le servir :

> Il y a plaisir à s'entretenir pour passer le temps. Pour passer le temps ! Pour perdre une heure ! Quoi, cette heure que la miséricorde de Dieu vous donne pour faire pénitence, pour obtenir votre pardon, pour acquérir la grâce, pour mériter la gloire de l'au-delà promis ! Ce temps que vous devriez employer à vous rendre favorable la divine puissance, à vous hâter vers la société des anges, à soupirer vers l'héritage perdu, à exciter votre volonté paresseuse, à pleurer sur vos péchés !... Plût au Seigneur qu'on ne perdît en vains discours que le temps de sa vie terrestre ! C'est trop souvent la vie éternelle elle-même qui y périt misérablement[2].

Si le luxe et l'oisiveté malsaine sont les défauts des nobles, les pauvres ont les leurs aussi et saint Bernard ne se fait pas faute de les leur signaler. Constamment en contact avec les paysans, il a vu qu'ils péchaient surtout par esprit d'avarice et par un égoïsme un peu mesquin qui tarissait en eux les sources de la divine charité. Partagez votre pain avec votre voisin, quand il n'en a pas ! Préparez-lui ses repas, si le temps lui fait défaut ! Évitez les petites rapines qui offensent la justice divine ! Acquittez-vous de vos obligations, payez l'impôt à votre seigneur et la dîme au clergé, tels sont les conseils qu'il prodigue à la classe rurale[3].

En dénonçant ainsi les vices des différentes classes sociales, nul doute que saint Bernard travaillait à un rapprochement entre elles et c'est là un des côtés les plus curieux de son action morale. Il ne se contente pas toutefois d'une critique négative : à cette société encore trop païenne dans ses mœurs il s'efforcera d'insuffler quelques vertus positives et c'est toujours dans la diffusion de l'esprit cistercien qu'il aperçoit le remède aux maux qui dévorent les laïques comme les clercs.

(1) Cf. E. VACANDARD, op. cit., t. 1, p. 228.
(2) De diversis sermo XVII, 3.
(3) E. VACANDARD, op. cit., t. I, p. 229-230.

LES VERTUS SOCIALES : CHASTETÉ ET CHARITÉ

Sans doute il ne pouvait prêcher aux hommes et aux femmes enchaînés dans les liens du mariage la pratique de la continence absolue qui incombait aux moines et aux clercs. S'il estime qu'*il est plus avantageux pour l'homme de ne pas se marier* (MATTH. XIX, 10, 12 ; MARC, X, 10), s'il pense que les moines l'emportent sur les gens mariés « de toute la sainte grandeur de leur héroïsme et de leur pureté »[1], il n'oublie pas que le mariage est un sacrement qu'il défend contre les attaques des néomanichéens :

Celui qui condamne le mariage lâche la bride à toutes sortes d'impuretés... Otez de l'Église ce sacrement honnête et sans corruption, vous la remplissez de débauchés de toute espèce[2].

Sur la fidélité conjugale, sur les mutuels sentiments des époux qui doivent « s'aimer d'une affection si chaste et si charitable que l'amour de Jésus-Christ ait toujours la première place dans leurs cœurs », il a écrit des pages d'une rare élévation de pensée[3]. Il a vu aussi l'importance de l'éducation familiale et prodigué d'utiles conseils aux pères et mères. « On ne craint point un père, a-t-il dit, car il est de la bonté d'un père d'avoir pitié de ses enfants et de leur pardonner[4] ». C'est cette douceur, forme de la charité, qu'il recommande à la comtesse de Blois qui avait à se plaindre de la conduite de son fils :

Redoublez de plus en plus de ferveur et de dévotion dans vos prières pour votre fils, car, bien qu'un enfant soit capable d'oublier ce qu'il doit à sa mère, une mère ne doit et ne peut jamais perdre l'affection maternelle qui la lie au fruit de ses entrailles... Agissez avec lui dans un esprit de douceur, gagnez son cœur par des caresses. Il vaut mieux le provoquer ainsi au bien que de l'irriter par des réprimandes ou par des reproches[5].

La charité est donc, avec la chasteté, la vertu familiale par excellence. C'est elle aussi qui doit régler les rapports sociaux, qui ne peuvent exister s'ils ne sont à tout moment animés par ce sincère amour du prochain, qui, « aidé par la grâce de Dieu, produit des fruits de bonté, ne refuse point aux autres hommes, qui tous participent de la même nature, ce que l'âme désire personnellement et le leur donne au contraire avec joie »[6]. Toutefois, pour que l'amour du prochain se répande dans la société, il faut que le péché disparaisse et c'est la raison pour laquelle saint Bernard a si vigoureusement pourchassé les vices de son temps. Les convoitises de la chair, les plaisirs mondains, les ambitions et aspirations égoïstes sont les véritables causes du déséquilibre social ; il faut donc les éliminer[7]. Le péché supprimé, l'amour du prochain se développera sans entraves et engendrera la paix, récompense destinée par Dieu dès cette terre aux

(1) *De diversis sermo* XXVII, 3 ; *De praecepto et dispensatione*, XVI, 48.
(2) *In Cantica sermo* LXVI, 3.
(3) Cf. notamment *Epist.* CDXXI.
(4) *In Cantica sermo* XVI, 4.
(5) *Epist.* CCC.
(6) *In Cantica sermo* XLIV, 4.
(7) *Ibid.*, 5-8.

hommes de bonne volonté. Saint Bernard **en** a décrit, avec lyrisme, les multiples aspects :

La paix du corps, c'est l'harmonie ordonnée de toutes ses parties. La paix de l'âme irraisonnable, c'est le repos ordonné des sens et de leurs appétits. La paix de l'âme raisonnable, c'est l'accord des pensées et des actions. La paix du corps et de l'âme, c'est la vie ordonnée et le salut de l'homme. La paix de l'homme avec Dieu, c'est dans la foi l'obéissance ordonnée à la loi divine. La paix des hommes, c'est la concorde dans l'ordre. La paix de la maison, c'est la concorde dans l'ordre entre celui qui commande et ceux qui obéissent. La paix de la cité lui est semblable. La paix de la cité céleste, c'est la société la plus ordonnée et la plus unie qui puisse être dans la joie de la vision de Dieu. La paix de toutes choses, c'est la tranquillité de l'ordre [1].

L'ESPRIT DE PAUVRETÉ   La paix, telle que la concevait déjà saint Augustin, est donc la récompense de la charité, mais, pour obtenir un tel bienfait, il faut des sacrifices généreusement consentis et c'est la nécessité de ces sacrifices que saint Bernard n'a cessé de prêcher à ses contemporains, clercs ou laïques. Pour lui, il ne saurait y avoir de véritable charité, et partant de paix sociale, si les hommes ne sont animés de l'esprit de pauvreté cistercienne. Personne n'a mieux exposé que lui la doctrine chrétienne de la richesse [2]. Celle-ci lui apparaît comme un don de Dieu, don essentiellement précaire qui finit à la mort et qui, suivant l'usage qui en a été fait, peut être la source, dans l'éternité, de récompense ou de châtiment. Les riches sont ainsi des fermiers de Dieu qui devront rendre compte de leur gestion et qui doivent user de leur fortune comme en userait Dieu lui-même, c'est-à-dire pour des fins honnêtes et non pas pour donner satisfaction à leur orgueil ou à leurs fantaisies luxurieuses ; l'assistance des pauvres, des ignorants, des pécheurs, c'est-à-dire de toutes les victimes de la misère sous ses diverses formes, physique, intellectuelle, morale, tel est le but auquel ils devront tendre conformément au commandement divin [3].

L'évangélisation des riches s'accompagne de celle des pauvres pour lesquels saint Bernard a toutes sortes de tendresses. Il comprend leurs amertumes et, dans le *De officio et moribus episcoporum*, il place dans leur bouche une apostrophe qui en dit long sur la hardiesse de ses conceptions sociales :

Il est à nous, ce bien que vous prodiguez ; c'est à nous que cruellement vous ravissez ce que vous dépensez inutilement... Nous aussi, nous sommes l'ouvrage de Dieu ; nous aussi, nous avons été rachetés par le sang du Christ ; nous sommes donc vos frères. Voyez quel crime c'est de repaître, de nourrir vos gens avec la substance d'un frère. Vos mille superfluités épuisent notre vie... Ajoutons à cela que toutes ces choses, vous ne les avez acquises ni par l'exercice d'un négoce, ni par le travail de vos mains, ni par succession.

Après avoir prêté ce langage aux déshérités dont il plaide la cause, saint Bernard conclut :

---

(1) *De diversis sermo* CXIV.
(2) Voir sur ce sujet : B. J. M. VIGNES, *Les doctrines économiques et morales de saint Bernard sur la richesse et le travail*, dans *Saint Bernard et son temps*, t. I, p. 295-332.
(3) Voir surtout l'Apologie adressée à Guillaume, abbé de Saint-Thierry (*P. L.*, CLXXXII, 325-918) ; le *De moribus et officio episcoporum* (*Ibid.*, 809-856), le *De consideratione* (*Ibid.*, 727-808).

Voilà ce que disent les pauvres, mais seulement sans doute en présence de Dieu qui entend le langage des cœurs. Car ils n'osent réclamer ouvertement contre vous, parce qu'ils ont besoin de vous supplier chaque jour pour les nécessités de la vie. Du reste un jour viendra où ils s'élèveront avec une grande assurance contre ceux qui les auront accablés d'angoisses, et ils auront pour défenseur le Père des orphelins et le juge des veuves. Car alors s'accomplira sa parole : *Toutes les fois que vous avez refusé à l'un de ces plus petits des miens, c'est à moi que vous avez refusé* [1].

C'est donc, comme on l'a fort bien dit [2], une « morale nouvelle de la richesse, pleinement conforme aux préceptes du Christ et de saint Paul », qui se constitue sous l'impulsion de saint Bernard, mais, si l'ascète cistercien rappelle aux riches avec la plus catégorique netteté quelles sont leurs obligations envers Dieu et envers les pauvres, il ne faudrait pas s'imaginer qu'il a poussé ceux-ci à la violence. Tout en revendiquant leurs droits, il les a exhortés à la patience en leur prêchant aussi la loi évangélique. Sans cesse en contact avec les paysans, il leur adressait souvent la parole, disent ses biographes, leur rappelant que Celui qui était infiniment riche s'était fait pauvre pour eux et les avait introduits dans son amitié, leur faisant comprendre avec une délicatesse attendrie, lorsqu'ils étaient tentés de murmurer contre l'injustice de leur sort, que les monastères cisterciens étaient peuplés de riches qui, par amour du Christ, avaient voulu devenir pauvres et qui volontairement, alors qu'ils auraient pu vivre dans une opulente abondance, ne mangeaient pas toujours à leur faim, afin de se préparer une éternité meilleure. Et ainsi, ces paysans frustes, dont les préoccupations se bornaient trop souvent au boire et au manger, il les élevait peu à peu vers des sphères plus hautes, leur décrivant ce royaume de Dieu dont ils deviendraient un jour les citoyens [3].

L'ORDRE CHRÉTIEN Par cette prédication essentiellement conforme aux préceptes évangéliques, saint Bernard se classe parmi les meilleurs artisans de la paix sociale. Traités, sermons et lettres préparent un ordre nouveau qui sera l'ordre chrétien et à la réalisation duquel il travaillera, chaque fois que les circonstances lui en donneront l'occasion. Toutefois, il n'a jamais pensé qu'il eût reçu d'En Haut une mission quelconque à cet égard ; il s'en remet, en toute confiance et en toute humilité, aux pouvoirs établis par Dieu dans l'ordre temporel et dans l'ordre spirituel du soin de hâter l'édification de cette cité fondée sur la loi évangélique dont il a occasionnellement défini et tracé les caractères. Cela ne l'empêche pas d'exhorter les rois et les seigneurs, les évêques et les papes à ne pas se laisser distraire des devoirs que par leur situation ils ont contractés envers Dieu [4].

---

(1) *De moribus et officio episcoporum*, ii, 7. Cf. B. J. M. VIGNES, *art. cité*, p. 317-319.
(2) B. J. M. VIGNES, *art. cité*, p. 319.
(3) *Bernardi vita*, III, iii. Cf. E. VACANDARD, *op. cit.*, t. I, p. 228-231.
(4) Comme le remarque H. FECHNER, *Die politischen Theorien des Abtes Bernhard von Clairvaux in seinen Briefen*, p. 65-67, saint Bernard n'a nulle part esquissé une théorie de l'État, mais, du fait de son activité extérieure, il a été en relations avec plusieurs souverains et a ainsi trouvé l'occasion d'indiquer quelles étaient ses conceptions quant au gouvernement des princes temporels.

LE DEVOIR DES PRINCES   Du pouvoir temporel, saint Bernard se fait une très haute idée. On lit dans une lettre à Guillaume d'Aquitaine :

> Si un homme du peuple s'égare, lui seul se perd ; l'erreur d'un prince, au contraire, entraîne dans l'erreur un grand nombre d'âmes ; elle nuit à tous ses sujets [1].

Au comte de Champagne, Henri, auquel il a plus d'une fois prodigué ses conseils, saint Bernard écrit encore :

> Le roi des rois de la terre vous a constitué prince en ce bas monde, pour que, soumis toujours à ses lois saintes et agissant uniquement pour lui, vous preniez soin des bons, vous punissiez les méchants, vous protégiez les pauvres, vous fassiez justice aux opprimés. Si vous vous conduisez ainsi, vous accomplirez vraiment l'œuvre d'un prince ; ayez alors espoir que Dieu fortifiera, étendra même votre puissance. Sinon, craignez d'en être dépouillé [2].

Les rois et seigneurs ont donc reçu de Dieu une mission sacrée : ils doivent faire régner la justice et veiller à ce que rien ne contrarie le rayonnement de la charité par le monde. Sur ce point encore, saint Bernard reprend les conceptions de Grégoire VII qui, avant lui, a insisté avec tant de force sur la responsabilité des princes temporels devant Dieu [3]. Avec le pape il proclame également que « les royaumes de la terre et les droits régaliens n'appartiennent aux souverains et ne sont intangibles que dans la mesure où ceux-ci se conforment aux règles et aux dispositions de Dieu » [4]. Cette théorie rejoint d'ailleurs celle qu'il exprimait sur la richesse : le pouvoir, comme la fortune, appartient à Dieu ; ceux auxquels Dieu a confié ces parcelles de sa puissance demeurent comme ses « fermiers » et doivent rendre compte de leur gestion.

LES DEVOIRS DU PAPE   Le pouvoir temporel n'est pas seul à avoir des obligations envers Dieu. Il en est de même, à plus forte raison, du pouvoir spirituel et celui qui incarne et résume le pouvoir spirituel, c'est le pape. On a déjà noté à quel point saint Bernard est convaincu que l'Église a pour fondement le Saint-Siège qui dispose de la plénitude de l'autorité [5]. Mais, s'il fait siennes les formules des *Dictatus papae*, il est non moins persuadé que le pape, vicaire de Dieu investi de sa toute-puissance, doit donner l'exemple des vertus évangéliques et qu'il doit gouverner le monde chrétien comme le gouvernerait Dieu lui-même. Avant de promouvoir et de diriger la Réforme, le pontife romain s'examinera lui-même et veillera à se rendre digne de la grande mission qui lui est confiée.

LE « DE CONSIDERATIONE »   Ces idées, saint Bernard a trouvé l'occasion de les formuler et de les développer d'une façon saisissante lorsqu'en 1145 l'Église eut été dotée d'un pape cister-

---

(1) Saint BERNARD, *Epist.* CXXVII, 1.
(2) Saint BERNARD, *Epist.* CCLXXIX.
(3) Cf. t. VII, p. 116-118 et 181-182.
(4) Saint BERNARD, *Epist.* CCLV (à Louis VII). Cf. A. FLICHE, *L'influence de Grégoire VII et des idées grégoriennes sur la pensée de saint Bernard,* dans *Saint Bernard et son temps,* t. I, p. 143-145.
(5) Cf. *supra,* p. 24-25.

cien en la personne d'un ancien moine de Clairvaux qui prit e nom d'Eugène III. Dans une épître familière, véritable traité connu sous le nom de *De consideratione*, il a tracé à son disciple, parvenu à la plus haute dignité de l'Église, tout un programme de gouvernement où la tradition grégorienne rejoint les conceptions monastiques de saint Bernard sur la pauvreté et l'humilité[1].

CRITIQUE DE L'ADMINISTRATION ROMAINE — L'idée qui domine le *De consideratione*, c'est que l'Église romaine, secouée par le tourbillon des affaires qu'elle doit trancher en dernier ressort, risque de perdre le sens surnaturel. Saint Bernard, pendant ses séjours à Rome[2], a pu se rendre compte que la centralisation ecclésiastique, inaugurée sous Grégoire VII et accrue sous ses successeurs, n'avait pas eu que d'heureux effets. Si elle offrait l'immense avantage de subordonner plus étroitement à l'autorité pontificale les différentes églises locales, si par là elle permettait de maintenir la discipline romaine jusque dans les pays les plus lointains, elle avait par ailleurs rendu nécessaire l'augmentation du personnel administratif. Tandis qu'au temps de Grégoire VII, celui-ci se réduisait aux cardinaux et à quelques clercs, choisis par le pape, communiant à son idéal religieux, détachés de toute ambition terrestre, la curie romaine avait dû pendant la première moitié du XIIᵉ siècle augmenter le nombre des fonctionnaires subalternes et, du même coup, l'esprit avait changé. Si l'on en croit saint Bernard[3], les membres du Sacré Collège, au temps d'Innocent II (1130-1143) et de ses successeurs immédiats, ne se distinguaient pas par leur désintéressement : plus habiles à vider les bourses qu'à redresser les torts, ils ne songeaient qu'à s'enrichir et leur rapacité n'épargnait « ni la dot de la veuve ni le patrimoine du Crucifié » ; les appels étaient pour eux une précieuse source de revenus, car ils entraînaient la perception de taxes fructueuses auxquelles s'ajoutaient toutes sortes de profits illicites. Aussi bien les cardinaux et les fonctionnaires de la curie avaient-ils pris des goûts de luxe que les papes ne cherchaient pas assez à enrayer ; les légats eux-mêmes s'étaient laissé contaminer et, sensibles à l'appât de l'or, au lieu de réformer les églises ils les rançonnaient trop souvent. Bref, l'Église, « remplie d'ambitieux », n'était plus que « la caverne d'un brigand où s'accumulent les dépouilles des voyageurs »[4].

De tels abus avaient soulevé de virulentes critiques : Arnaud de Brescia opposait sans cesse la richesse présente de l'Église romaine à la pauvreté du Christ et des apôtres, avec certains excès de langage qui devaient, en fin de compte, le conduire à l'hérésie[5]. Saint Bernard le reprendra avec son habituelle vigueur et saura remettre les choses au point[6], mais

---

(1) On trouvera le *De consideratione* dans *P. L.*, CLXXXII, 727-808. Le *De consideratione* a été écrit entre 1149 et 1152. Sur la date, cf. E. VACANDARD, *op. cit.*, t. II, p. 450.
(2) Cf. *infra*, p. 62 et suiv.
(3) Cf. *De consideratione*, III, I et IV, IV.
(4) *Ibid.*, I, x.
(5) Sur le rôle d'Arnaud de Brescia, cf. *infra*, chap. III.
(6) Cf. *Epist.* CXCV, CXCVI, CCXLIII.

il ne fut que davantage persuadé de la nécessité de porter remède à une situation susceptible d'entraîner des catastrophes. De là ses conseils d'une haute sagesse au pape cistercien, Eugène III.

LES OBJETS DE LA CONSIDÉRATION D'UN PAPE = A ce disciple il indique quels sont les objets de la « considération » d'un pape. Le premier, c'est lui-même, et c'est là, pour saint Bernard, une occasion de rappeler au chef de l'Église universelle que la pratique de la vertu d'humilité, « la plus belle parure d'un souverain pontife » [1], s'impose à lui comme à tous les clercs et à tous les fidèles. Le contraste entre la grandeur de la fonction apostolique et le néant de l'homme « nu, pauvre et misérable » qui en est investi donne matière à des réflexions d'une haute spiritualité, mais celles-ci ont surtout pour but d'amener le pape aux autres objets de sa « considération », à savoir sa « maison », puis l'Église universelle, les infidèles, les juifs, les schismatiques, les hérétiques. A propos de chacun d'eux, saint Bernard expose tout un programme de réforme de la curie, inspiré de la tradition grégorienne.

Il veut, avant toutes choses, dégager le pape des soucis administratifs qui l'accablent pour le ramener à sa mission spirituelle qu'il risque toujours de perdre de vue.

Considérez que vous devez être le modèle de la piété, le champion de la vérité, le défenseur de la foi, le docteur des nations, le chef des chrétiens, le régulateur du clergé, le pasteur des peuples, le vengeur des crimes, la terreur des méchants, la gloire des bons, le marteau qui frappe les tyrans, le père des rois, le modérateur des lois, le dispensateur des canons, le sel de la terre, la lumière du monde, le prêtre du Très Haut, le vicaire du Christ, le Christ du Seigneur [2].

En d'autres termes, le pape a le devoir de veiller au maintien de la foi et aussi de la morale chrétienne ; pour que celle-ci puisse rayonner à travers l'Église et le monde, il faut qu'elle soit pratiquée avec une rigueur particulière dans l'entourage du pape. C'est en cela que le *De considera-tione* se relie aux décrets de 1074-1075 qui avaient restauré la pureté cléricale et que ce traité représente une tentative fort intéressante de réfection de l'édifice grégorien. Le moine cistercien n'a pas hésité à en remplacer la charpente un peu vermoulue et, en proposant certaines modifications à l'administration romaine, il reste fidèle à l'idée première de la Réforme, à savoir la régénération morale du clergé et des laïques.

SAINT BERNARD ET LA PIÉTÉ MÉDIÉVALE Pour que cette régénération morale puisse s'accomplir, qu'il s'agisse du pape ou des rois, des évêques ou des seigneurs, des prêtres ou des paysans, il faut le secours divin. Nul progrès vers l'ordre chrétien dans sa plénitude n'est possible, si Dieu ne le facilite par son action. Aussi, tout en prêchant à ses contemporains le détachement

(1) *De consideratione*, II, vi.
(2) *Ibid.*, IV, vii.

des biens de ce monde et l'amour du prochain, saint Bernard les contraindra-t-il à solliciter l'aide de Dieu par la prière. Apôtre de la pauvreté et de la charité, il l'est aussi de la piété à laquelle il a donné, au milieu du xiie siècle, un réel essor. Pour lui, ce n'est ni par la dialectique ni par la science que l'on peut atteindre Dieu ; pour ces « divertissements de l'esprit » il n'a qu'une médiocre estime ; avant de chercher à expliquer le dogme, il faut le vivre et, pour comprendre Dieu, il faut d'abord l'aimer. Tout un traité, le *De diligendo Deo*, est destiné à expliquer aux chrétiens comment ils peuvent s'élever jusqu'à Dieu en méditant sur les bienfaits accordés aux hommes par le Seigneur qui, non content de les créer, s'est donné lui-même à eux, s'est livré pour le rachat des âmes captives et a acquis de la sorte tant de droits à leur amour [1].

LA PIÉTÉ MARIALE — Saint Bernard s'est toutefois rendu compte que cette ascension de l'âme vers Dieu, difficile pour des moines, était encore plus malaisée pour le commun des mortels. Pour aller à Dieu, il lui paraît nécessaire de recourir à l'intercession des saints et plus spécialement à celle de la Vierge. Saint Bernard a été, au moyen âge, l'un des plus grands apôtres de la piété mariale.

Toutes sortes de légendes se sont créées à ce sujet parmi lesquelles il est inutile de s'égarer. Il faut renoncer, en particulier, à attribuer à saint Bernard la composition de l'*Alma redemptoris mater* et de l'*Ave regina* ; il n'a pas davantage apporté d'additions au *Salve Regina* [2]. On ne saurait, en revanche, assez insister sur les conceptions d'où procède sa piété mariale ; elles se résument dans cette phrase tirée du *De laudibus Virginis matris* :

Pour concevoir et mettre au monde le Saint des Saints, Marie devait être sainte de corps, et elle reçut le don de la virginité, mais, en même temps, elle fut sainte d'esprit ; de là le don d'humilité [3].

Chasteté et humilité, ces vertus fondamentales, par lesquelles la société se relèvera aux yeux de Dieu, constituent les attributs essentiels et comme la parure de la mère du Christ. Marie a mené sur terre une vie angélique et c'est parce qu'elle a été vierge dans sa chair, vierge dans son cœur, vierge par sa profession, vierge enfin telle que le veut l'Apôtre, qu'il lui a été donné d'être le temple du Saint-Esprit [4]. Toutefois, ajoute saint Bernard, la virginité de Marie n'eût jamais plu à Dieu, si elle n'avait été ornée de la vertu d'humilité :

Si Marie n'eût pas été humble, jamais le Saint-Esprit ne se fût reposé sur elle et, par conséquent, il ne l'eût jamais remplie de sa vertu. Elle-même l'a reconnu : le Seigneur a regardé l'humilité de sa servante, plutôt que sa virginité. Si elle a plu par sa virginité, c'est par son humilité qu'elle a conçu [5].

Virginité et humilité ont attiré sur Marie la plénitude des biens spirituels.

---

(1) On trouvera ce traité dans *P. L.*, CLXXXII, 973-1000.
(2) Cf. E. VACANDARD, *op. cit.*, t. II, p. 80-81.
(3) Saint BERNARD, *De laudibus Virginis matris, super* Missus est, *homil* II, 2. On trouvera ces homélies dans *P. L.*, CLXXXIII, 55-88.
(4) *Ibid.*, 4.
(5) *Super* Missus est, *homil* I, 5.

Elle apparaît comme la synthèse de toutes les vertus, ce qui lui était indispensable pour qu'elle pût porter le grand nom de mère de Dieu, Θεοτόκος [1]. Ce titre est en quelque sorte le gage de sa puissance et il ne saurait y avoir auprès de Dieu d'intercession supérieure à la sienne. « La volonté de Dieu est que nous ayons tout par Marie [2] ». Bien que le Christ ait pris une nature humaine, il reste pour nous un juge redoutable, difficile à aborder ; sa mère servira d'intermédiaire entre lui et les pécheurs dont elle plaidera la cause, en faisant valoir la fragilité de leur nature et la sincérité de leur repentir ; elle sera, en un mot, médiatrice. C'est là une idée chère à saint Bernard qui a pris corps sous une forme particulièrement attachante dans un sermon pour le dimanche dans l'octave de l'Assomption :

En Marie rien d'austère, rien de terrible. Elle est toute suave ; elle offre à tous du lait et de la laine. Repassez attentivement toute l'histoire évangélique et, si vous surprenez en Marie le moindre reproche, la moindre dureté, le moindre signe de la plus légère indignation, je vous permets d'avoir peur de l'approcher. Mais si, au contraire, comme cela est, vous la trouvez en tout pleine de grâce et de tendresse, pleine de mansuétude et de miséricorde, rendez grâces à Celui qui, dans sa pieuse commisération, vous a procuré une médiatrice en qui vous n'avez rien à redouter [3].

On pourrait relever chez saint Bernard d'autres pages où est développée la même conception du rôle de la Vierge [4]. La conclusion pratique qu'il en a tirée est la belle prière du *Souvenez-vous* qui, si elle n'a pas été composée par lui-même sous la forme où elle est récitée aujourd'hui, n'en est pas moins une adaptation presque textuelle de deux phrases empruntées à des sermons sur l'Assomption [5]. Ces sermons ont eu une très grande influence sur la dévotion du moyen âge à la Vierge, tellement ils expriment avec une vérité touchante les sentiments, les angoisses, les espérances des âmes inquiètes et souffrantes qui ont eu foi dans l'intercession de Marie, mère de Dieu, pour écarter les périls ou les menaces d'ordre spirituel et temporel qui risquent à tout moment d'assaillir l'humanité.

CARACTÈRES DE L'APOSTOLAT DE SAINT BERNARD

La Vierge n'est d'ailleurs pas seule à intercéder auprès de Dieu. Saint Bernard fait aussi intervenir les saints dont la vie doit servir à l'édification des fidèles. On a de lui un bon nombre de panégyriques par lesquels il s'est efforcé de réveiller la piété de ses contemporains et de les élever vers Dieu. En fin de compte, il a utilisé toutes les circonstances pour provoquer ou faciliter l'éclosion d'une vie plus surnaturelle, plus détachée des choses d'ici-bas, mieux marquée du sceau

(1) *Dominica in oct. Assumptionis*, IV. Il est à noter toutefois que saint Bernard n'a pas cru à l'Immaculée Conception de la Vierge. Cf. sa lettre aux chanoines de Lyon (*Epist.* CLXXIV). Pour lui, Marie a été conçue suivant les lois de la nature et, par conséquent, elle a participé au péché originel ; sa sanctification n'est venue qu'ensuite (*Quomodo peccatum non fuit ubi libido non defuit ?*). Cf. P. POURRAT, *La spiritualité chrétienne*, t. II, p. 79-81.
(2) *In Assumptione sermo* I, 4.
(3) *Ibid.*, 2.
(4) Cf. E. VACANDARD, *op. cit.*, t. II, p. 93-94, où l'on trouvera une très bonne étude de la piété mariale de saint Bernard.
(5) Cf. *ibid.*, t. II, p. 94, n. 2.

des préceptes évangéliques. C'est à ce but que tend, à tout moment, son action, que ce soit au dedans ou au dehors du cloître.

Quelles que soient les formes de cette action extérieure, la même pensée la dominera. Saint Bernard sera amené à intervenir dans la plupart des événements qui jalonnent l'histoire ecclésiastique de son temps ; il n'aura d'autre préoccupation que d'y apporter l'impulsion divine telle qu'il l'a lui-même reçue au cours de ses oraisons, de ses méditations et de ses mortifications. Il sera appelé, lors du schisme d'Anaclet, à dire quel est des deux compétiteurs le pape véritable : il aura, à ce moment, le souci de maintenir l'unité de l'Église sans laquelle Dieu ne saurait agir efficacement. On sollicitera son secours dans la lutte contre l'hérésie renaissante : sans s'embarrasser des subtilités de la dialectique à laquelle il ne croit pas, il apportera le message de Dieu, tel qu'il l'a puisé à la source de l'Écriture, le livre de la vérité divine. La réforme de l'Église régulière et séculière l'occupera à tout moment ; elle n'aura pour lui d'autre attrait que de lui permettre d'implanter dans des milieux divers la morale évangélique et de la faire pratiquer avec plus de rigueur. Même lorsqu'il prêchera la croisade, ce sera avec la pensée de défendre l'intégrité du royaume de Dieu menacé par l'Infidèle. Partout et à tout moment, il fera figure d'homme de Dieu et c'est en cela que sa grande figure se dressera au-dessus de ses contemporains qui ont éprouvé d'ailleurs le sentiment de ce qui s'accomplissait par lui, puisqu'ils ont eu constamment recours à ce héros de la foi et de la morale chrétiennes.

CHAPITRE II

LA PAPAUTÉ DE 1124 A 1153.
LE SCHISME D'ANACLET [1]

§ 1. — Le pontificat d'Honorius II (1124-1130).

LA PAIX DE L'ÉGLISE — Au moment où se tenait, en 1123, le concile du Latran [2], l'Église jouissait d'une paix telle qu'elle n'en avait pas connue depuis fort longtemps. Avec les divers princes chrétiens d'Occident la papauté entretenait des rapports amicaux

(1) BIBLIOGRAPHIE. — I. SOURCES. — La source essentielle est constituée par les bulles des papes recueillies dans JAFFÉ-WATTENBACH, *Regesta pontificum Romanorum*, t. II, Leipzig, 1888, et dans P. KEHR, *Italia pontificia*, t. I-VIII, Berlin, 1906-1935. Elles seront complétées par les lettres de saint Bernard (cf. p. 13, n. 1) dont plusieurs, fort importantes, ont trait aux événements romains et par celles d'autres personnages citées dans les notes qui suivent, puis par les canons conciliaires (MANSI, t. XXI). Parmi les sources narratives, on retiendra les biographies des divers papes publiées dans WATTERICH, *Pontificum Romanorum vitae ab aequalibus conscriptae*, t. II, Leipzig, 1862, et avant tout : OTTON DE FREISING, *Chronica sive historia de duabus civitatibus*, édit. A. HOFMEISTER, dans *Scriptores rerum germanicarum*, 1912, et *Gesta Friderici imperatoris*, édit. G. WAITZ et B. VON SIMSON, dans *Scriptores rerum germanicarum*, 1912. Les sources relatives à la France, à l'Angleterre et à l'Italie méridionale seront indiquées dans les notes particulières.

II. TRAVAUX. — Le meilleur exposé d'ensemble est celui de A. HAUCK, *Kirchengeschichte Deutschlands*, t. IV, 3e-4e édit., Leipzig, 1913. On consultera aussi très utilement les volumes des *Jahrbücher der deutschen Geschichte* ayant trait à la période : W. BERNHARDI, *Lothar von Supplinburg*, Leipzig, 1879 ; ID., *Konrad III.*, Leipzig, 1883, 2 vol. Pour le schisme d'Anaclet, voir surtout : E. MUEHLBACHER, *Die streitige Papstwahl des J. 1130*, Innsbruck, 1876. Pour le pontificat d'Eugène III : H. GLEBER, *Papst Eugen III. (1145-1153) unter besonderer Berücksichtigung seiner politischen Tätigkeit (Beiträge zur mittelalterlichen und neueren Geschichte*, herausgegeben von Friedrich SCHNEIDER, Bd. 6), Iéna, 1936 ; K. HAID, *Das Bild Eugens III. auf Grund neuester Forschung* dans *Cistercienser Chronik*, t. XL, 1937, p. 129-139. Pour les rapports de la papauté avec les États occidentaux, on consultera : F. LUEDTKE, *Kaiser Lothar, Deutschlands Wendung zum Osten*, Berlin, 1937 ; R. SCHNEIDER, *Kaiser Lothars Krone, Leben und Herrschaft Lothars von Supplinburg*, Leipzig, 1937 ; F. CHALANDON, *Histoire de la domination normande en Italie et en Sicile*, t. II, 1907 ; A. LUCHAIRE, *Louis VI le Gros, Annales de sa vie et de son règne*, Paris, 1890 ; ID., *Louis VII, Philippe Auguste, Louis VIII* (tome III[1] de l'*Histoire de France* sous la direction de E. LAVISSE), Paris, 1901 ; CH. PETIT-DUTAILLIS, *La monarchie féodale en France et en Angleterre (Xe-XIIIe siècle)*, Paris, 1933 ; H. BOEHMER, *Kirche und Staat in England und in der Normandie im XI. und XII. Jahrhundert*, Leipzig, 1899 ; Z. N. BROOKE, *The English Church and the Papacy from the conquest to the reign of John*, Cambridge, 1931 ; P. B. GAMS, *Die Kirchengeschichte von Spaniens*, t. III, Ratisbonne, 1876. On pourra consulter également, aussi bien pour les rapports de la papauté avec les États que pour le gouvernement de l'Église, les ouvrages relatifs aux légations, en particulier : J. BACHMANN, *Die päpstlichen Legaten in Deutschland und Skandinavien (1125 bis 1179)*, Berlin, 1913 ; H. TILLMANN, *Die päpstlichen Legaten in England bis zur Beendigung der Legation Gualas (1218)*, Diss. Bonn, 1926 ; G. SAEBEKOW, *Die päpstlichen Legationen nach Spanien und Portugal bis zum Ausgang des XII. Jahrhunderts*, Diss. Berlin, 1936. Pour la commune romaine et le mouvement d'Arnaud de Brescia, voir : L. HALPHEN, *Études sur l'administration de Rome au moyen âge (Bibliothèque de l'École des Hautes Études, Sciences historiques et philologiques*, fasc. 166), Paris, 1907 ; R. BREYER, *Arnold von Brescia* dans *Historisches Taschenbuch* herausgegeben von W. MAURENBRECHER, 6 Folge, 8 Jahrg., Leipzig, 1889, p. 123-178 ; A. DE STEFANO, *Arnoldo da Brescia e i suoi tempi*, Roma, 1921 ; G. W. GREENAWAY, *Arnold of Brescia*, Cambridge, 1931 ; E. VACANDARD, *Arnaud de Brescia* dans *Revue des questions historiques*, t. XXXV, 1884, p. 52-114 ; P. FEDELE, *L'era del senato* dans *Archivio della Società Romana di storia patria*, t. XXXV, 1912, p. 583-610. On se reportera aussi à l'article *Arnaud de Brescia* dans *Realencyclopädie* de HERZOG-HAUCK, t. II, p. 117-122 ; *Dictionnaire de théologie catholique*, t. I, col. 1972-1975 ; *Dictionnaire d'histoire et de géographie ecclésiastique*, t. IV, col. 423-425.

(2) Cf. t. VIII, p. 391-392.

et, si les germes de conflits n'avaient pas tous disparu, personne ne songeait pour le moment à les exploiter. Le concordat de Worms, en 1122, avait rétabli la concorde entre le Sacerdoce et l'Empire. Ce compromis raisonnable, qui, contrairement à l'avis de certains intransigeants, conciliait sur une base acceptable le point de vue de l'Église romaine et celui de la royauté germanique, allait inaugurer une période essentiellement pacifique qui devait s'étendre sur trente années et qui ne sera rompue qu'en 1152 par l'avènement de Frédéric Barberousse.

ÉLECTION D'HONORIUS II   Les deux signataires du concordat de Worms, le pape Calixte II et le roi Henri V, sont morts à quelques mois de distance, le premier le 13 décembre 1124, le second le 23 mai 1125[1].

L'élection du successeur de Calixte II n'alla pas sans quelques difficultés. La noblesse romaine était toujours très divisée : les Frangipani mirent en avant le nom de Lambert d'Ostie, l'un des négociateurs du concordat de 1122[2]. Un concurrent surgit aussitôt en la personne du cardinal Saxo qui avait également participé aux pourparlers de Worms. Les cardinaux, réunis le 16 décembre, se prononcèrent pour le cardinal Théobald qui fut élu sous le nom de Célestin II, mais Robert Frangipani fit pression sur eux et, Théobald ayant refusé la tiare, ils désignèrent Lambert d'Ostie qui fut proclamé sous le nom d'Honorius II (21 décembre 1124)[3]. Les choses ne s'étaient pas très régulièrement passées, mais la paix de l'Église était sauve ; le nouveau pontife avait eu, lors des incidents qui avaient entouré sa désignation, une attitude des plus correctes ; la bonne réputation et le prestige dont il jouissait permettaient de bien augurer de l'avenir.

ÉLECTION DE LOTHAIRE DE SAXE   L'élection du successeur de Henri V allait être pour l'Église une autre garantie de paix. Avant de mourir, le roi, en présence de plusieurs princes, avait déposé les insignes de la royauté entre les mains de sa femme, Mathilde, et prié son neveu, Frédéric de Souabe, de veiller tout à la fois sur la reine et sur le royaume, en attendant la désignation du nouveau souverain[4]. Celui-ci, dans la pensée de Henri V, devait être ce même Frédéric qui se distinguait de son oncle par plus de modération et plus de sens politique. Mais l'archevêque de Mayence, Adalbert, trouva le moyen de se faire confier les insignes royaux[5] que, suivant une tradition ancienne, il était chargé de remettre à l'élu des princes et il exécuta aussitôt son plan qui différait totalement de celui du roi défunt.

(1) Meyer von Knonau, *Jahrbücher des deutschen Reichs unter Heinrich IV. und Heinrich V*. t. VII, p. 322-323.

(2) Sur le rôle de Lambert d'Ostie dans les négociations de Worms, cf. t. VIII, p. 386.

(3) On trouvera le récit de ces incidents dans la *Vita Honorii* de Pandolf, édit. Watterich, *Vitae pontificum Romanorum*, t. II, p. 158. Cf. Pflugk-Harttung, *Die Papstwahlen und das Kaisertum*, p. 126.

(4) Le renseignement est donné par Ekkehard d'Aura, *Chronicon universale*, a. 1125 (M. G. H., S.S., t. VI, p. 264).

(5) Voir à ce sujet Otton de Freising, *Gesta Friderici*, I. xvi.

Adalbert de Mayence, après avoir été au début du règne l'un des fidèles soutiens de Henri V, s'était brouillé avec lui et était devenu le chef de l'opposition allemande. Par rancune, il avait combattu le concordat de Worms et soutenu qu'un tel compromis, contraire aux idées grégoriennes, n'assurait pas à l'Église l'indépendance nécessaire [1]. La mort de Henri V lui parut une excellente occasion, en raison des privilèges dont jouissait l'archevêque de Mayence en matière d'élection royale [2], de reprendre de l'influence dans les affaires de l'Église et du royaume, en imposant un candidat de son choix.

Ce candidat, il l'avait aussitôt aperçu en la personne du duc de Saxe, Lothaire. Celui-ci, après avoir d'abord soutenu Henri V contre son père Henri IV et reçu le duché comme récompense, s'était ensuite rejeté dans l'opposition où il avait retrouvé Adalbert de Mayence [3]. Aucun prince allemand n'était aussi lié que lui avec les hauts dignitaires ecclésiastiques ; il rallia très vite à sa cause Frédéric, archevêque de Cologne, et Conrad, archevêque de Salzbourg, qui avait des obligations personnelles envers lui. Les princes laïques subirent l'impulsion des archevêques et, le 30 août 1125, dans une assemblée tenue en la ville archiépiscopale d'Adalbert, Lothaire de Saxe fut élu roi de Germanie [4].

Le choix était en somme heureux. Né sans doute vers 1070, Lothaire III avait environ cinquante-cinq ans lors de son accession à la royauté. Son physique contrastait avec celui de son malingre et maladif prédécesseur : vigoureux et fort, ardent dans les combats, doté de qualités stratégiques, il apparaissait comme le type du roi chevalier qui se laisse aller parfois à des actes de cruauté, mais les rachète ensuite par des pénitences et par des largesses à l'égard des monastères. Quelque peu vénal, comme tant d'autres princes de son temps, il n'en est pas moins dévoué à l'Église qui a fait son élection et dont il subira constamment l'influence ; l'archevêque Adalbert restera auprès de lui comme conseiller et inspirera notamment sa politique ecclésiastique [5].

LOTHAIRE III ET L'ÉGLISE — Les caractères de cette politique ecclésiastique vont aussitôt se dessiner. Suivant la narration anonyme où se trouve le seul récit détaillé de l'élection, Lothaire III aurait, dès son avènement, abandonné certaines prérogatives essentielles que le concordat de Worms reconnaissait au roi, en renonçant

---

(1) Sur l'opposition au concordat de Worms et le rôle d'Adalbert, voir A. Hauck, *Kirchen geschichte Deutschlands*, t. IV, p. 115 et suiv.

(2) Voir à ce sujet U. Stutz, *Reims und Mainz in der Königswahl des zehnten und zu Beginn des elften Jahrhunderts* dans *Sitzungsberichte der preussischen Akademie der Wissenschaften*, t. XXIX, 1921, p. 433.

(3) Cf. t. VIII, p. 377 et suiv., et aussi A. Fliche, *L'Europe occidentale de 888 à 112*, t. II de l'*Histoire générale. Histoire du moyen âge* sous la direction de G. Glotz, p. 469-470, 481, 486.

(4) La principale version de l'élection est donnée par un récit anonyme, œuvre sans doute d'un témoin oculaire, la *Narratio de electione Lotharii in regem Romanorum* (M. G. H., *S.S.*, t. XII, p. 510). Cf. A. Hauck, *op. cit.*, t. IV, p. 116-118 ; G. Schneiderreit, *Die Wahl Lothars III. zum deutschen König*, Halle, 1893 ; W. Bernhardi, *Lothar von Supplinburg*, p. 20 et suiv. ; F. Luedtke, *Kaiser Lothar der Sachse*, p. 109-112 ; R. Schneider, *Kaiser Lothars Krone. Leben und Herrschaft Lothars von Supplinburg*, p. 15 et suiv.

(5) On trouvera un très bon portrait de Lothaire III dans A. Hauck, *op. cit.*, t. IV, p. 121 et suiv.

à être personnellement représenté aux élections épiscopales et en consentant à ce que l'investiture royale par le sceptre n'eût lieu qu'après la consécration par le métropolitain [1]. Bien qu'aucun autre texte ne fasse allusion à une convention de ce genre, il n'est pas impossible que Lothaire, qui avait obtenu la couronne grâce à l'initiative des hauts dignitaires de l'Église allemande, ait envisagé, d'accord avec Adalbert de Mayence, certains aménagements à la convention de Worms [2]. En tout cas, le nouveau roi manifesta aussitôt par des actes sa volonté d'appliquer le concordat avec modération et en parfaite harmonie avec l'Église.

ÉLECTIONS ÉPISCOPALES Plusieurs élections épiscopales ont eu lieu en Allemagne peu de temps après l'avènement de Lothaire. Les choses se sont passées très régulièrement. A Eichstaedt, Ulric meurt au lendemain de l'assemblée de Mayence ; son successeur, Gebhard II, est élu en septembre ou octobre sans aucun incident [3]. Quelques mois plus tard, Rugger, archevêque de Magdebourg, disparaît à son tour ; la majorité des électeurs se prononce pour un cousin de Lothaire, Conrad de Querfurt, dont le choix soulève des difficultés, parce qu'il ne remplit pas les conditions d'âge ; le roi garde la plus stricte neutralité et, lorsque le légat pontifical, le cardinal Gérard, eut imposé comme archevêque l'abbé de Prémontré, Norbert, il n'éleva aucune opposition, bien que, semble-t-il, il n'eût pas été prié d'intervenir, comme il en aurait eu le droit, l'élection étant contestée [4].

AFFAIRE DE WÜRZBOURG Lothaire III a observé la même attitude dans l'affaire de Würzbourg, où la succession de l'évêque Erlung, mort le 28 décembre 1121, avait donné lieu aux plus âpres compétitions : Henri V avait désigné Gebhard de Henneberg, un tout jeune homme qui n'était même pas parvenu aux ordres mineurs, mais sans réussir à le faire agréer par les électeurs canoniques qui s'étaient prononcés pour un diacre de l'église de Würzbourg, Rugger. Adalbert de Mayence, bien que Henri V eût donné l'investiture à Gebhard, consacra Rugger. L'affaire fut portée à Rome ; comme Calixte II souhaitait à ce moment rétablir la paix avec Henri V, il évita de se prononcer et les choses en restèrent là jusqu'à la mort du roi. Rugger succomba lui aussi dans le courant de l'été de 1125 et, comme l'archevêque Adalbert s'était réconcilié avec Gebhard qu'il consacra lors d'un concile tenu à Mayence en octobre 1125, la paix parut rétablie. Entre temps, Honorius II succéda à Calixte II ; il avait, lors de sa légation en Allemagne, assisté au sacre de Rugger et pris parti contre Gebhard ; à la différence d'Adalbert, il

---

(1) *Narratio de electione Lotharii in regem Romanorum*, VI.
(2) La réalité de la convention a été contestée notamment par W. BERNHARDI, *op. cit.*, p. 46, n. 99, par C. VOLKMAR, *Das Verhältniss Lothars III. zur Investiturfrage* dans *Forschungen zur deutschen Geschichte*, t. XXIII, 1886, p. 443. Suivant E. BERNHEIM, *Lothar III. und das Wormser Konkordat*, p. 14, Lothaire aurait, avant l'élection, admis le point de vue des archevêques, mais serait revenu, par la suite, à la stricte application du concordat de Worms. Pour A. HAUCK. *op. cit.*, t. IV, p. 118, n. 2, Lothaire III aurait bien fait les concessions dont parle la *Narratio*, mais, en fait, continué à donner l'investiture avant la consécration.
(3) A. HAUCK, *op. cit.*, t. IV, p. 126.
(4) *Ibid.*, p. 126-127.

ne modifia pas son point de vue et, dans une lettre du 4 mars 1126 [1], fit savoir qu'après avoir consulté les cardinaux, il s'opposait au maintien sur le siège de Würzbourg de l'évêque investi par Henri V. Gebhard fit aussitôt appel à Lothaire III, mais le roi s'en remit à Adalbert et au cardinal Gérard, légat d'Honorius II, du soin de terminer un procès aussi complexe. Adalbert essaya de retarder la désignation d'un nouvel évêque que le légat pressait au contraire tant qu'il pouvait ; finalement, au début de 1127, après quelques manœuvres assez fâcheuses de Gebhard, Embric de Leiningen fut élu évêque de Würzbourg et sacré par Adalbert qui abandonna Gebhard. Celui-ci se résigna sans trop de difficulté à renoncer au siège qu'il avait un moment occupé [2].

L'attitude du roi a été, au cours de ce débat, non seulement correcte, mais empreinte du désir d'être agréable aux hommes d'Église et de ne soulever aucun incident susceptible de rompre la paix religieuse. C'est sans doute avec la même pensée que Lothaire n'a mis aucun obstacle à la déposition, en 1127, de l'archevêque de Trèves, Godefroy, élevé à cette charge par Henri V, en 1128 à celle d'Otton, évêque d'Halberstadt, en 1129 à celle de Henri, évêque de Verdun. De même encore, en 1130, lors de la vacance de l'archevêché de Cambrai, il garda la plus stricte neutralité à l'égard des deux candidats qui se disputaient le siège [3].

RAPPORTS D'HONORIUS II ET DE LOTHAIRE III — Du côté de l'Allemagne, Honorius II n'a donc eu que des satisfactions ; aucun nuage ne s'est élevé, sous son pontificat, entre le Saint-Siège et un souverain qui se révélait fils docile de l'Église. Après son couronnement à Aix-la-Chapelle par l'archevêque de Cologne (13 septembre 1125), Lothaire III avait notifié son élection au pape, voulant prouver ainsi sa déférence envers l'Apôtre [4]. Honorius II ne se fit pas faute de soutenir un prince dont la politique contrastait si heureusement avec celle de ses prédécesseurs. Lothaire, peu après son avènement, s'était heurté à l'opposition de Frédéric de Souabe, qu'il avait évincé de la couronne, et du fils de celui-ci, Conrad de Hohenstaufen. Les évêques allemands, réunis à Würzbourg lors de l'élection d'Embric, excommunièrent Conrad qui s'était fait proclamer roi par ses partisans [5] et, si l'on en croit les *Annales Patherbrunnenses*, le pape aurait confirmé leur sentence [6]. En tout cas, lorsqu'en 1128, Conrad, dont l'étoile pâlissait en Allemagne, se rendit en Italie pour recevoir des mains de l'archevêque de Milan, Anselme, la couronne de fer des rois lombards, Honorius II envoya en

---

(1) Jaffé-Wattenbach, 7248.

(2) A. Hauck, *op. cit.*, t. IV, p. 130-133. On trouvera dans le *Codex Udalrici*, nos 227-233 (*Monumenta Bambergensia*, p. 408 et suiv.), la correspondance échangée au sujet de cette élection de Würzbourg.

(3) A. Hauck, *op. cit.*, t. IV, p. 129-130.

(4) Suivant W. Bernhardi, *op. cit.*, p. 52, Lothaire aurait même sollicité la confirmation d'Honorius II, et cela paraît résulter d'une lettre adressée au roi par Innocent II (*Monumenta Bambergensia*, p. 423), mais cette démarche n'a été faite qu'après le sacre, ce qui en atténue singulièrement l'importance.

(5) Mansi, t. XXI, col. 351 ; W. Bernhardi, *op. cit.*, p. 141.

(6) *Annales Patherbrunnenses*, a. 1128 (édit. Scheffer-Boichorst, p. 151). Cf. W. Bernhardi, *op. cit.*, p. 150-151.

Lombardie le cardinal Jean de Crémone qui réunit à Pavie un concile où Anselme fut excommunié [1]. La papauté prenait ainsi position contre le compétiteur de Lothaire III.

HONORIUS II ET LA FRANCE Avec les autres royaumes occidentaux, Honorius II a entretenu également de bonnes relations. En France, Louis le Gros continuait à observer à l'égard de l'Église une attitude bienveillante, à condition toutefois que l'absolutisme royal pût s'exercer en toute liberté [2]. Comme sous les pontificats précédents, il y eut entre le souverain et quelques hauts dignitaires ecclésiastiques des froissements qui provoquèrent l'intervention pontificale. Honorius II s'employa toujours à rétablir la paix religieuse, même au prix de concessions qui soulevèrent l'indignation de saint Bernard.

Un premier incident surgit en 1129, à propos de la réforme du chapitre de Notre-Dame de Paris. L'évêque Étienne de Senlis avait voulu y introduire des chanoines réguliers de Saint-Victor, afin de relever le niveau de la vie canoniale. Louis VI, qui en plusieurs circonstances avait favorisé des réformes de ce genre et qui entretenait avec Saint-Victor les meilleures relations, ne fit tout d'abord aucune opposition à cette mesure, mais, le chapitre ayant protesté avec véhémence, il pria Étienne de Senlis de ne « rien changer aux coutumes, statuts et ordres de l'église de Paris » [3]. On ne sait pas exactement comment l'évêque accueillit cette injonction royale, mais, ce qui est certain, c'est qu'au bout de quelque temps Louis VI lui enleva ses *regalia* et que, pour riposter, Étienne jeta l'interdit sur son propre diocèse, après quoi il se retira à Sens dont l'archevêque était métropolitain de Paris [4]. Il demanda également conseil à saint Bernard, dont le renom de sainteté était déjà très grand, et l'abbé de Clairvaux écrivit aussitôt au roi pour lui reprocher sa conduite [5] :

Avec quelle confiance oserons-nous désormais élever nos mains vers l'Époux de cette Église que vous contristez si inconsidérément et sans raison, ce nous semble. L'Église en effet dépose contre vous auprès de son Seigneur et Maître une plainte désespérée, parce qu'elle trouve un oppresseur en celui qu'elle avait reçu pour défenseur. Considérez donc quel est celui que vous offensez ; ce n'est pas, à parler exactement, l'évêque de Paris, mais le Seigneur du ciel, un Seigneur terrible, celui qui ôte la vie aux princes.

Et saint Bernard conclut que, si le roi ne restitue pas à l'évêque ses *regalia*, l'affaire sera portée « devant le tribunal du souverain pontife ».

Louis le Gros refusa d'abord de rien changer aux dispositions qu'il avait prises, mais, saint Bernard lui ayant fait redouter les foudres de l'Église [6], il parut disposé à s'amender. Il y inclinait d'autant plus qu'il

---

(1) W. BERNHARDI, *op. cit.*, p. 206-207 ; E. JORDAN, *L'Allemagne et l'Italie aux XIIe et XIIIe siècles*, t. IV, 1re p. de l'*Histoire générale. Histoire du moyen âge* sous la direction de G. GLOTZ. p. 11-12.
(2) Sur sa politique ecclésiastique, voir t. VIII, p. 398 et suiv.
(3) A. LUCHAIRE, *Louis VI le Gros. Annales de sa vie et de son règne*, n°s 423 et 424.
(4) Cf. une lettre adressée à Étienne de Senlis par un dignitaire du chapitre de Paris dans *Historiens de France*, t. XV, p. 333-334.
(5) Saint BERNARD, *Epist.* XLV. Cf. E. VACANDARD, *Vie de saint Bernard, abbé de Clairvaux*, t. I, p. 270 et suiv.
(6) Saint BERNARD, *Epist.* XLVII : *Sentiens tandem nos ad arma ecclesiae pro ecclesia velle confugere.*

avait agi à Rome où Honorius II, soucieux d'entretenir avec le roi capétien les meilleures relations, avait consenti à lever l'interdit lancé par Étienne de Senlis sur le diocèse de Paris. Le pape, qui avait prêté l'oreille aux insinuations de Louis le Gros, fut aussitôt saisi d'une énergique protestation de la part non seulement de saint Bernard, mais aussi des évêques de la province de Sens qui se solidarisèrent avec leur confrère. Il comprit qu'il avait agi un peu vite et pria son légat Matthieu d'Albano de régler au mieux une affaire qui risquait de dégénérer en un grave conflit. Matthieu ménagea une entrevue entre Louis VI et Étienne de Senlis qui se réconcilièrent [1].

Honorius II eut à intervenir, presqu'au même moment, dans un autre différend qui mit aux prises le roi avec l'archevêque de Sens, Henri Sanglier. Celui-ci, pour des raisons que l'on connaît mal, était en mauvais termes avec la cour où on l'accusa de simonie avec le désir, semble-t-il, de se débarrasser de lui. Saint Bernard, qui avait dédié à Henri Sanglier son *De moribus et officio episcoporum*, reçut sans doute les confidences du prélat ; en tout cas, il mit le pape au courant, en portant un jugement plutôt dur sur l'attitude de Louis le Gros à l'égard de l'épiscopat :

Autant que nous pouvons en juger, nous qui sommes sur les lieux, ce que le roi Louis persécute dans les évêques, c'est moins leur personne que leur zèle pour la justice, leur piété et jusqu'aux dehors de la religion. Votre Sainteté peut en faire aisément la remarque : ceux qui auparavant, grâce à leurs mœurs mondaines, étaient honorés, estimés, admis dans l'intimité, sont maintenant traités en ennemis, parce qu'ils vivent d'une manière digne de leur sacerdoce et qu'ils honorent en toutes choses leur ministère. De là ces outrages et ces injures qui ont assailli l'évêque de Paris, sans l'ébranler toutefois, parce que le Seigneur l'a soutenu par votre main. De là ces efforts que fait le roi pour abattre la constance du seigneur de Sens, afin qu'après avoir renversé le métropolitain, ce qu'à Dieu ne plaise, il puisse plus aisément et à son gré s'attaquer aux suffragants [2].

Saint Bernard espérait que le roi de France, « nouvel Hérode », recevrait du pape les admonestations nécessaires et qu'Honorius II arracherait l'archevêque au jugement du roi. Honorius II n'en fit rien, mais il est probable qu'une action diplomatique fut engagée, car Henri Sanglier resta archevêque de Sens [3]. Une fois de plus, Honorius II attestait sa volonté de vivre en bonne harmonie avec le roi capétien qui, de son côté, tenait à se ménager l'appui de l'Église.

HONORIUS II ET L'ANGLETERRE — Les rapports d'Honorius II avec l'Angleterre sont empreints des mêmes caractères. Au moment de l'élection du pape, Jean de Crème s'acquittait d'une légation et, après avoir éprouvé quelques difficultés, il avait fini par recevoir du roi Henri Ier l'autorisation de venir en Angleterre où, le 9 septembre 1125, il présida un concile à Westminster, ce qui n'était jamais arrivé à un légat depuis l'avènement de la dynastie normande ; l'archevêque d'York, Thurstin, assista à cette assemblée où l'on prit un

---

(1) Saint BERNARD, *Epist.* XLVI et XLVII. Voir aussi la lettre de Geoffroy, évêque de Chartres, à Étienne de Senlis dans *Historiens de France*, t. XV, p. 334-335. Cf. A. LUCHAIRE, *op. cit.*, n° 465.
(2) Saint BERNARD, *Epist.* XLIX.
(3) *Ibid.*, *Epist.* L et LI. Cf. E. VACANDARD, *op. cit.*, t. I, p. 274-277.

certain nombre de mesures réformatrices [1]. Par la suite, il n'y eut plus en Angleterre de légats temporaires, envoyés par Rome. L'archevêque de Cantorbéry remplit le plus souvent cet office, mais, comme ses pouvoirs expiraient à la mort du pape qui l'avait nommé, le Saint-Siège conserva malgré tout un droit de contrôle assez strict et il arriva par la suite que la fonction échût à d'autres qu'au primat de Cantorbéry [2]. D'ailleurs l'Angleterre est traitée maintenant contre les autres pays occidentaux : Honorius II n'hésite pas à remanier les circonscriptions épiscopales, à convoquer à Rome les évêques qui n'acceptent pas ses décisions [3] ; il prescrit à Guillaume de Cantorbéry, en termes assez vifs, de veiller à ce que les biens épiscopaux ne soient pas dissipés à la mort de l'évêque [4].

HONORIUS II ET L'ESPAGNE — Honorius II s'est peu intéressé aux affaires d'Espagne. C'est seulement en 1129 qu'il y dépêche un légat, dont la venue était sollicitée par le roi Alphonse VII qui, depuis 1126, avait remplacé en Castille sa nièce Urraque. Humbert de Saint-Clément, choisi par le pape pour cette mission, partit en décembre 1129 ; après avoir été en Portugal, il séjourna auprès d'Alphonse VII en Léon ; il tint, en février 1130, à Carrion un concile où plusieurs évêques furent déposés, puis il rentra à Rome où il ne trouva plus Honorius II qui était mort entre temps [5].

LES DIFFICULTÉS ITALIENNES — En somme, dans ses rapports avec les différents États de la Chrétienté occidentale, Honorius II n'a eu que des satisfactions : partout il n'a rencontré que des dispositions favorables ; jamais la paix entre l'Église et les États n'a été aussi profonde. Les seules difficultés auxquelles se soit heurtée la politique pontificale ont pris naissance en Italie.

La mort, en 1127, de Guillaume de Pouille, petit-fils de Robert Guiscard, qui coïncide avec celle de Jourdain II, prince de Capoue (1120-1127). allait créer pour le Saint-Siège une situation délicate. Guillaume ne laissait pas d'héritier direct. Son cousin, Roger II de Sicile, jugea l'occasion favorable pour étendre son autorité sur l'Italie péninsulaire. Profitant de l'anarchie qui sévissait dans la plupart des villes de l'Italie méridionale où s'étaient dessinés des mouvements d'indépendance, il cingla aussitôt vers Salerne dont il s'empara facilement, puis il mit la main sur Amalfi, Bénévent, Troia, et se fit reconnaître par un bon nombre de seigneurs de la Pouille. Par une foudroyante expédition, il avait réglé à son profit la succession de Guillaume.

Qu'allait faire le pape Honorius II ? Suzerain de la Pouille, il pouvait, u nom du droit féodal, réclamer pour lui le fief tombé en déshérence.

(1) Cf. H. BOEHMER. *Kirche und Staat in England und in der Normandie im XI. und XII. Jahrhundert*, p. 300-301. Sur cette assemblée, voir HADDAN-STUBBS, *Councils*, t. I, p. 317 et HEFELE-LECLERCQ, *Histoire des conciles*, t. V, 1re p., p. 658.
(2) Cf. H. BOEHMER, *op. cit.*, p. 301.
(3) JAFFÉ-WATTENBACH, 7305, 7306, 7321, 7322, 7374.
(4) *Ibid.*, 7232. Cf. H. BOEHMER, *op. cit.*, p. 301.
(5) JAFFÉ-WATTENBACH, 7383 ; G. SAEBEKOW, *Die päpstlichen Legationen nach Spanien und Portugal bis zum Ausgang des XII. Jahrhunderts*. Diss. Berlin. 1931, p. 41-42.

Une telle solution eût été très avantageuse pour le Saint-Siège en créant pour lui un État où le pape pourrait se retirer, s'il était à nouveau menacé, comme cela s'était produit lors de la crise de 1111. De plus, la présence, aux portes de Rome, d'un prince hardi et entreprenant, unissant sous son pouvoir la Pouille et la Sicile, n'était pas sans danger.

Honorius II fut surpris par les événements et c'est seulement lorsque Roger eut conquis la Pouille qu'il étudia les moyens de faire face à la situation. Il chercha à s'entendre avec les petits seigneurs qu'inquiétait le succès de Roger, notamment avec le propre beau-frère de celui-ci, Rainulf d'Alife, et avec le nouveau prince de Capoue, Robert II. Devant cette menace, Roger essaya de composer : il offrit à Honorius II de lui remettre, en échange de l'investiture, une forte somme d'argent et les places de Troia et Montefusco. Le pape repoussa ces conditions qui lui paraissaient peu compatibles avec le prestige du Saint-Siège ; il prononça un violent réquisitoire contre Roger et organisa une expédition vers Bénévent, mais les dissentiments qui avaient surgi entre les alliés l'obligèrent à négocier et finalement à investir Roger de la Pouille (1128). L'année suivante, Roger imposait sa suzeraineté à Capoue. L'Italie méridionale, où les papes avaient plusieurs fois trouvé une retraite sûre et accueillante, ne pourrait plus désormais remplir cet office [1].

LES FACTIONS ROMAINES   Or, au même moment, le Siège apostolique est menacé dans Rome par les factions devenues de plus en plus puissantes. Par suite des absences répétées des prédécesseurs d'Honorius II, l'aristocratie avait repris dans la ville une place importante. Deux familles, les Pierleoni et les Frangipani, aspiraient à jouer un rôle : sous Calixte II, c'était la première surtout qui avait fait sentir son influence, mais l'avènement d'Honorius II avait permis à la seconde de la supplanter [2]. Naturellement les Pierleoni ne se résignaient pas à être relégués au second plan. Tant que le pape vécut, il n'y eut aucun incident sérieux, mais, à sa mort, survenue dans la nuit du 13 au 14 février 1130, Frangipani et Pierleoni vont entrer en lutte au sein du Sacré Collège et déchaîner une crise religieuse qui mettra un moment en péril l'œuvre accomplie par Grégoire VII et ses successeurs.

§ 2. — Le schisme d'Anaclet.

TROUBLES A LA VEILLE DE LA MORT D'HONORIUS II   Dès les premiers jours de février 1130, Honorius II était tombé malade. L'on s'aperçut très vite que l'on s'acheminait vers une issue fatale. Aussi les différents partis s'empressèrent-ils de prendre position. Les Pierleoni avaient dans le Sacré Collège un représentant, cardinal-diacre au titre de Saint-Calixte, dont Pierre le Vénérable, abbé de Cluny, a dénoncé l'ambition, la cupidité et la simonie [3].

(1) Sur tous ces événements, cf. F. CHALANDON, *Histoire de la domination normande en Italie et en Sicile*, t. I, p. 383 et suiv. ; E. JORDAN, *op. cit.*, p. 17-18.
(2) Voir surtout F. GRECOROVIUS, *Geschichte der Stadt Rom*, 4e édit., t. IV, p. 381-391.
(3) PIERRE LE VÉNÉRABLE, *Epist.* II, 4. Cf. aussi la lettre de Hubert de Lucques à saint Norbert de Magdebourg (*P. L.*, CLXXIX, 48) où le cardinal de Saint-Calixte est taxé également d'avarice et d'ambition (*avarus et ambitiosus*).

Ce personnage riche et influent aspirait évidemment à la tiare, mais ses menées ambitieuses furent déjouées par le chancelier Aimeric, cardinal-diacre au titre de Sainte-Marie Nouvelle, que ses contemporains ont jugé de diverses façons, mais qui, en la circonstance, quel que soit le mobile auquel il a obéi, a défendu la légalité [1].

Pour assurer la régularité de l'élection, Aimeric imagina de faire transporter le pape mourant au monastère de Saint-Grégoire, sur le mont Cœlius, et il y convoqua les cardinaux pour prendre avec eux les mesures qui paraissaient s'imposer. Après avoir jeté l'anathème contre ceux qui procéderaient à l'élection avant l'ensevelissement d'Honorius II, on décida de s'en remettre à huit arbitres du choix du nouveau pape, et l'on frappa par avance d'excommunication ou de suspense quiconque serait élu contrairement à cette procédure. Le comité d'arbitrage fut aussitôt désigné : il comprenait deux cardinaux-évêques, Guillaume de Préneste et Conrad de Sabine, trois cardinaux-prêtres, Pierre de Pise, Pierre le Roux et Pierleone, trois cardinaux-diacres, Grégoire de Saint-Ange, Jonathan et Aimeric. Parmi eux, il y avait cinq partisans des Frangipani et trois des Pierleoni, alors que dans l'ensemble du Sacré Collège on comptait vingt voix pour les Pierleoni et seulement seize pour les Frangipani [2]. Aussi bien la procédure imaginée par le chancelier Aimeric, contraire aux dispositions du décret de Nicolas II, allait-elle fatalement susciter des troubles, en raison du manque d'harmonie entre l'ensemble des cardinaux et la commission des arbitres.

Tandis que les cardinaux délibéraient, l'émeute commençait. Le bruit s'était répandu que le pape était mort et la foule se pressait autour du monastère Saint-Grégoire, si bien que, pour démentir la fausse nouvelle, le pauvre Honorius II dut paraître à l'une des fenêtres du couvent, mais cela acheva de l'épuiser et il s'éteignit dans la nuit du 13 au 14 [3].

LA DOUBLE ÉLECTION DU 14 FÉVRIER 1130 — Or, au moment où Honorius II rendit le dernier soupir, le cardinal Pierleone et le cardinal Jonathan avaient quitté le monastère de Saint-Grégoire. Aimeric jugea préférable de procéder immédiatement à l'élection, sans attendre leur retour hypothétique. A l'aube du 14 février, tandis que les Romains ignoraient encore la mort du pape, il fit ense-

(1) Ce qui milite en faveur d'Aimeric, c'est le double témoignage favorable de saint Bernard (*Epist.* xv, xx, xlviii, li, lii, liii, liv, cxliv, clvii, clx, clxiii, clxxxi) et de Pierre le Vénérable (*Epist.* I, 3 et 34) qui sont d'accord pour vanter son honnêteté.

(2) On a sur cette réunion préliminaire des témoignages provenant des deux partis opposés et qui s'accordent dans les grandes lignes : c'est la lettre de Hubert de Lucques à l'archevêque de Magdebourg (*P. L.*, CLXXIX, 40 et suiv.) que l'on peut considérer comme la version des électeurs du futur Innocent II et une lettre adressée à Didace, évêque de Compostelle (WATTERICH, *Vitae romanorum pontificum*, t. II, p. 187-188), que l'on a généralement attribuée à Pierre de Pise, bien que son ton violent et passionné semble infirmer cette hypothèse, et qui, en tout cas, traduit la pensée des électeurs d'Anaclet. La seule divergence sérieuse entre les textes concerne le cas où les arbitres n'auraient pu se mettre d'accord : dans ce cas on aurait, suivant les Anaclétistes, décidé d'appeler « quelques autres frères », tandis que, selon Hubert de Lucques, on devait ou élire en commun ou s'en remettre à la *sanior pars* du Sacré Collège, c'est-à-dire sans doute aux cardinaux-évêques, conformément au décret de Nicolas II.

(3) Les incidents de cette journée sont mentionnés par Hubert de Lucques, mais la lettre dite de Pierre de Pise garde le silence à leur sujet.

velir Honorius II à Saint-Grégoire, afin qu'on ne pût lui reprocher d'avoir violé l'accord intervenu au sein du Sacré Collège, puis il fit élire par les cinq partisans des Frangipani que comptait la commission d'arbitrage, et malgré les protestations de Pierre de Pise, seul représentant du parti Pierleone présent à l'assemblée, le cardinal-diacre Grégoire de Saint-Ange ; les cardinaux favorables aux Frangipani, qui étaient réunis dans l'église de Saint-André, ratifièrent ce choix et Grégoire fut conduit au Latran, où sous le nom d'Innocent II il revêtit les insignes pontificaux [1].

Quelques heures plus tard, les cardinaux du parti Pierleoni, qui constituaient la majorité du Sacré Collège, se réunissaient dans l'église Saint-Marc. Ils apprenaient en même temps la mort d'Honorius II et l'élection d'Innocent II. Aussitôt, Pierleone dénonce les vices de forme évidents, en appelle au jugement des cardinaux, du clergé et du peuple, puis on procède à une nouvelle élection, sans prendre en considération ce qui s'est passé au monastère de Saint-Grégoire, et Pierleone est unanimement désigné sous le nom d'Anaclet II [2].

Aucune des deux élections n'était conforme à la procédure décrétée en 1059 par Nicolas II [3], et il semblait que canoniquement le problème posé par la double désignation d'Innocent II et d'Anaclet II fût insoluble. On pouvait objecter à Innocent II que le comité d'arbitrage, auquel on avait remis le soin de choisir le successeur d'Honorius II, n'était pas au complet, que l'on avait agi avec précipitation et avant que la nouvelle de la mort du pontife n'eût été divulguée, que la réunion de cardinaux qui avait suivi ne groupait qu'une minorité, que c'était de cette minorité que Grégoire de Saint-Ange était l'élu. De son côté, Anaclet II avait été désigné contrairement à l'entente intervenue entre les cardinaux, contrairement aussi au décret de Nicolas II que l'on prétendait observer, car tous les cardinaux n'étaient pas présents et le privilège des cardinaux-évêques n'avait pas été respecté, aucune *tractatio* de leur part n'ayant eu lieu avant l'élection. Jamais on ne s'était trouvé en présence d'une situation aussi embarrassante : Anaclet ne pouvait être considéré comme un antipape ; il était fondé à contester la légalité de l'élection d'Innocent II qui, canoniquement, prêtait à discussion [4].

(1) Nous avons adopté ici la version de Hubert de Lucques qu'il n'y a pas lieu de suspecter Un autre partisan d'Innocent II, Gautier de Ravenne, dans une lettre à Conrad de Salzbourg publiée par E. Duemmler dans les *Forschungen zur deutschen Geschichte*, t. VIII, p. 164 et suiv., raconte les choses un peu différemment et fait participer à l'élection tous les cardinaux partisans des Frangipani. Il est probable que cette version a été imaginée ensuite pour justifier ce qu'il y avait d'anormal dans l'élection d'Innocent II ; chez Hubert de Lucques, les cardinaux n'interviennent que pour ratifier le choix des arbitres, ce qui est d'ailleurs beaucoup plus vraisemblable. Cf. A. Hauck, *Kirchengeschichte Deutschlands*, t. IV, p. 138, n. 2.

(2) Voir sur l'élection d'Anaclet la lettre à Didace de Compostelle. On ne connaît pas le nombre exact des cardinaux présents que R. Zoeppfell (*Die Papstwahlen*, p. 383) évalue à vingt-trois, mais que W. Bernhardi (*op. cit.*, p. 302, n. 66) porte à vingt-neuf.

(3) Cf. t. VIII, p. 18-19.

(4) Sur l'élection et les controverses auxquelles elle a donné lieu, voir R. Zoeppfell, *Die Papstwahlen*, Göttingen, 1872 ; E. Muehlbacher, *Die streitige Papstwahl im Jahre 1130*, Innsbrück 1876 ; W. Bernhardi, *op. cit.*, p. 288 et suiv. ; J. Pflugk-Harttung, *Die Papstwahlen und das Kaisertum*, Gotha, 1908, p. 126 et suiv. ; H. J. Wurm, *Die Papstwahl, ihre Geschichte und Gebraüche* dans *Görresgesellschaft*, Cologne, 1902, p. 31 et suiv. ; E. Vacandard, *Vie de saint Bernard*, t. I, p. 282 et suiv. ; Hefele-Leclercq, *Histoire des conciles*, t. V, 1re p., p. 676 et suiv. ; A. Hauck, *op. cit.*, t. IV, p. 136 et suiv. ; F. Luedtke, *op. cit.*, p. 134-135 ; R. Schneider, *op. cit.*, p. 92 et suiv.

INNOCENT II ET ANACLET II En revanche, du point de vue moral et religieux, Innocent II était infiniment supérieur. Il avait, aux côtés du futur Honorius II, participé aux négociations du concordat de Worms [1] et acquis, pendant les précédents pontificats, une certaine expérience des affaires ecclésiastiques ; il avait de la prudence, de la pondération, du jugement, sinon la sûreté de vues et l'esprit de décision qui lui eussent été nécessaires au cours des circonstances difficiles avec lesquelles il va se trouver aux prises. Ce qui a dirigé vers lui les suffrages de ses partisans, c'est avant tout la pureté de ses mœurs, accompagnée d'une très grande piété. Il semble que l'on ait voulu opposer au cardinal Pierleone, dont on connaissait les ambitieux projets, un homme à l'abri de tout reproche [2].

Anaclet II avait fait des études à Paris, puis était entré à Cluny, d'où Pascal II l'avait rappelé pour en faire un cardinal. Sous les pontificats suivants, il a collaboré très activement à l'administration romaine et bien servi les intérêts du Saint-Siège [3]. Ses adversaires ont peut-être exagéré ses défauts [4] ; il n'en reste pas moins qu'il était dévoré d'ambition et qu'il n'avait ni la rigidité morale ni la nature scrupuleuse d'Innocent II [5].

INNOCENT II QUITTE ROME On le vit dès le lendemain de la double élection du 14 février. Anaclet a su prendre les devants et s'assurer dans Rome une situation très forte. Il n'a pas hésité sur le choix des moyens et il paraît évident qu'aidé par sa famille, il a répandu l'or à pleines mains, ce qui lui a permis de se constituer une armée avec laquelle, dès le 15 et le 16 février, il s'empara de Saint-Pierre et du palais du Latran [6]. Innocent II, qui s'était réfugié dans le monastère du Palladium qu'Anaclet essaya vainement d'enlever d'assaut, put cependant être sacré, le 23 février, dans l'église de Sainte-Marie Nouvelle, par le cardinal-évêque d'Ostie ; le même jour, Anaclet l'était, de son côté, à Saint-Pierre, des mains de Pierre de Porto [7].

Chacun des deux papes maintenait ses positions, mais Rome se prononça pour Anaclet. L'or des Pierleoni y fut peut-être pour quelque chose. Ce qui demeure certain, c'est qu'Innocent II fut abandonné par ses propres partisans ; les Frangipani eux-mêmes se rallièrent au pape issu de la famille rivale [8]. Dans ces conditions, tout effort demeurait inutile. Ne se sentant pas en sécurité dans la ville, Innocent II s'enfuit en France ;

---

(1) Cf. t. VIII, p. 386.

(2) Cf. A. HAUCK, *op. cit.*, t. IV, p. 140, où l'on trouvera l'indication des divers témoignages contemporains sur la valeur morale d'Innocent II.

(3) On trouvera tous les textes relatifs à la biographie et au caractère d'Anaclet dans W. BERNHARDI, *op. cit.*, p. 282 et suiv., n. 40-45.

(4) Tel est l'avis de F. CHALANDON, *Histoire de la domination normande en Italie et en Sicile*, t. II, p. 3-4. Cf. *supra*, p 50.

(5) Cf. A. HAUCK *op. cit.*, p. 137-138, qui est peut-être trop favorable à Anaclet. Voir aussi E. VACANDARD, *op. cit.*, t. I, p. 283 et suiv., auquel on pourrait faire le reproche contraire.

(6) *Liber pontificalis*, édit. L. DUCHESNE, t. II, p. 380, n. 2 ; BOSON, *Vita Innocentii II*, édit. WATTERICH, *op. cit.*, t. II, p. 174-175 ; JAFFÉ-WATTENBACH, 8370. Naturellement les sources favorables à Anaclet font le silence sur ces événements. Voir, à leur sujet : W. BERNHARDI, *op. cit.*, p. 307-312.

(7) JAFFÉ-WATTENBACH, 8376 ; *Epistola ad Didacum*.

(8) BOSON, *Innocentii II vita*, édit. WATTERICH, *op. cit.*, t. II, p. 175 ; JAFFÉ-WATTENBACH, 8379.

après avoir traversé Pise et Gênes, il était à Saint-Gilles le 11 septembre [1]. Il ne renonça pas pour cela à faire valoir ses droits. Convaincu de la justice de sa cause, il continua à rechercher parmi les royaumes occidentaux les appuis qui lui avaient manqué à Rome.

NÉGOCIATIONS AVEC LOTHAIRE III   Dès le lendemain de leur élection, les deux papes avaient entamé des négociations diplomatiques pour faire reconnaître leur autorité. Le 18 février, avant même d'avoir été consacré, Innocent II avait fait partir pour l'Allemagne le cardinal Gérard, porteur d'une lettre destinée à Lothaire III ; le pape notifiait au roi son avènement, sans faire mention de l'élection d'Anaclet, puis il l'invitait à venir à Rome pour y recevoir la couronne impériale et pour soumettre les ennemis de l'Église [2]. La démarche était habile : Innocent II évitait de solliciter l'arbitrage du roi de Germanie, ce qui eût été renier les principes grégoriens ; il ne mettait pas en doute la validité de son élection et ne demandait aucune confirmation, mais, en même temps, il manifestait son désir d'être agréable au souverain en faisant de lui un empereur.

Anaclet II observa une attitude assez analogue. Le 24 février, il écrivit tout à la fois à Lothaire et aux archevêques, évêques, abbés, clercs, fidèles de l'Allemagne pour leur faire part de son élection ; il ne disait rien d'Innocent II et se contentait d'une allusion aux bruits qui circulaient sur l'irrégularité de son choix ; enfin, sans offrir encore au roi la couronne impériale, il l'assurait de toute sa bienveillance [3].

Lothaire fut extrêmement embarrassé. Certaines personnes de son entourage, en particulier la reine Richenza et l'évêque de Strasbourg, Brun, lui conseillèrent d'intervenir énergiquement, en lui faisant valoir qu'en pareil cas plusieurs de ses prédécesseurs avaient décidé quel était le pape légitime ou, écartant les deux rivaux, intronisé un pontife de leur choix [4]. Il semblait que l'occasion fût excellente pour remettre en vigueur le césaropapisme des Ottons et de Henri III, pour rétablir la royauté germanique dans ses anciennes prérogatives ruinées par la Réforme grégorienne. Mais Lothaire était trop respectueux des libertés ecclésiastiques pour chercher à imposer son arbitrage. Il évita donc de se prononcer et préféra s'en remettre au jugement de l'Église, plus qualifiée que lui pour résoudre un problème canonique aussi ardu.

Ce silence ne pouvait manquer d'inquiéter Innocent II et Anaclet qui, soucieux l'un et l'autre d'avoir l'appui du roi de Germanie, sortirent de leur réserve et s'employèrent activement à établir leur bon droit. Anaclet, cette fois, prit les devants : il envoya un clerc de Strasbourg en ambassade à Lothaire et, pour se concilier ce prince, il imagina de lancer l'excommunication contre son rival, Conrad de Hohenstaufen, puis, le 15 mai, il écrivit au roi une nouvelle lettre par laquelle il l'invitait

---

(1) Pour son itinéraire, voir JAFFÉ-WATTENBACH, 7413 et suiv.
(2) JAFFÉ-WATTENBACH, 7403. Le cardinal Gérard était porteur aussi d'une lettre pour les Allemands (*ibid.*, 7404) qui n'ajoute rien à la précédente.
(3) JAFFÉ-WATTENBACH, 8370-8371.
(4) A. HAUCK, *op. cit.*, t. IV, p. 141-142.

à venir se faire couronner empereur. Les cardinaux de son parti et les nobles romains joignirent leur insistance à la sienne, en représentant à Lothaire qu'Anaclet avait eu la majorité dans le Sacré Collège et aussi que, par surcroît, il était maître de Rome [1]. De son côté, Innocent II dépêcha en Allemagne un nouveau légat, Gautier de Ravenne, porteur d'une lettre par laquelle il invitait une fois de plus Lothaire à se rendre à Rome pour y chercher la couronne impériale ; en même temps, il contestait la valeur de l'élection d'Anaclet, en ajoutant que l'on ne pouvait élever aucune objection contre la sienne (11 mai 1130) [2].

Ces lettres, comme les précédentes, restèrent sans réponse. Lothaire persista à attendre le jugement de l'Église d'où allait venir en effet la solution souhaitée.

INTERVENTION DU ROI DE FRANCE. CONCILE D'ÉTAMPES. L'initiative devait appartenir à la France. Innocent II a-t-il saisi Louis VI dans le royaume duquel il avait été chercher asile ? On n'a conservé aucune lettre permettant de l'affirmer. En tout cas, le prince capétien convoqua un concile à Étampes, pour décider quel était le pape légitime [3]. L'assemblée se réunit-elle avant l'arrivée d'Innocent II en France, c'est-à-dire au plus tard au début de septembre, ou bien au contraire seulement après le débarquement du pape à Saint-Gilles ? La question a été controversée et ne paraît susceptible d'aucune solution certaine [4].

Les métropolitains du nord de la France, à savoir les archevêques de Sens, Reims et Bourges, avaient répondu à l'appel du roi ; plusieurs évêques les entouraient et aussi l'abbé de Saint-Denis, Suger, auquel on doit un récit des débats du concile [5]. On sait, grâce à ce témoignage, que Louis VI voulait qu'on délibérât sur les mérites personnels des deux candidats à la tiare plutôt que sur la valeur canonique des élections (*magis de persona quam de electione*). Cela explique sans doute pourquoi, au lieu de faire appel à des juristes, le roi manda l'abbé de Clairvaux, saint Bernard, plus expert que quiconque à juger en matière de sainteté. Si l'on en croit Ernaud de Bonneval, saint Bernard hésita à se rendre à la convocation royale : tout récemment il s'était attiré d'assez amères remontrances du chancelier Aimeric, à propos de son intervention en faveur de l'archevêque de Sens, Henri Sanglier [6], et il avait juré de ne

---

(1) A. HAUCK, *op. cit.*, t. IV, p. 142-143. Cf. JAFFÉ-WATTENBACH, 8388 et 8389.

(2) JAFFÉ-WATTENBACH, 7411. Cf. GEROCH DE REICHERSBERG, *Epistola ad Innocentium papam*, dans *Libelli de lite imperatorum et pontificum*, t. III, p. 225.

(3) Sur le concile d'Étampes, voir surtout E. VACANDARD, *Vie de saint Bernard*, t. I, p. 296 et suiv. ; A. LUCHAIRE, *Louis VI le Gros. Annales de sa vie et de son règne*, n° 460 ; HEFELE-LECLERCQ, *Histoire des conciles*, t. V, 1re p., p. 680-682. On trouvera les actes dans MANSI, t. XXI, art. 441 et *Supplem.*, t. II, p. 405.

(4) Sur la date, voir W. BERNHARDI, *op. cit.*, p. 327, n. 100 ; E. VACANDARD, *Saint Bernard et le schisme d'Anaclet II en France*, dans *Revue des questions historiques*, t. XLIII, 1888, p. 124-126, qui, en s'appuyant sur un passage de la *Chronique de Morigny*, veulent que le concile ait eu lieu avant l'arrivée d'Innocent II en France, soit en août. Il semblerait au contraire résulter du texte de Suger (*Vita Ludovici*, XXXII) que le concile ne s'est réuni qu'après la venue d'Innocent II à Saint-Gilles ; c'est ce qu'ont soutenu E. MUEHLBACHER, *Die streitige Papstwahl im Jahre 1130*, p. 427 et suiv., et A. LUCHAIRE, *op. cit.*, p. 215. Cf. aussi HEFELE-LECLERCQ, *op. cit.*, t. V, 1re p., p. 681, n. 1

(5) *Vita Ludovici*, XXXII.

(6) Cf. *supra*, p. 48.

plus sortir de son cloître que sur l'ordre exprès du légat du Saint-Siège ou de son évêque [1], mais, ajoute son biographe, une vision céleste le décida à répondre à l'invitation qui lui était adressée et il fit à Étampes figure d'envoyé de Dieu dont la parole toute surnaturelle produisit une profonde impression sur les évêques et les barons [2].

ROLE DE SAINT BERNARD   Il allait donc appartenir à saint Bernard, dont l'avis devait être forcément ratifié par le concile, de décider quel était, d'Innocent II ou d'Anaclet, le pape légitime. Dans trois de ses lettres, dont une adressée à l'archevêque de Tours, Hildebert, qui n'avait pu se rendre à l'assemblée, il a indiqué les arguments par lesquels il avait obtenu l'adhésion du roi, des évêques et des barons, à Innocent II [3].

Le premier est d'ordre moral et répond pleinement aux préoccupations de Louis le Gros. Saint Léon le Grand, note saint Bernard, a autrefois indiqué que dans une élection épiscopale, en cas de contestation, on doit peser les mérites des compétiteurs. Il n'en saurait être autrement quand il s'agit du choix du pape. L'abbé de Clairvaux est ainsi amené à établir un parallèle entre les deux élus romains et il conclut à la supériorité d'Innocent II : le cardinal Grégoire était connu pour la pureté de ses mœurs, pour sa piété, pour son entier désintéressement, pour son inaltérable dévouement aux intérêts de l'Église romaine, tandis que des bruits fâcheux n'ont cessé de courir sur son rival : dès sa jeunesse, il s'est fait la réputation d'un précurseur de l'Antéchrist ; sa vie privée est sillonnée de fautes contre la morale et son ambition personnelle a été sans bornes.

La comparaison des personnes était donc favorable à Innocent II. On pouvait se demander toutefois si, malgré l'autorité de saint Léon, un tel argument avait beaucoup de valeur. Cette objection n'a sans doute pas échappé à saint Bernard, car il examine aussi les caractères des deux élections, pour établir en fin de compte que celle d'Innocent II était « plus saine », bien que le pape fût l'élu d'une minorité et qu'Anaclet pût revendiquer pour lui un nombre plus élevé de suffrages cardinalices. Selon l'abbé de Clairvaux, le cardinal Grégoire a eu pour lui la *sanior pars* du Sacré Collège, ceux des cardinaux auxquels, dit-il, appartient principalement l'élection du souverain pontife, et par là il entend sans doute les cardinaux-évêques qui se sont prononcés au nombre de six pour Innocent II, tandis que quatre seulement se déclarèrent pour Anaclet [4]. L'argument ne manque pas de valeur : l'élection d'Anaclet ne pourrait se justifier qu'en adoptant la version impériale du décret

---

(1) Saint BERNARD, *Epist.* LII. Cf. E. VACANDARD, *op. cit.*, t. I, p. 277-281.
(2) GUILLAUME DE SAINT-THIERRY, *Vita Bernardi*, 11, 1, 3.
(3) Saint BERNARD, *Epist.* CXXIV, CXXV, CXXVI. C'est la première qui a pour destinataire l'archevêque de Tours ; elle résume sous une forme particulièrement saisissante les caractères de l'intervention de saint Bernard.
(4) Dans la lettre CXXVI, saint Bernard dit qu'Innocent II a été élu par ceux auxquels appartient surtout l'élection du souverain pontife (*quorum maxime interest de electione summi pontificis*). Il ne peut s'agir que des cardinaux-évêques qui, aux termes du décret de Nicolas II, « règlent d'abord toutes choses avec le plus grand soin ». Cf. t. VIII, p. 18. Dès ses premières lettres (JAFFÉ-WATTENBACH, 7403-7407), Innocent II nomme les cardinaux-évêques en tête de ses électeurs.

de Nicolas II qui ne fait aucune distinction entre les cardinaux, mais la version pontificale, seule authentique [1], prévoit, avant toutes choses, la *tractatio* des cardinaux-évêques qui élisent le pape et sollicitent ensuite la ratification de leurs collègues. Toutefois, il n'y a pas eu, lors de l'élection d'Innocent II, en raison de son caractère hâtif et de la procédure d'arbitrage adoptée, de réunion spéciale des cardinaux-évêques et l'unanimité, acquise dans toutes les élections précédentes, ne s'est pas produite en 1130 [2]. C'est là ce que l'on pourrait opposer à la thèse de saint Bernard qui n'a pas examiné ces objections possibles [3].

Le troisième et dernier argument de saint Bernard, *actio ordinabilior*, a trait au fait qu'Innocent II a été consacré par l'évêque d'Ostie, conformément à l'usage, tandis qu'Anaclet a dû recourir à un autre prélat. C'est là sans doute une question accessoire, mais l'abbé de Clairvaux interprète très exactement sur ce point la tradition de l'Église romaine.

ADHÉSION DU ROYAUME CAPÉTIEN
A INNOCENT II

Les évêques se rangèrent unanimement à l'avis de saint Bernard et le concile d'Étampes affirma avec lui qu'Innocent II était le pape légitime. Louis VI, bien qu'il connût personnellement Anaclet [4], fit sienne cette sentence et dépêcha Suger au devant du pontife exilé pour lui porter l'hommage du royaume capétien. La rencontre eut lieu à Cluny où Innocent II, après avoir remonté la vallée du Rhône, venait d'arriver. Après une entrevue des plus cordiales, Suger repartit, chargé de bénédictions. Le pontife lui-même, poursuivant son voyage, se rendit à Clermont où il tint, le 18 novembre 1130, un concile au cours duquel il jeta l'anathème contre Anaclet II, en présence des archevêques de Lyon, Bourges, Vienne, Narbonne, Arles, Tarragone, Auch, Aix, et de nombreux évêques [5], puis, continuant sa marche vers le nord, il parvint à Saint-Benoît-sur-Loire où Louis VI était venu au devant de lui avec la reine et la famille royale pour incliner, dit Suger, sa majesté devant la majesté du chef de l'Église, comme il eût fait devant la confession de saint Pierre [6].

(1) Cf. t. VIII, p. 18-19.

(2) Le décret de Nicolas II ne dit pas explicitement que l'élu doive réunir l'unanimité des suffrages des cardinaux-évêques, mais, en pratique, il en a toujours été ainsi et l'usage a consacré cette interprétation.

(3) Nous ne croyons donc pas qu'il soit possible de conclure avec W. BERNHARDI, *op. cit.*, p. 328-330, que saint Bernard a eu recours à des sophismes ou même à des mensonges pour accorder à Innocent II la majorité des suffrages. Cela tient sans doute à ce qu'au moment où cet historien écrivait, on accordait plus de crédit qu'aujourd'hui à la version impériale du décret de Nicolas II. De même, il paraît impossible d'admettre avec A. HAUCK, *op. cit.*, p. 144, que saint Bernard a défendu le plus mauvais des deux candidats et transformé en droit ce qui était une usurpation.

(4) C'est ce que dit expressément Arnoul de Lisieux : *Cumque se (rex) Petro Leonis ob sua et patri obsequia fateretur obnoxium* (WATTERICH, *op. cit.*, t. II, p. 268).

(5) MANSI, t. XXI, col. 437.

(6) *Vita Ludovici*, XXXII. Voir aussi le *Chronicon Mauriniacense*, II, XIV, où il est dit que Louis VI a approuvé l'élection d'Innocent II, *quia et vita sanctior et fama melior et electione superior apparebat*, et ORDERIC VITAL, *Historia ecclesiastica*, XIII, III. Il résulte de cette dernière source et du *Chronicon S. Andreae Cameracensis* (M. G. H., S.S., t. VII, p. 549) que la décision du concile d'Étampes n'a pas été universellement acceptée dans le royaume capétien. Toutefois la présence à Clermont, lors du concile du 18 novembre, de la plupart des évêques du midi indique qu'il y a eu un très fort mouvement en sa faveur.

ADHÉSION DE L'ANGLETERRE   Le concile d'Étampes une fois terminé, saint Bernard ne rentra pas à Clairvaux. Il ne considérait pas sa mission comme terminée et, avant de reprendre sa vie monacale, il va s'employer à faire reconnaître Innocent II par les autres États chrétiens de l'Occident.

Il se rend d'abord en Angleterre où Henri Ier était très indécis et il a avec le roi une entrevue à la suite de laquelle ce souverain s'en va à Chartres où, le 13 janvier 1131, il se rencontre avec Innocent II, s'agenouille devant lui et comble de présents son entourage [1].

ADHÉSION DE LOTHAIRE III   A ce moment, l'adhésion de Lothaire III pouvait être considérée comme acquise, et cela surtout grâce à saint Norbert qui a joué auprès de lui le même rôle que saint Bernard auprès de Louis VI. Peut-être l'archevêque de Magdebourg eut-il plus de difficultés à surmonter que l'abbé de Clairvaux. Une bonne partie de l'épiscopat germanique, au début, avait tenu pour Anaclet : l'archevêque de Hambourg, Adalbéron, qui se trouvait à Rome au moment de l'élection, s'était prononcé en sa faveur et, de retour en Allemagne, lui avait gagné quelques partisans [2]. L'arrivée de Gautier de Ravenne, qu'Innocent II avait envoyé au delà des monts [3], modifia assez sensiblement l'opinion ; Conrad, archevêque de Salzbourg, se prononça pour Innocent II, ainsi que Norbert de Magdebourg qui lui rallia un grand nombre d'adeptes [4]. Dès septembre 1130, la cause paraissait gagnée. Le roi Lothaire, toujours docile aux avis de l'Église, se laissait entraîner par le courant, mais il voulut, avant de se prononcer définitivement, prendre l'avis d'un concile qui se réunit à Würzbourg en octobre 1130. Seize évêques seulement y parurent et, comme très probablement les partisans d'Anaclet s'étaient abstenus, l'assemblée décida unanimement de reconnaître Innocent II [5].

ENTREVUE DE LIÉGE   Conrad, archevêque de Salzbourg, et Egbert, évêque de Münster, furent envoyés en France pour porter à Innocent II l'adhésion de Lothaire et de l'assemblée de Würzbourg. Le pape les reçut pendant son séjour à Clermont et leur exprima le désir d'avoir une entrevue avec le roi de Germanie. Après avoir rencontré successivement Louis VI à Saint-Benoît-sur-Loire et

(1) Suger, *Vita Ludovici*, xxxii ; Orderic Vital, *Historia ecclesiastica*, XIII, iii. Cf. E. Vacandard, *op. cit.*, t. I, p. 308-309 ; W. Williams, *op. cit.*, p. 109.
(2) Cf. A. Hauck, *op. cit.*, t. IV, p. 144-145 ; W. Bernhardi, *op. cit.*, p. 336-337.
(3) Cf. *supra*, p. 55.
(4) On est renseigné à ce sujet par la lettre, déjà citée, de Gautier de Ravenne (*Forschungen zur deutschen Geschichte*, t. VIII, p. 164). Cf. A. Hauck, *op. cit.*, t. IV, p. 245. Anaclet a vivement reproché à saint Norbert d'avoir visité les évêques et les seigneurs pour les gagner à Innocent, « c'est-à-dire à l'Antéchrist » (Jaffé-Wattenbach, 8409), tandis qu'Innocent II lui a témoigné avec émotion sa reconnaissance (*Ibid.*, 7516).
(5) Mansi, t. XXI, col. 443 et *Supplem.*, t. II, col. 402. Cf. Hefele-Leclercq, *op. cit.*, t. V, 1re p., r. 688-690, et A. Hauck, *op. cit.*, t. IV, p. 146-147. Suivant W. Bernhardi, *op. cit.*, p. 337-338, suivi par F. Luedtke, *op. cit.*, p. 136, saint Bernard aurait été pour quelque chose dans les décisions du concile de Würzbourg ; E. Vacandard (*op. cit.*, t. I, p. 310) pense que saint Norbert a pu se renseigner auprès de l'abbé de Clairvaux avec lequel il entretenait d'amicales relations. Aucun texte ne vient à l'appui de cette hypothèse et il semble plutôt que saint Norbert ait été gagné à la cause d'Innocent II par Gautier de Ravenne, avant que saint Bernard ait eu à se prononcer.

Henri Ier d'Angleterre à Chartres, il se dirigea vers Liége où Lothaire l'attendait et où il arriva le 22 mars [1].

Innocent II était escorté de treize cardinaux, de l'archevêque de Reims et de plusieurs évêques français. Du côté allemand, les archevêques de Mayence, Cologne, Magdebourg et Salzbourg avec leurs suffragants s'étaient rendus à Liége, en sorte qu'il y eut auprès du pape au moins trente prélats et environ cinquante abbés [2]. Lothaire était accompagné d'une suite non moins imposante de seigneurs laïques.

L'entrevue marqua le triomphe complet des idées grégoriennes sur la prééminence du pouvoir spirituel. Le roi alla au devant du pape, prit son cheval par la bride, tandis que de l'autre main il tenait la crosse [3]. Jamais aucun souverain allemand n'avait rendu pareils honneurs au pontife romain [4]. Lothaire a-t-il cherché à tirer profit de cette attitude extraordinairement déférente ? Certains chroniqueurs laissent entendre qu'il aurait promis au pape de le faire rentrer dans Rome, mais, en échange, sollicité « la restitution de l'investiture, telle que ses prédécesseurs en avaient joui » [5]. Toutefois aucun de ces textes ne fait suffisamment autorité, pour que l'on puisse affirmer avec certitude que le souverain ait formulé cette extraordinaire revendication. Saint Bernard, dans une lettre à Innocent II [6], fait bien allusion à des « réclamations importantes et malhonnêtes du roi irascible et irrité », mais il n'en précise pas autrement le caractère. Il paraît probable qu'il y eut un incident, provoqué sans doute par la mauvaise humeur de l'entourage royal, à la suite de la manifestation, jugée peu opportune, qui avait accompagné l'entrée du pape à Liége, mais cet incident n'eut aucune suite et rien ne fut changé en Allemagne dans le régime des investitures [7].

SÉJOUR D'INNOCENT II EN FRANCE Lothaire avait promis à Innocent II de le ramener à Rome. L'expédition projetée ne put avoir lieu immédiatement. Aussi, pendant

(1) W. BERNHARDI, *op. cit.*, p. 341-344 et 351-353.
(2) C'est le chiffre qui paraît résulter de la comparaison des diverses chroniques qui ont relaté l'entrevue de Liége. Cf. A. HAUCK, *op. cit.*, t. IV, p. 147, n. 1.
(3) Le fait est attesté par SUGER, *Vita Ludovici*, XXXII et aussi par les *Gesta abbatum Lobbiensium*, XXIII (M. G. H., *S.S.*, t. XXI, p. 325). Cf. W. BERNHARDI, *op. cit.*, p. 356 ; F. LUEDTKE, *op. cit.*, p. 136 ; R. SCHNEIDER, *op. cit.*, p. 116-117.
(4) Le seul précédent que l'on puisse noter est celui de Conrad, fils de Henri IV, qui, le 10 avril 1095, au dire de Bernold de Constance, a. 1095 (M. G. H., *S.S.*, t. V, p. 463), rendit les mêmes honneurs à Urbain II avec lequel il s'était rencontré à Crémone. Cf. A. HAUCK, *op. cit.*, t. IV, p. 147, n. 5. Toutefois Conrad se trouvait dans une situation différente, puisque non seulement il n'était pas roi, mais qu'il était révolté contre son père et qu'il ne pouvait arriver à aucun résultat sans le concours du pape auquel il voulut ainsi donner un gage de soumission. F. LUEDTKE (*op. cit.*, p. 137) ne pense pas que Lothaire ait voulu indiquer par ce geste qu'il se reconnaissait vassal du pape ; il est probable, en effet, qu'il y a là une simple marque de déférence envers le pontife.
(5) *Translatio Godehardi* : *Tunc Lotharius, quasi in compensationem et praemium promissae expeditionis romanae, postulavit restitutionem investiturae, sicut praedecessores eam exercuerant* (M. G. H., *S.S.*, t. XII, p. 641). On trouvera un texte à peu près identique dans OTTON DE FREISING, *Chronicon*, VII, XVIII et dans la *Vita prima S. Bernardi* par ERNAUD, II, I, 5, où il est dit : *Importune idem rex institit, tempus habere se reputans opportunum, episcoporum sibi restitui investituras.*
(6) Saint BERNARD *Epist.* CL.
(7) Cf. A. HAUCK *op. cit.*, t. IV, p. 148, n. 1, et p. 149-152, dont le point de vue paraît très juste. D'après ERNAUD, *loc. cit.*, saint Bernard aurait encouragé le pape à résister à l'injonction prêtée à Lothaire, en sorte qu'on peut se demander s'il n'y aurait pas là une invention de l'hagiographe pour exalter son héros.

la fin de l'année 1131, le pape séjourna-t-il en France et ce fut une occasion pour lui de resserrer davantage encore les liens qu'il avait contractés avec le royaume capétien [1]. Après s'être séparé du roi de Germanie, il alla d'abord à Saint-Denis, où il célébra la fête de Pâques [2]. On le trouve ensuite à Rouen où, les 9 et 10 mai, il a une nouvelle entrevue avec le roi d'Angleterre, Henri Ier [3], puis il fixe pendant quelque temps sa résidence à Auxerre et peut-être à ce moment va-t-il jusqu'à Clairvaux rendre visite à saint Bernard [4]. Le 18 octobre, il tient à Reims un concile solennel auquel assistent non seulement un grand nombre d'évêques français, mais aussi des représentants de l'épiscopat et des souverains d'Allemagne, d'Angleterre, d'Aragon et de Castille [5]. Quelques jours plus tard, Louis VI arrivait à Reims : il venait de perdre son fils aîné, Philippe, et Suger lui avait conseillé de profiter de la présence du pape pour faire sacrer son second fils, Louis, celui qui devait être le roi Louis VII. La cérémonie eut lieu le dimanche 25 octobre ; Innocent II déposa lui-même la couronne sur le front du jeune prince [6]. Le lendemain, saint Norbert de Magdebourg et Bernard, évêque d'Hildesheim, arrivèrent à Reims et remirent au pape une lettre de Lothaire annonçant que, conformément à la promesse faite à Liége, il viendrait en Italie pendant l'été de l'année suivante [7].

LES PARTISANS D'ANACLET — Le concile de Reims a été pour Innocent II un véritable triomphe. La présence de Louis VI, d'ambassadeurs non seulement des rois de Germanie et d'Angleterre, mais aussi d'Alphonse VII de Castille et d'Alphonse Ier d'Aragon, qui avaient suivi l'exemple des autres souverains, attestait que les États occidentaux le reconnaissaient tous comme le pape légitime. Il y avait cependant encore quelques dissidents. Rome et la majeure partie de l'Italie tenaient toujours pour Anaclet qui se vantait aussi, en septembre 1130, d'avoir pour lui les patriarches de Constantinople, d'Antioche et de Jérusalem [8] ; en France, l'Aquitaine avait suivi l'ancien légat pontifical Gérard, évêque d'Angoulême, partisan du rival d'Innocent II [9], et les efforts de saint Bernard, qui, à la fin de l'année 1131, eut une entrevue avec le duc Guillaume, demeurèrent stériles [10]. Il importait

---

(1) Pour son itinéraire, voir JAFFÉ-WATTENBACH, 7465 et suiv.

(2) On trouvera un récit détaillé de son séjour dans SUGER, *Vita Ludovici*, XXXII.

(3) GUILLAUME DE MALMESBURY, *Historia novorum*, I, III. Cf. W. WILLIAMS, *op. cit.*, p. 110.

(4) Tel est du moins l'avis de E. VACANDARD, *op. cit.*, t. I, p. 314, et de W. WILLIAMS, *op. cit.*, p. 110-111. La visite d'Innocent II à Clairvaux est mentionnée par ERNAUD, *Vita Bernardi*, II, I, 6, qui a laissé une description poétique de la réception faite à Innocent II, mais sans aucune indication chronologique.

(5) MANSI, t. XXI, col. 453 et *Supplém.*, t. II col. 407. Les actes du concile sont malheureusement perdus et il est impossible de dire quelle en a été la composition exacte. Cf. HEFELE-LECLERCQ, *op. cit.*, t. V, 1re p., p. 694-695.

(6) SUGER, *Vita Ludovici*, XXXII ; ORDERIC VITAL, *Historia ecclesiastica*, XIII, III : *Chronicon Mauriniacense*, II, xv. Cf. A. LUCHAIRE, *op. cit.*, nos 474 et 476.

(7) MANSI, t. XXI, col. 457-462.

(8) JAFFÉ-WATTENBACH, 8413. Toutefois, le 2 février 1132, le patriarche de Jérusalem était rallié à Innocent II (*ibid.*, 7541).

(9) *Gesta episcoporum Engolismensium* (*Historiens de France*, t. XII, p. 393-397). Cf. E. VACANDARD, *op. cit.*, t. I, p. 319-323.

(10) Pour les négociations de saint Bernard avec le duc d'Aquitaine, voir : E. VACANDARD, *op. cit.*, t. I, p. 323 et suiv. ; W. WILLIAMS, *op. cit.*, p. 114 et suiv.

donc qu'Innocent II recouvrât sa capitale, ce qui produirait un effet moral certain et achèverait de lui ramener ces opposants.

INNOCENT II RENTRE EN ITALIE   Aussi, dès le printemps de 1132, le pape s'achemine-t-il vers l'Italie où Lothaire devait paraître bientôt. Le 20 avril, il célèbre la fête de Pâques à Asti où il séjourne assez longtemps [1] ; le 13 juin, pour la Pentecôte, il est à Plaisance où il a convoqué les évêques de Lombardie et de la province de Ravenne à un concile [2]. De nombreux privilèges délivrés aux églises, pendant l'été de 1132, concourent à améliorer sa situation [3]. La plupart des villes se rallient à lui, à l'exception de Milan [4].

LOTHAIRE EN ITALIE   Certains incidents, à la frontière slave, avaient retardé le départ du roi de Germanie [5]. C'est seulement à l'automne que, par Trente, Lothaire put gagner la Haute Italie. Il n'avait pu réunir qu'une très petite armée, qui n'atteignait sans doute pas deux mille hommes [6]. L'effet produit fut déplorable et seules les villes lombardes hostiles à Milan, telles que Crémone et Plaisance, consentirent à recevoir le souverain que partout on tournait en dérision [7]. Au mois de novembre, Lothaire III et Innocent II se rencontrèrent dans la plaine de Roncaglia où ils délibérèrent de « la situation de l'Église et de l'Empire » [8]. La marche sur Rome fut retardée jusqu'au printemps suivant, sans doute parce que l'on jugea préférable, avant de se diriger vers le sud, d'affermir la situation dans l'Italie du nord, qu'il eût été dangereux de laisser derrière soi indifférente ou hostile.

Tandis que Lothaire soumettait quelques-unes des villes qui avaient refusé d'ouvrir leurs portes [9], Innocent II, que saint Bernard vient rejoindre au début de 1133 [10], tentait un gros effort qui porta assez vite ses fruits. Il réussit notamment à réconcilier Pise, où il séjourna constamment du 16 janvier au 1er mars [11], avec sa vieille rivale, Gênes, en élevant l'évêché de cette dernière ville au rang d'archevêché avec, comme suffragants, des diocèses enlevés à Milan, qui tenait toujours pour Anaclet, et trois diocèses du nord de la Corse, moyennant quoi Gênes consentit à reconnaître la primauté de Pise sur la Sardaigne et sur le sud de la Corse [12]. Saint Bernard, envoyé dans la nouvelle métropole, y reçut un

---

(1) W. BERNHARDI, *op. cit.*, p. 446.

(2) MANSI, t. XXI, col. 479.

(3) JAFFÉ-WATTENBACH, 7569 et suiv. Cf. E. VACANDARD, *op. cit.*, t. I, p. 330-331.

(4) Cf. W. BERNHARDI, *op. cit.*, p. 448-449 ; F. LUEDTKE, *op. cit.*, p. 130.

(5) Cf. W. BERNHARDI, *op. cit.*, p. 404 et suiv. ; F. LUEDTKE, *op. cit.*, p. 139-140.

(6) Cf. *Annales Erphesfurdenses*, a. 1132 (M. G. H., *S.S.*, t. VI, p. 539) ; OTTON DE FREISING, *Chronicon*, VII, XVIII. Saint Bernard (*Epist.* CXXXIX) qualifie l'armée de Lothaire de *tantillum exercitum*. Cf. W. BERNHARDI, *op. cit.*, p. 437-438.

(7) Cf. W. BERNHARDI, *op. cit.*, p. 445 et suiv. ; F. LUEDTKE, *op. cit.*, p. 142-143.

(8) Ce sont les termes dont se sert Boson dans sa *Vita Innocentii* (édit. WATTERICH, *op cit.*, t. II, p. 176). Il est probable que le plan de l'expédition sur Rome fut arrêté au cours de cette conférence.

(9) *Annales Patherbrunnenses* (édit. SCHEFFER-BOICHORST, p. 158) : *Per Italiam pleraque munita loca sibi resistentia capit.*

(10) Sur la date de la venue de saint Bernard en Italie, cf. E. VACANDARD, *op. cit.*, t. I, p. 333, n. 2.

(11) JAFFÉ-WATTENBACH, 7605-7611.

(12) *Annales Januenses* (M. G. H., *S.S.*, t. XVIII, p. 18). Cf. E. VACANDARD, *op. cit.*, t. I, p. 333-337.

accueil triomphal[1] et Innocent II recueillit de l'accord des deux cités
une force nouvelle : si le roi Roger de Sicile, principal soutien d'Anaclet
en Italie, dessinait une attaque, les flottes gênoise et pisane réunies
seraient désormais capables de la conjurer.

ENTRÉE D'INNOCENT II A ROME
(30 AVRIL 1133)

Anaclet comprit que sa cause était
en péril et, tandis que Lothaire se
dirigeait vers Rome, il tenta une
suprême démarche. Dans le courant de mars 1133, il envoya une ambassade au camp de Valentano, où se trouvait le roi, avec mission d'offrir
au souverain germanique de faire examiner la double élection de février
1130 par une assemblée dont le jugement serait accepté par les deux
parties. Lothaire, sous l'impression de l'accueil plutôt froid qu'il avait
reçu à son arrivée en Italie, inclina vers cette solution qui lui paraissait
de nature à rétablir la paix et qui recueillait l'assentiment des princes.
Saint Norbert lui-même, après avoir repoussé la proposition d'Anaclet,
consentit à la communiquer à Innocent II qu'il alla trouver à Viterbe.
On ne connaît pas la teneur exacte de la réponse pontificale ; le pape
a-t-il accepté de se soumettre au jugement du roi, en exigeant toutefois
d'être au préalable rétabli sur le Siège apostolique, ou, au contraire,
a-t-il opposé une fin de non recevoir absolue, plus conforme aux principes
grégoriens[2] ? On ne saurait se prononcer ; la seule chose certaine, c'est
qu'après le retour de saint Norbert au camp royal, la marche sur Rome
a immédiatement commencé. Le 30 avril, l'armée allemande est aux portes
de la ville et Innocent II entre au Latran, sans avoir rencontré de résistance sérieuse[3].

COURONNEMENT IMPÉRIAL
DE LOTHAIRE III

Lothaire n'avait plus maintenant qu'à
cueillir la couronne impériale qu'il était
venu chercher à Rome. La chose n'allait
pas sans difficulté : les partisans d'Anaclet occupaient toujours la basilique Saint-Pierre et on ne pouvait la leur arracher sans effusion de sang.
Saint Norbert conseilla de transporter la cérémonie à Saint-Jean de
Latran. Il en fut ainsi décidé. Le 4 juin 1133, le roi se présenta à la porte
de l'église, jura de protéger la vie, la liberté et les droits d'Innocent II,
de défendre les fiefs de Saint-Pierre et d'aider le pape à rentrer en pos-

---

(1) Cf. Saint Bernard, *Epist.* cxxix.
(2) On est renseigné sur ces négociations par la *Vita Norberti*, xxi (M. G. H., *S.S.*, t. XII,
p. 701) et par une encyclique de Lothaire (*Constitutiones et acta publica imperatorum et regum*,
t. I, p. 166-167). Les deux textes ne sont pas d'accord en ce qui concerne l'issue des négociations.
D'après le premier, elles se seraient terminées par une fin de non recevoir absolue, tandis que le
second laisse supposer qu'Innocent II se serait prêté à un compromis. La présence de saint
Bernard auprès du pape, et aussi le fait que la marche sur Rome a continué rendent la première
version plus vraisemblable. Cf. A. Hauck, *op. cit.*, t. IV, p. 153, n. 2.
(3) Boson, *Vita Innocentii II* (édit. Watterich, *op. cit.*, t. II, p. 178). Le fait est mentionné aussi
par Lothaire III dans son Encyclique (*Constitutiones et acta publica*, t. I, p. 167). Cf. W. Bernhardi,
op. cit., p. 469. Suivant Orderic Vital, *Historia ecclesiastica*, XIII, iv, Anaclet aurait alors tenté
une nouvelle négociation, mais les propositions que lui prête le chroniqueur normand ressemblent
tellement à celles qui ont été discutées à Valentano qu'il y a tout lieu de supposer que celui-ci
a tout simplement placé lors de l'arrivée à Rome les pourparlers antérieurs. Peut-être Lothaire,
comme le laisserait supposer un passage de Foulque de Bénévent (a. 1133), a-t-il essayé d'obtenir
a soumission d'Anaclet, mais il n'y réussit pas.

session de ceux qu'il n'avait pu encore recouvrer, puis il entra procession-
nellement dans le temple et reçut des mains du pontife la couronne
impériale, objet de ses rêves [1].

Si l'on en croit le biographe de saint Norbert, à l'issue de la cérémonie,
le nouvel empereur aurait de nouveau cherché à se faire concéder par
le pape le droit de conférer les investitures dans la même forme que ses
prédécesseurs, mais l'archevêque de Magdebourg l'aurait détourné de
formuler cette revendication et Lothaire se serait rangé à l'avis de Norbert [2]. Par une bulle du 8 juin, Innocent II se borna à confirmer *debitas
et canonicas consuetudines*, c'est-à-dire en somme le concordat de Worms [3].

De même, le pape profita de la présence de l'empereur pour régler la
question des biens de la comtesse Mathilde. Il fut décidé que Lothaire
recevrait en fief les alleux autrefois légués par la princesse à Saint-Pierre,
moyennant une redevance annuelle de cent livres d'argent ; après sa
mort, ces alleux reviendraient, aux mêmes conditions, à son gendre, le
duc Henri de Bavière, qui prêterait l'hommage et jurerait fidélité au
pape ; lorsqu'il aurait lui-même disparu, ces biens retourneraient intégra-
lement à l'Église romaine [4].

INNOCENT II QUITTE ROME   Innocent II avait enregistré de sérieux
avantages : retour à Rome, maintien du
concordat de Worms, règlement dans un sens favorable au Saint-Siège
de l'irritante question de la succession de Mathilde, c'était là un bilan
appréciable. On ne saurait parler toutefois de triomphe complet et défi-
nitif. Anaclet n'avait pas fait sa soumission et restait maître d'une bonne
partie de Rome où les Pierleoni disposaient toujours de forces importantes. Lorsque Lothaire III, après son couronnement impérial, eut
regagné l'Allemagne, Innocent II se trouva si peu en sécurité dans sa
capitale, où les partisans de son rival lui rendaient l'existence impossible,
qu'il dut, dès le mois de septembre 1133, se réfugier à Pise [5].

Au même moment, la situation de l'Italie méridionale évoluait aussi
en faveur d'Anaclet. Le roi Roger, qui, le 24 juillet 1132, avait été battu
à Nocera par Robert de Capoue et s'était ensuite retiré en Sicile, avait
repris l'avantage ; Bénévent lui rouvre ses portes en 1134 et Robert
va à Pise rejoindre Innocent II [6].

Quelques mois après le départ de Lothaire, le pape, intronisé par ses
soins, pouvait craindre le pire. Heureusement pour lui, la fidélité de Pise

(1) On trouvera les textes dans W. BERNHARDI, *op. cit.*, p. 473 et suiv. Cf. R. SCHNEIDER,
op. cit., p. 136 et suiv.

(2) *Vita Norberti*, XXI. En somme la scène, placée à Liége par certains chroniqueurs, est située
à Rome par le biographe de saint Norbert. Elle ne s'est certainement déroulée qu'une seule fois.
Nous serions enclins à penser que c'est plutôt à Rome que Lothaire, tenant la dignité qu'il convoitait et qu'une revendication prématurée aurait risqué de lui faire échapper, a songé à revenir
sur le concordat de Worms, et que, toujours hésitant et mou, il a reculé devant les représentations
de saint Norbert qui a toujours exercé sur lui une grande influence.

(3) JAFFÉ-WATTENBACH, 7632.

(4) JAFFÉ-WATTENBACH, 7633. Cf. W. BERNHARDI, *op. cit.*, p. 481-485 ; F. LUEDTKE, *op. cit.*,
p. 145 ; R. SCHNEIDER, *op. cit.*, p. 141-143.

(5) La date est donnée par Foulque de Bénévent. Cf. JAFFÉ-WATTENBACH, 7652 et 8426 ; saint
BERNARD *Epist.* CXXIX et CXXX.

(6) Cf. F. CHALANDON, *Histoire de la domination normande en Italie et en Sicile*, t. II, p. 21 et suiv.

et de Gênes ne lui fit pas défaut. Il trouva dans la première de ces
villes une retraite sûre qui lui permit de rester en Italie, près de Rome,
et d'attendre l'occasion favorable. De plus, les deux cités repoussèrent
énergiquement les avances de Roger de Sicile qui essaya de les détacher de la cause pontificale [1].

PROJET D'UNE NOUVELLE EXPÉDITION ALLEMANDE EN ITALIE — Si sûre que fût cette alliance,
elle ne pouvait suffire pour réta-
blir Innocent II à Rome et
briser définitivement le schisme d'Anaclet. Le pape jette toujours les
yeux du côté de la Germanie ; toute sa diplomatie tend à provoquer une
nouvelle expédition de Lothaire, mais mieux préparée et mieux organisée
que celle de 1133.

La situation intérieure de l'Allemagne constituait un sérieux obstacle
à la réalisation du projet pontifical. Si l'empereur avait quitté précipi-
tamment l'Italie après son couronnement, ce n'était pas seulement par
suite de l'état sanitaire de l'armée germanique très éprouvée par les
fièvres ; c'était aussi parce qu'il redoutait que les Hohenstaufen ne missent
à profit son absence pour ruiner son autorité dans son royaume. Dès
août 1134, accompagné de son gendre, Henri de Bavière, il envahit la
Souabe, dévaste le pays, incendie Ulm, oblige les seigneurs à solliciter
son pardon et à lui prêter serment de fidélité [2]. Frédéric de Hohenstaufen
se décide alors à faire amende honorable au cours d'une diète tenue à
Bamberg, en présence de nombreux évêques, de Dietwin, cardinal-évêque
de Sainte-Rufine, et aussi de saint Bernard qu'Innocent II avait prié
d'aller en Allemagne pour hâter cette réconciliation nécessaire (18 mars
1135). Conrad de Hohenstaufen montre moins d'empressement, mais,
après avoir quelque temps hésité, il suit l'exemple de son frère et vient
trouver Lothaire à Mulhouse, en Thuringe, le 29 septembre 1135 [3].

CONCILE DE PISE — Au cours de la diète de Bamberg, Lothaire proclama
une paix de dix années pour tout le royaume et
proposa une nouvelle expédition en Italie à laquelle Frédéric de Hohenstaufen s'engagea à participer [4].

---

(1) Saint Bernard paraît avoir éprouvé quelques craintes au sujet de ces négociations. Cf. *Epist.*
CXXIX et CXXX. La première de ces lettres est adressée aux Gênois, la seconde aux Pisans envers
lesquels l'abbé de Clairvaux se montre particulièrement pressant. « Voici, écrit-il, que Pise a été
choisie pour remplacer Rome. Cela n'est pas l'effet du hasard ni d'un conseil humain, mais une
faveur de la Providence qui aime mieux ceux qui l'aiment et qui dit à son christ Innocent : « Choisis
Pise et je répandrai sur elle mes plus abondantes bénédictions. J'y demeurerai moi-même ; c'est
par moi que la fermeté des Pisans résistera aux pernicieux desseins du tyran de la Sicile ; ni les
menaces ne l'ébranleront, ni les présents ne la corrompront, ni les ruses ne parviendront à la cir-
convenir. » O Pisans, Pisans, le Seigneur s'est proposé de faire en vous de grandes choses. Je m'en
réjouis... Gardez le dépôt qui vous a été confié, ô ville fidèle ; reconnaissez l'honneur qui vous
est fait et tâchez de n'être pas indigne de votre prérogative ».
(2) Sur ces événements, voir W. BERNHARDI, *op. cit.*, p. 553-554 ; R. SCHNEIDER, *op. cit.*, p. 146.
(3) Cf. W. BERNHARDI, *op. cit.*, p. 562 et suiv. ; F. LUEDTKE, *op. cit.*, p. 131-132.
(4) L'empereur avait mis cette condition expresse à son absolution, comme il l'indique dans
une lettre à Innocent II (*Monumenta Bambergensia*, p. 523). C'est sans doute saint Bernard qui
lui a suggéré cette exigence de la part d'Innocent II. La présence de l'abbé de Clairvaux en Allemagne est signalée par ses biographes et par les chroniqueurs : ERNAUD, *Vita Bernardi*, IV,
III ; OTTON DE FREISING, *Chronicon*, VII, XIX ; ANNALISTA SAXO, a. 1125. Cf. E. VACANDARD,
op. cit., t. I, p. 369 et suiv.

Innocent II pouvait reprendre espoir. Il avait d'ailleurs d'autres raisons d'être optimiste, et l'activité dont il avait fait preuve depuis son installation à Pise commençait à porter ses fruits. Au moment de la Pentecôte, qui en cette année 1135 tombait le 26 mai [1], il avait tenu dans cette ville un concile où, à côté des évêques de l'Italie septentrionale, plusieurs prélats allemands, français, espagnols étaient venus. L'archevêque de Rouen y siégea aussi et représenta le royaume anglo-normand. On comptait en tout cent treize évêques et un très grand nombre d'abbés [2]. Saint Bernard, bien entendu, prit part à toutes les séances, qui s'échelonnèrent du 30 mai au 6 juin, et il y joua un rôle primordial [3].

L'assemblée déposa plusieurs évêques [4] ; elle lança l'excommunication contre Anaclet, frappa d'anathème Roger de Sicile, jeta l'interdit sur la Pouille et sur la Sicile, accorda à tous ceux qui avaient pris les armes contre le roi et l'antipape une absolution semblable à celle dont Urbain II avait autrefois fait bénéficier les croisés d'Orient. Enfin on accueillit les délégués milanais venus pour apporter l'adhésion de la grande métropole lombarde à Innocent II et le pape confirma la déposition de l'archevêque Anselme que ses diocésains avaient expulsé du siège archiépiscopal [5].

SOUMISSION DE MILAN A INNOCENT II Le concile de Pise, par le nombre des évêques présents, par les mesures prises à l'égard d'Anaclet et du roi de Sicile, constituait un nouveau succès à l'actif d'Innocent II. La soumission de Milan était aussi, pour l'avenir de la cause pontificale en Italie, un événement de la plus haute importance.

L'impopularité de l'archevêque Anselme a été, en l'occurrence, le facteur décisif. Son caractère hautain avait mécontenté même ses partisans dans le chapitre, et lorsque, pendant le carême de 1135, il eut frappé d'excommunication plusieurs clercs qui avaient critiqué son administration, il y eut parmi le clergé et le peuple un mouvement tel que les consuls firent appel aux suffragants pour mettre fin au conflit. Ceux-ci se rendirent à Milan, comme on le leur avait demandé, accompagnés de moines cisterciens auxquels Anselme fit le plus mauvais accueil, mais que le peuple, séduit par leurs capes blanches, prit pour des envoyés du ciel. Un soulèvement se produisit et l'archevêque, assiégé dans son palais,

(1) Sur la date, cf. HEFELE-LECLERCQ, *op. cit.*, t. V, 1ʳᵉ p., p. 706-707, dont les conclusions paraissent s'imposer.
(2) C'est le chiffre que donne le document découvert par E. BERNHEIM et publié par lui dans *Zeitschrift für Kirchenrecht*, t. XVI, 1881, p. 147 et suiv. Les évêques français ont failli ne pas venir, car Louis VI, qui avait été mécontent de l'attitude d'Innocent II dans diverses affaires le concernant, leur avait défendu de partir, mais saint Bernard promit au roi d'intervenir auprès du pape pour faire révoquer ou atténuer les mesures qui lui déplaisaient et Louis le Gros retira son interdiction, si bien que les archevêques de Reims, Bourges et Sens, les évêques d'Arras, Chartres, Rennes, Troyes, Belley, Embrun, Limoges, Périgueux et seize abbés français, dont celui de Cluny, Pierre le Vénérable, se rendirent à Pise. Cf. saint BERNARD, *Epist.* CCLV ; ERNAUD *Vita Bernardi*, II, ii.
(3) Cf. ERNAUD, *Vita Bernardi, loc. cit.*
(4) Cf. MANSI, t. XXI, col. 488.
(5) Ces différentes sentences sont indiquées soit par la *Vita Bernardi, loc. cit.*, soit par la relation publiée par BERNHEIM dans la *Zeitschrift für Kirchenrecht* (cf. n. 2).

fut obligé de prendre la fuite. On confia alors les fonctions épiscopales, provisoirement au moins, à l'évêque d'Albe, Roboald [1].

Canoniquement, Anselme était toujours archevêque de Milan et son expulsion ne pouvait devenir légale que si elle était ratifiée par le pape. C'est ainsi que le concile de Pise fut amené à s'occuper de l'affaire. Il fut d'ailleurs saisi par les principaux membres du clergé milanais, et, lorsque ceux-ci eurent prêté serment de fidélité à Innocent II, l'assemblée s'empressa de déclarer la vacance du siège métropolitain [2]. Toutefois, comme l'on pouvait craindre certains remous parmi la foule où Anaclet comptait encore de nombreux partisans, on jugea utile d'envoyer saint Bernard à Milan, pour escorter les cardinaux Guy de Pise et Matthieu d'Albano, chargés de notifier la décision du concile [3].

ROLE DE SAINT BERNARD — Saint Bernard fut reçu avec un enthousiasme délirant. Sa réputation de sainteté l'avait précédé. Tout le monde voulut le voir et l'entendre, toucher ses vêtements ; on lui arracha des parcelles de sa robe, pour en faire des reliques ; on porta devant lui les malades, afin qu'il les guérît. On voulut même le faire archevêque ; il se contenta d'user de l'autorité qu'il avait acquise parmi les Milanais pour les rallier à Innocent II et à Lothaire III. Il gagna ensuite Pavie et Crémone qui tenaient toujours pour Anaclet et où il eut moins de succès [4]. A Milan, après son départ, les adversaires d'Innocent II reprirent le dessus ; Roboald d'Albe, qui avait été élu archevêque, fut très critiqué pour avoir prêté le serment de fidélité exigé par le pape et, devant l'agitation renaissante, il jugea utile d'avertir saint Bernard. Celui-ci écrivit aussitôt aux Milanais pour les adjurer d'obéir au pontife romain :

L'Église romaine est très clémente, mais elle est aussi très puissante... Par un privilège singulier, le Siège apostolique a reçu la plénitude du pouvoir sur toutes les églises de l'univers. Quiconque résiste à ce pouvoir résiste à l'ordre de Dieu. Rome peut créer de nouveaux évêchés, quand elle le juge utile ; elle peut changer les évêchés en archevêchés et les archevêchés en évêchés, si cela lui paraît nécessaire ; elle peut appeler devant son tribunal, des extrémités de la terre, les personnes ecclésiastiques les plus élevées en dignité non pas une fois, mais autant de fois qu'il lui plaira.

La lettre se termine par une invitation pressante à l'obéissance :

Si quelqu'un vous dit qu'il faut obéir, mais seulement dans une certaine mesure et jusqu'à un certain point, ne l'écoutez pas ; c'est un séducteur [5].

Ces arguments ne produisirent pas l'effet escompté : l'église de saint Ambroise n'aimait pas qu'on lui rappelât la supériorité du Siège apos-

---

(1) Sur ces incidents voir le récit pittoresque et coloré de LANDULF LE JEUNE, *Historia Mediolanensis*, ʟᴠɪɪ-ʟxᴠ (M. G. H., *S.S.*, t. XX, p. 45 et suiv.). Cf. W. BERNHARDI, *op. cit.*, p. 638-641, E. VACANDARD, *op. cit.*, t. I, p. 375-377.
(2) LANDULF, *Historia Mediolanensis*, ʟxɪ. Cf. aussi les actes du concile publiés dans *Zeitschrift für Kirchenrecht*, t. XVI, p. 151.
(3) LANDULF, *loc. cit.* ; ERNAUD, *Vita Bernardi*, II, ɪɪ. Pour tout ce qui suit, cf. E. VACANDARD, *op. cit.*, t. I, p. 378 et suiv.
(4) Cf. les textes cités à la note précédente.
(5) Saint BERNARD, *Epist.* ᴄᴄᴄxɪᴠ.

tolique. Aussi saint Bernard fut-il obligé de retourner à Milan où son éloquence produisit encore une fois de prodigieux effets. Aussitôt après son passage, Roboald se rendit à Pise pour prêter à Innocent II le serment de fidélité contre lequel ses ouailles avaient élevé de véhémentes objections, tandis que saint Bernard regagnait Clairvaux, pour s'y retremper dans la prière et l'ascétisme [1].

SECONDE EXPÉDITION DE LOTHAIRE EN ITALIE

L'adhésion de Milan avait une grosse importance pour Innocent II. Elle lui créait, dans l'Italie septentrionale, le solide point d'appui qui lui avait manqué lors de la première expédition de Lothaire. En revanche, au sud de la péninsule, la situation demeurait la même et Roger de Sicile était plus menaçant que jamais [2]. Les barons de la Basse-Italie, joignant leurs supplications à celles du pape, imploraient le secours de Lothaire qui, en août 1136, se décida à exécuter les décisions prises à Bamberg l'année précédente et renouvelées, depuis, aux diètes de Spire (Noël 1135) et d'Aix-la-Chapelle (Pâques 1136) [3]. Il entra en Lombardie par Trente ; Vérone et Milan se prononcèrent pour lui ; les villes rivales de ces deux cités se déclarèrent naturellement en sens contraire ; l'empereur dut passer six longs mois à affermir sa puissance dans le pays, mais il disposait d'une armée suffisante pour imposer le respect. Une fois ces opérations terminées, il se dirigea vers le sud pour attaquer Roger, en suivant la route de l'Est. Son gendre, Henri de Bavière, alla prendre Florence, Lucques, Sienne et les autres villes toscanes, puis, accompagné d'Innocent II qui l'avait rejoint à Grosseto il soumit une partie de la campagne romaine sans investir la ville qu'Anaclet avait rendue à peu près inexpugnable. De son côté, Lothaire n'avait rencontré aucune résistance sérieuse. Il retrouva le pape à Bari le 30 mai 1137, puis, pendant l'été, il réussit à occuper toute la partie continentale des États de Roger qui s'était réfugié en Sicile [4].

Alors commencent les difficultés. L'armée allemande trouve l'expédition trop longue ; elle se mutine, menace le pape et les cardinaux qu'elle considère comme responsables ; Lothaire qui, après avoir refusé la paix sollicitée par Roger, voulait poursuivre ce prince en Sicile et anéantir sa domination, est obligé de renoncer à son projet [5]. De plus, de graves difficultés surgissent avec Innocent II, d'abord à propos du Mont-Cassin, où l'abbé Raynald, jusque-là tout dévoué à Anaclet et à Roger de Sicile, a reconnu la suzeraineté de l'empereur, sans rallier l'obédience d'Innocent II, puis au sujet de la Pouille dont le pape et l'empereur revendiquent également la suzeraineté. Tout finit cependant par s'arranger : la suzeraineté de la Pouille est partagée entre le pape et l'empereur ; l'abbé Raynald est déposé et Lothaire, qui cherchait à le sauver, finit par s'incli-

---

(1) LANDULF, *Historia Mediolanensis*, LXIII ; ERNAUD, *Vita Bernardi*, II, v.
(2) Cf. F. CHALANDON, *Histoire de la domination normande en Italie et en Sicile*, t. II, p. 54.
(3) Cf. W. BERNHARDI, *op. cit.*, p. 588 et suiv.
(4) W. BERNHARDI, *op. cit.*, p. 649 et suiv. ; F. CHALANDON, *op. cit.*, t. II, p. 59 et suiv.
(5) F. CHALANDON, *op. cit.*, t. II, p. 69-70.

ner à contre-cœur [1]. Il n'en est pas moins vrai que l'harmonie est rompue et cela ne peut que retarder le dénouement du schisme d'Anaclet. L'antipape se maintenait dans certains quartiers de Rome. De son côté, Roger de Sicile avait réussi à recouvrer ses territoires de l'Italie péninsulaire [2]. On pouvait se demander si la seconde expédition allemande en Italie ne se traduirait pas, comme la première, par des résultats négatifs.

NÉGOCIATIONS DE SAINT BERNARD AVEC ROGER DE SICILE

Déçu et inquiet, Innocent II se confia une fois de plus à saint Bernard, qu'il avait de nouveau rappelé auprès de lui [3]. Le 5 octobre 1137, d'accord avec Lothaire, il chargea l'abbé de Clairvaux d'aller trouver Roger de Sicile et de le ramener à de meilleurs sentiments [4]. Si chancelante que fût à ce moment sa santé, Bernard n'hésita pas et il se présenta au camp de Roger qui ne voulut d'abord pas l'écouter. Toutefois, après un grave échec que lui infligea, le 30 octobre 1137, le duc Rainulf, le prince consentit à examiner à nouveau la valeur des deux élections de 1130 et demanda qu'on lui dépêchât trois témoins de chacune d'elles, afin qu'après les avoir entendus, il pût prendre une décision définitive. Saint Bernard crut devoir acquiescer à cette singulière proposition. Anaclet, pressenti, ne la repoussa pas non plus et envoya Pierre de Pise, le cardinal Matthieu et le cardinal Grégoire pour le représenter, tandis que le chancelier Aimeri, le cardinal Gérard et Guy de Castello étaient délégués par Innocent II. Roger entendit les uns et les autres, mais il ne se trouva pas suffisamment éclairé et il provoqua, pour la fin de novembre ou le début de décembre 1137, une nouvelle conférence contradictoire entre Pierre de Pise et saint Bernard lui-même. Le premier était un canoniste éminent et un dialecticien consommé ; il présenta la défense d'Anaclet avec un talent remarquable auquel saint Bernard rendit hommage tout le premier. Dans sa réponse, l'illustre abbé ne chercha pas à discuter les arguments juridiques de son interlocuteur ; il préféra se placer sur le terrain des faits et, dans une véhémente apostrophe, il montra toute l'Église, tous les ordres religieux, tous les princes groupés autour d'Innocent II, tandis que Roger de Sicile était le seul soutien d'Anaclet. Après cette joute oratoire, le prince refusa de rallier « l'arche d'Innocent II », mais Pierre de Pise alla à Rome se prosterner aux pieds du pontife qu'avait défendu saint Bernard [5].

---

(1) F. CHALANDON, *op. cit.*, t. II, p. 73-79.
(2) *Ibid.*, t. II, p. 78.
(3) E. VACANDARD (*op. cit.*, t. II, p. 4) place en février 1136 le retour de saint Bernard auprès d'Innocent II, sans donner de justification. En réalité, il ne commence à être question de la présence de l'abbé de Clairvaux en Italie que lors de la prise de Lucques par Henri de Bavière (cf. ANNALISTA SAXO, a. 1137).
(4) Saint BERNARD, *Epist.* CXLIV : *Instantissima postulatione imperatoris apostolicoque mandato... rahimur in Apuliam.*
(5) Cette négociation est connue par la lettre ci-dessus indiquée, par la *Vita Bernardi* d'ERNAUD, II, VII et par FOULQUE DE BÉNÉVENT, a. 1137 (MURATORI, *Scriptores rerum Italicarum*, t. V, p. 121). Ces deux derniers textes concordent à peu de chose près. L'argumentation prêtée à saint Bernard ne diffère pas de celle de l'*Epist.* CXXVI, comme le remarque E. VACANDARD, *op. cit.*, t. II, p. 18, n. 1.

MORT DE LOTHAIRE III
(4 DÉCEMBRE 1137)

Au même moment, Lothaire III mourait à Breitwang (4 décembre 1137), alors qu'il se préparait à passer les Alpes pour rentrer en Allemagne [1]. Malgré les difficultés qui avaient surgi au sujet des prétentions réciproques du pape et de l'empereur à la suzeraineté de l'Italie méridionale, cette mort privait Innocent II de son meilleur défenseur : Lothaire III a été le type de l'empereur chrétien, essentiellement respectueux des droits de l'Église et du Saint-Siège. Jamais les théories grégoriennes n'ont été aussi près de passer dans la pratique que pendant son règne de vingt-deux ans.

MORT D'ANACLET II
(25 JANVIER 1138)

La mort de Lothaire a été presqu'immédiatement suivie de celle d'Anaclet II, survenue le 25 janvier 1138 [2], qui devait fatalement entraîner la fin du schisme. Sans doute on essaya de lui donner un successeur en la personne du cardinal Grégoire qui fut proclamé sous le nom de Victor IV [3], mais celui-ci, après avoir, semble-t-il, été trouver saint Bernard, alla à Saint-Pierre le jour de la Pentecôte (29 mai 1138) pour y porter sa soumission à Innocent II [4].

FIN DU SCHISME

Cette fois le schisme était définitivement terminé. Tous les partisans d'Anaclet II avaient peu à peu rallié le parti d'Innocent II, non seulement en Italie où, depuis sa controverse avec Pierre de Pise, saint Bernard avait suscité un bon nombre de conversions [5], mais dans le reste de la Chrétienté occidentale [6]. Seul Roger de Sicile persévéra dans son attitude hostile.

Innocent II eut le tort d'abuser de sa victoire. Au lieu de pardonner à ses anciens adversaires dont aucun ne songeait à lui faire de l'opposition, il se laissa aller, lors du concile tenu au Latran en avril 1139 [7], à de fâcheuses représailles. Après avoir stigmatisé une fois de plus le défunt Anaclet, il prononça cette sentence :

Ce que cet intrus a élevé, nous le renversons ; les personnes qu'il a comblées d'honneurs, nous les dégradons et celles qu'il a consacrées nous les déposons. Nous défendons également à tous ceux que Gérard d'Angoulême a promus au service des autels d'exercer les fonctions sacrées et de monter à un degré supérieur [8].

(1) W. Bernhardi. *op. cit.*, p. 786 et suiv.
(2) *Ibid.*, p. 780, n. 65.
(3) Foulque de Bénévent, a. 1137.
(4) Saint Bernard, *Epist.* cccxvii.
(5) *Bernardi vita*, II, vii, 46 : *Petrum Pisanum et quosdam alios ecclesiae reconciliat.*
(6) Au cours d'une nouvelle négociation qui se place à la fin de 1134 ou au début de 1135, saint Bernard avait ramené l'Aquitaine à Innocent II, en forçant l'adhésion du duc Guillaume X ; la mort de l'évêque d'Angoulême, Gérard, qui avait exercé sur ce prince un si grand ascendant, facilita le maintien du duché dans l'obédience d'Innocent II. Cf. E. Vacandard, *op. cit.*, t. I, p. 358-365.
(7) Cf. *infra*, p. 70-71.
(8) Ces paroles ont été rapportées par le *Chronicon Mauriniacense*, III, iii. Elles sont confirmées par le canon 30 du concile qui est ainsi conçu : « Les ordinations faites par Pierleone et par les autres schismatiques et hérétiques sont nulles de plein droit » (Mansi, t. XXI, col. 523). Gérard d'Angoulême était mort en 1136. Cf. E. Vacandard, *op. cit.*, t. I, p. 363, n. 4.

La chronique de Morigny, qui rapporte l'allocution pontificale, ajoute que le pape dépêcha aussitôt Geoffroy de Chartres comme légat en France et en Aquitaine pour veiller à l'exécution de sa sentence et à la destruction des autels consacrés par Gérard d'Angoulême et par ses partisans. En Italie, Innocent II poursuivit de sa rancune tous ses anciens adversaires et n'hésita pas à frapper en particulier Pierre de Pise, bien qu'il eût manifesté des sentiments de touchante humilité [1]. Cette inconcevable dureté provoqua l'indignation de saint Bernard qui ne put taire ses sentiments et reprocha amèrement au pape sa rigueur injustifiée :

J'en appelle de vous à vous-même. En quoi, je vous prie, votre serviteur a-t-il démérité de votre Paternité, au point d'être flétri du nom de traître ? N'est-ce pas vous qui m'avez délégué dans l'affaire de la réconciliation de Pierre de Pise ?... Si vous le niez, je le prouverai par tous les témoins qui se trouvaient alors dans la curie. N'est-ce pas en vertu de votre promesse qu'il a été ensuite maintenu dans son rang et sa dignité ? Quel est donc le téméraire qui vous a fait trahir ainsi vos engagements ? Loin de moi la pensée de blâmer votre rigueur apostolique et votre zèle ardent contre les schismatiques, mais il faut distinguer entre les coupables. Ceux qui ont abandonné le schisme avant la mort d'Anaclet ne doivent pas être traités avec la même sévérité que ceux qui sont restés attachés jusqu'à la fin à l'antipape [2].

Innocent II, qui avait souvent suivi les inspirations du moine cistercien, ne céda pas cette fois à ses conseils de générosité : jusqu'à la mort du pape, le nom de Pierre de Pise disparut des actes pontificaux [3]. Cette attitude rancunière et mesquine a eu des conséquences fâcheuses pour le Saint-Siège et l'a empêché de tirer parti de la situation incomparable que saint Bernard, dont la pure physionomie émerge au-dessus des passions intéressées de son temps, avait su lui ménager. Au moment où les idées grégoriennes paraissent s'imposer à l'Église et à la Chrétienté, la papauté voit Rome et l'Italie lui échapper en grande partie. Ainsi se prépare la revanche du césaropapisme.

§ 3. — Progrès des idées grégoriennes.

EXALTATION DE L'EGLISE ROMAINE   Depuis l'avènement de Nicolas II (1059), la papauté, soucieuse de réformer l'Église, n'a cessé de travailler à asseoir son autorité sur le clergé et sur les laïques, sur les évêques et sur les rois. Il semble qu'au moment où prend fin le schisme d'Anaclet, elle soit à la veille de réaliser ses grands desseins et que l'exaltation de l'Église romaine, telle que l'avaient rêvée Grégoire VII et Urbain II, s'affirme dans les faits comme dans le droit.

LE CONCILE ŒCUMÉNIQUE DU LATRAN (AVRIL 1139)   Le 4 avril 1139, Innocent II réunit au Latran une grande assemblée qui a pris place parmi les conciles œcuméniques. Les chroniqueurs ne s'accordent pas

(1) Cf. *supra*, p. 68.
(2) Saint BERNARD, *Epist.* CCXIII.
(3) Cf. E. VACANDARD, *op. cit.*, t. II, p. 58, n. 3, qui réfute très justement l'opinion de WATTERICH, *Vitae pontificum Romanorum*, t. I, p. CLVIII, suivant laquelle Innocent II, après avoir reçu la lettre de saint Bernard, se serait réconcilié avec Pierre de Pise.

sur le nombre des évêques qui avaient répondu à l'appel du pape, mais il dépassait certainement le chiffre de cinq cents et aurait, suivant certains témoignages, atteint celui de mille [1]. Sans analyser pour le moment l'œuvre réformatrice de cette grande assemblée [2], il suffira de retenir qu'en ouvrant les débats Innocent II adressa aux évêques réunis un discours dont la chronique de Morigny a conservé sinon la forme exacte, du moins la teneur et où on relève cette affirmation : « Vous savez, aurait dit le pape, que Rome est la tête du monde, que l'on demande à l'évêque romain les dignités ecclésiastiques *quasi feudalis juris consuetudine*, et qu'on ne peut les conserver sans son consentement » [3].

PROGRÈS DE LA CENTRALISATION ECCLÉSIASTIQUE — Les manifestations du gouvernement et de la politique du Saint-Siège, à la fin du pontificat d'Innocent II, sont en harmonie avec cette parole. L'Église d'Occident, y compris l'Église allemande, est entièrement subordonnée à Rome. Plus que jamais, la papauté est partout représentée par des légats plus nombreux qu'ils ne l'avaient jamais été et dont les interventions s'étendent à des questions parfois insignifiantes. Il suffira d'en indiquer quelques-unes pour faire saisir les progrès de la centralisation ecclésiastique [4].

EN ALLEMAGNE — Ils sont particulièrement frappants en Allemagne. Jusqu'au concordat de Worms, les légats pontificaux ont eu, dans ce royaume, un rôle surtout politique ; ils sont peu intervenus dans les affaires proprement ecclésiastiques, afin de ménager les susceptibilités d'un épiscopat qu'il s'agissait de gagner à la cause romaine [5]. Il en sera tout autrement à partir du jour où la paix sera rétablie entre le Sacerdoce et l'Empire. Il n'y a pour ainsi dire pas d'année où l'on ne trouve en Allemagne au moins un légat du Siège apostolique ; parfois, il y en a quatre ou cinq qui opèrent simultanément [6].

Ces représentants de l'Église romaine n'ont rencontré aucune opposition de la part du pouvoir temporel. Lothaire III, on l'a vu [7], est naturellement scrupuleux, très déférent à l'égard de l'Église. Son successeur, Conrad de Hohenstaufen, devenu roi en 1138 avec l'appui des évêques [8], tout en se montrant plus jaloux de ses droits, suivra la même politique. Aussi les légats ont-ils toute liberté d'action et peuvent-ils, grâce à la bienveillance de la couronne, subordonner étroitement l'Église allemande à Rome.

---

(1) On trouvera l'indication des divers textes à ce sujet dans HEFELE-LECLERCQ, *op. cit.*, t. V, 1re p., p. 722, n. 1.
(2) Cette œuvre sera étudiée au chapitre IV.
(3) *Chronicon Mauriniacense*, III, III.
(4) Sur le rôle des légats, voir surtout : K. RUESS, *Die rechtliche Stellung der päptslichen Legaten*, Paderborn, 1912, et A. HAUCK, *Kirchengeschichte Deutschlands*, t. IV, p. 168 et suiv., qui y consacre quelques pages de tout premier ordre.
(5) Cf. t. VIII, p. 395-396.
(6) On trouvera la liste des légats venus en Allemagne entre 1125 et 1152 dans A. HAUCK, *op. cit.*, t. IV, p. 169, n. 3.
(7) Cf. *supra*, p. 44-47.
(8) Cf. *infra*, p. 78-79.

Aussi les voit-on intervenir en une foule de circonstances : ils tranchent les différends entre évêques, confirment les élections et sacrent les élus, visitent les diocèses, règlent les questions disciplinaires, délivrent des privilèges, et surtout, comme cela se passait depuis longtemps en France et en Espagne, tiennent des conciles provinciaux [1] : en 1127, le cardinal-diacre Pierre préside deux synodes, l'un à Toul, l'autre à Worms, où il contraint l'archevêque de Trèves, Godefroy, à abdiquer [2] ; en 1131, c'est le cardinal Matthieu, évêque d'Albano, qui dirige les débats du concile de Mayence et y enregistre la renonciation volontaire de Brun à l'évêché de Strasbourg [3] ; la même année, trois légats pontificaux, Guillaume de Préneste, Jean de Crème et Guy de Castello, assistent à un synode, tenu à Cologne, et mettent fin au conflit soulevé par l'élection du successeur de Frédéric au siège archiépiscopal de cette ville [4]. On pourrait multiplier les exemples, pour aboutir à cette conclusion que rien ne se passe dans l'Église allemande hors la présence des légats du Saint-Siège.

Cette mainmise de Rome revêt des formes très variées. Tout d'abord le pape n'hésite pas à frapper ceux des plus hauts dignitaires dont il aurait à se plaindre : Frédéric de Cologne a été suspendu par Honorius II ; son successeur Arnold le sera par Eugène III pour n'avoir pas comparu à un concile tenu à Reims ; l'archevêque de Mayence, Henri, aura le même sort [5]. Conformément à la doctrine des *Dictatus papae*, c'est le Saint-Siège qui fixe les limites des diocèses, alors que ce droit avait appartenu jusque-là au roi [6], mais surtout — et c'est là ce qui est le plus significatif — bien des affaires qui, autrefois, auraient été terminées par le métropolitain, par l'évêque ou surtout par le roi, trouvent leur solution à Rome : le vieux différend entre Hersfeld et Halberstadt, au sujet des dîmes de Hesse, donne lieu à une sentence pontificale et il en est de même pour une question de propriété d'étang qui mettait en cause le cloître de Gorze ; c'est encore le pape qui décide si le duc de Lorraine a le droit de bâtir un château dans un espace de quatre lieues autour de Toul ou si une abbaye allemande peut utiliser ses ressources à augmenter ses propriétés foncières [7]. Si on ajoute à cela que bon nombre d'évêques allemands ont été se faire sacrer à Rome dans la période qui a suivi le concordat de Worms [8], que le nombre des abbayes exemptes qui se placent sous la juridiction romaine a atteint son maximum sous le pontificat d'Innocent II [9], on peut conclure que l'Église allemande, qui pendant longtemps avait victorieusement résisté à la centralisation, s'est laissé, pendant le second quart du XIIe siècle, entraîner par le courant qui amenait à Rome toutes les affaires ecclésiastiques [10].

(1) Cf. A. Hauck, *op. cit.*, t. IV, p. 170-171.
(2) *Gesta Treverorum episcoporum*, viii (M. G. H., *S.S.*, t. VIII, p. 203). Cf. Hefele-Leclercq, *op. cit.*, t. V, 1re p., p. 667.
(3) *Annales S. Disibodi*, a. 1131. Cf. Hefele-Leclercq, *op. cit.*, t. V, 1re p., p. 693-694.
(4) Mansi, t. XXI, col. 479. Cf. Hefele-Leclercq, *op. cit.*, t. V, 1re p., p. 699-700.
(5) A. Hauck, *op. cit.*, t. IV, p. 172, n. 5.
(6) Voir des exemples dans A. Hauck, *op. cit.*, t. IV, p. 173-174.
(7) Cf. A. Hauck, *op. cit.*, t. IV, p. 174-175.
(8) Cf. *ibid.*, p. 173.
(9) Cf. *ibid.*, p. 176-178.
(10) Cf. A. Hauck, *op. cit.*, t. IV, p. 171.

EN FRANCE   En France, les interventions du Saint-Siège sont aussi nombreuses. La mort de Louis VI, en 1137 [1], a supprimé le dernier obstacle à l'autorité pontificale. Louis VII a « la simplicité de la colombe » ; très inférieur à son père par l'intelligence aussi bien que par la volonté, élevé par les clercs, il est prêt à subir l'influence des hommes d'Église. Celle-ci fut, il est vrai, contrecarrée pendant les premières années du règne par Aliénor d'Aquitaine que le roi avait épousée peu de temps avant son avènement [2] et qui, issue d'un milieu où l'on ne professait qu'un respect très modéré à l'égard des prêtres, profita de son ascendant pour secouer l'emprise du clergé. De là chez ce prince dévot et scrupuleux certaines velléités de résistance à l'immixtion du Saint-Siège dans les affaires de l'Église de France.

C'est à propos d'élections épiscopales que se manifestèrent surtout les tendances de la politique pontificale. En 1138, le siège de Langres était devenu vacant. Au lieu de procéder à l'élection, le chapitre envoya deux délégués à Rome pour prendre l'avis du pape au sujet des candidatures qui paraissaient se dessiner ; deux noms furent mis en avant et il demeura entendu que l'on retiendrait l'un ou l'autre. Or, les chanoines, sans tenir compte de cette promesse, désignèrent un moine de Cluny, et cela sans doute avec la complicité du métropolitain de Lyon qui fixa aussitôt le jour du sacre. L'abbé Pierre le Vénérable présenta, de son côté, l'élu au roi de France qui lui donna l'investiture, puis la consécration eut lieu à Lyon, en présence des évêques de Mâcon et d'Autun. On avait compté sans saint Bernard qui s'intéressait particulièrement au siège de Langres dont relevait Clairvaux : il mit le pape au courant de ce qui venait de se passer [3] ; Innocent II s'empressa de casser l'élection, bien qu'elle eût été sanctionnée par le sacre, et indiqua aux chanoines quelques hommes sages qu'ils devraient consulter avant de procéder à un nouveau choix. Il en fut ainsi fait ; saint Bernard, unanimement désigné, se récusa et, à défaut de lui, les votes se portèrent sur le prieur de Clairvaux, Geoffroy de la Roche, que son abbé « aimait autant que lui-même » [4]. Tout n'était pourtant pas terminé : Louis VII, qui ne voulait pas se déjuger, refusa d'abord l'investiture au nouvel élu ; saint Bernard dut intervenir et réussit à fléchir l'opposition royale [5]. Rome avait eu le dernier mot.

L'élection de Langres laisse percevoir un nouveau progrès de la centralisation ecclésiastique : le Saint-Siège a dirigé le choix des électeurs. Ce n'est pas là un fait exceptionnel. A Reims, après la mort de l'archevêque Renaud (13 janvier 1138), le clergé doit, avant de procéder à une nouvelle désignation, attendre l'autorisation du pape qui met beaucoup de temps à l'accorder [6]. Le légat pontifical, Geoffroy de Chartres, assiste

---

(1) A. LUCHAIRE, *Louis VI le Gros. Annales de sa vie et de son règne*, n° 595.
(2) A. LUCHAIRE, *op. cit.*, n° 589.
(3) On est renseigné sur toute l'affaire de Langres, depuis ses débuts, par saint Bernard lui-même, *Epist.* CLXIV, CLXV, CLXVI, CLXVII. Cf. E. VACANDARD, *op. cit.*, t. II, p. 26 et suiv.
(4) Saint BERNARD, *Epist.* CLXIX et CLXX.
(5) On a conservé la lettre de saint Bernard à Louis VII (*Epist.* CLXX).
(6) Saint BERNARD, *Epist.* CCCXVIII. Voir aussi la lettre d'Innocent II à Louis VII par laquelle le pape permet au roi d'autoriser les électeurs à se réunir (JAFFÉ-WATTENBACH, 8067). Sur cette élection de Reims, cf. E. VACANDARD, *op. cit.*, t. II, p. 36 et suiv.

d'ailleurs à l'élection et c'est lui, semble-t-il, qui, devant le refus de saint Bernard auquel on avait offert tout d'abord la succession de Renaud, impose un archidiacre de Chartres, Samson de Mauvoisin [1].

A Bourges, deux ans plus tard, une vacance du siège va donner lieu à des incidents plus graves. Très maladroitement, le roi Louis VII avait proclamé que l'élection serait libre, à condition que Pierre de la Châtre en fût exclu : or les suffrages se portèrent sur lui et Innocent II le consacra lui-même à Rome. Louis VII, à son tour, publia une ordonnance interdisant au nouvel archevêque l'entrée de Bourges et jura sur les reliques que, tant qu'il vivrait, il n'autoriserait pas Pierre à pénétrer dans le diocèse. Le pape riposta en jetant l'interdit sur les villes, villages et châteaux où s'arrêterait le roi [2]. Il en résulta un violent conflit, sur lequel s'en greffèrent d'autres, mais, en fin de compte, au bout de trois ans, en 1144, Louis VII donna l'investiture à Pierre de la Châtre [3].

EN ANGLETERRE   L'influence romaine s'est également étendue à l'Angleterre où elle avait jusqu'alors rencontré plus d'obstacles qu'en France. Après Jean de Crème, qui, par sa souplesse insinuante, avait obtenu, sous Calixte II, d'heureux résultats [4], le Saint-Siège n'a eu qu'assez rarement recours aux légats *a latere* ; c'est par l'intermédiaire des archevêques de Cantorbéry, Guillaume de Corbeuil (1123-1136), puis Théobald (1139-1161), investis des fonctions de légats, et aussi de Henri de Blois, évêque de Winchester, qui, de 1139 à 1143, a exercé les mêmes pouvoirs, qu'ont été transmises les instructions de Rome aux évêques anglais [5]. Contrairement à ce que l'on aurait pu penser, Innocent II et ses successeurs n'ont eu qu'à se féliciter de ce recours à des prélats anglais qui les ont aidés à exercer la juridiction apostolique sur celui des royaumes occidentaux qui avait paru jusque-là le plus rebelle à l'autorité pontificale.

Aussi bien la centralisation ecclésiastique s'exerce-t-elle en Angleterre comme en Allemagne et en France. On le vit notamment à propos d'une élection archiépiscopale à York. Le métropolitain de cette ville, Thurstan, était mort le 6 février 1141 ; le roi Étienne, qui gouvernait l'Angleterre à cette date, réussit à faire désigner son candidat, le trésorier Guillaume, qui fut presque aussitôt accusé de simonie [6]. Innocent II, mis au courant par les abbés cisterciens qui lui avaient fait connaître la situation par l'intermédiaire de saint Bernard [7], convoqua Guillaume à Rome et avec lui les protestataires, notamment l'archidiacre de Londres, plusieurs membres du chapitre d'York, les abbés de Rievaulx et de Fountains.

(1) E. VACANDARD, *op. cit.*, t. II, p. 43-44.
(2) *Chronicon Mauriniacense*, III, v.
(3) E. VACANDARD, *op. cit.*, t. II, p. 205.
(4) Cf. t. VIII, p. 417 et *supra*, p. 48-49.
(5) Sur ces diverses légations, voir : HÉLÈNE TILLEMANN, *Die päpstlichen Legaten in England bis zur Beendigung des Legations Gualas* (1218), Diss. Bonn, 1926, p. 31 et suiv.
(6) La source principale pour l'histoire de cette élection et des complications auxquelles elle a donné lieu est JEAN DE HEXHAM, qui est un contemporain des événements, mais dont la chronologie laisse à désirer. Cf. H. BOEHMER, *Kirche und Staat in England und in der Normandie im XI. und XII. Jahrhundert*, Leipzig, 1889, p. 347.
(7) Cf. Saint BERNARD, *Epist.* CCCXLVI.

La confrontation tourna à l'avantage de Guillaume qui jura n'avoir corrompu aucun des chanoines par de l'argent. Aussi le pape autorisa-t-il son légat en Angleterre, Henri de Winchester, à procéder à la consécration, si le doyen du chapitre d'York, Guillaume de Sainte-Barbe, affirmait à son tour par serment que le pouvoir temporel n'était pas intervenu. Henri se conforma aux instructions pontificales, mais Guillaume de Sainte-Barbe, devenu entre temps évêque de Durham, s'excusa de ne pouvoir répondre à sa convocation ; le légat se contenta, peut-être un peu trop facilement, d'autres témoignages suscités par l'élu d'York et consacra celui-ci, le 26 septembre 1143 [1].

Quelques réserves que pût susciter cette solution, il n'en reste pas moins que la contestation avait été terminée par le pontife romain et par son représentant en Angleterre, ce qui ne se serait certainement pas produit au temps de Grégoire VII et d'Urbain II. Toutefois l'attitude du légat pontifical avait soulevé les protestations des monastères cisterciens où on accusait ouvertement Henri de Winchester de fourberie et de sacrilège. Saint Bernard se fit l'écho de ces doléances. Voici ce qu'il écrivait à Célestin II, qui venait de remplacer Innocent II :

Le sort de l'élu d'York dépendait du serment de l'ancien doyen. Or celui-ci n'a rien juré et celui-là est évêque. O chose digne d'être ensevelie dans un silence éternel ! Mais il est trop tard : l'univers sait le triomphe du diable. Partout retentissent les applaudissements des incirconcis et les gémissements des bons. On montre du doigt la honte de l'Église notre mère. Mais, si telle devait être l'issue de ce procès, pourquoi l'avoir porté de si loin à Rome ? Pourquoi avoir fait venir des extrémités de la terre ces religieux qui devaient accuser le coupable [2] ?

En fin de compte, saint Bernard demandait que l'évêque de Durham fût prié de prêter le serment qu'on avait sollicité de lui. A Rome on hésita longtemps avant d'adopter cette solution, à laquelle Eugène III finit par se rallier. L'évêque de Durham fut obligé de convenir que le comte d'York avait fait pression sur le chapitre au nom du roi [3]. Le pape déposa alors Guillaume à un concile tenu à Paris (avril-juin 1147) et pria le chapitre de procéder à une nouvelle élection. Les chanoines se partagèrent entre un certain Hilaire, qui n'eut pour lui qu'une minorité, et l'abbé cistercien de Fountains, Henri Murdach, pour lequel se prononça la majorité. Dans une pensée d'apaisement, Eugène III nomma Hilaire évêque de Chichester et Henri archevêque d'York [4]. Malgré une certaine résistance de la part du roi Étienne, tout finit par rentrer dans l'ordre. L'Église anglaise s'était inclinée devant la volonté du Saint-Siège.

EN ESPAGNE   Sous Honorius II, les liens qui unissaient l'Espagne au Saint-Siège s'étaient plutôt détendus. Alphonse VII de Castille et Alphonse Ier d'Aragon ayant envoyé, en 1131, des ambassadeurs au concile de Reims pour assurer Innocent II de leur obéis-

---

(1) Saint BERNARD, *Epist.* ccxxxv, ccxxxvi, **ccxl**.
(2) Saint BERNARD, *Epist.* ccxxxv.
(3) Saint BERNARD, *Epist.* ccxl.
(4) H. BOEHMER, *op. cit.*, p. 349.

sance [1], le pape ne ménagea pas les avances aux royaumes ibériques.
En 1134, Guy, cardinal au titre des saints Côme et Damien, alla sur son
ordre faire dans la péninsule un voyage d'information qui ne semble
pas avoir donné beaucoup de résultats [2]. Le légat put constater du moins
l'état d'anarchie religieuse où se débattait l'Espagne, du fait des dissentiments qui n'avaient cessé d'exister entre Alphonse VII de Castille et
l'archevêque de Compostelle, Didace. En juin 1135, Guy repartit pour
l'Espagne. A peine était-il arrivé qu'Alphonse VII le pria de déposer
Didace ; le légat ne voulut pas prendre sur lui une mesure aussi grave
et le clerc Boson fut envoyé à Rome pour transmettre au souverain
pontife le désir exprimé par le roi. Pendant ce temps, le cardinal Guy
parcourut l'Espagne ; il fut solennellement reçu par Didace à Santiago ;
le 2 octobre 1136, il tint à Burgos un concile où l'archevêque, soutenu
par les Clunisiens, put se réhabiliter [3]. Par la même occasion, il régla
l'affaire de Saia, ville que réclamaient simultanément les évêques de
Siguenza, de Tarazona et d'Osura, au profit de ce dernier qui la vit
attribuer à son diocèse, puis il regagna l'Italie en mars 1137, après avoir
affermi le prestige de l'Église romaine dans la péninsule ibérique [4].

EN ORIENT LATIN   La centralisation ecclésiastique a gagné aussi
l'Orient latin où l'autorité romaine a trouvé, sous
le pontificat d'Innocent II, une occasion de montrer sa force. En 1136,
le patriarche latin d'Antioche, Bernard, était mort : les chevaliers, malgré
l'opposition du clergé, installèrent sur le siège, pour lui succéder, un
Français du nom de Raoul qui, profitant de la division causée dans
l'Église par le schisme d'Anaclet, se revêtit lui-même du pallium et essaya
de se rendre indépendant de Rome. L'exemple fut contagieux ; le patriarche de Jérusalem, Guillaume, suivit Raoul et conseilla à l'archevêque
nouvellement élu de Tyr, Foucher, d'observer la même attitude, ce qui
lui valut une verte semonce d'Innocent II [5]. Par ailleurs, Raoul d'Antioche avait rencontré quelques résistances parmi son clergé, notamment
dans le chapitre ; le prince Raymond, avec lequel il avait eu des démêlés,
en tira parti pour lui enjoindre de se rendre à Rome. Arrivé en Italie,
le patriarche jugea prudent de renoncer au pallium qu'il s'était attribué
et il pria le pape de vouloir bien le lui remettre. Innocent II se laissa
impressionner par ses protestations d'humble déférence, mais il ne reconnut pas immédiatement Raoul et envoya en Palestine un légat qui mourut
avant d'y arriver (27 mai 1139). Un nouveau légat, Albéric d'Ostie,

(1) Cf. *supra*, p. 60.
(2) Cf. G. Saebekow, *Die päpstlichen Legationen nach Spanien und Portugal bis zum Ausgang des XII. Jahrhunderts*, p. 43.
(3) Mansi, t. XXI, col. 503.
(4) G. Saebekow, *op. cit.*, p. 43-45. Guy devait revenir en Espagne en juillet 1143, pour régler des questions politiques ; il tint à cette occasion deux conciles, l'un à Valladolid, l'autre à Gérone (Cf. *ibid.*, p. 45 et suiv. ; Mansi, t. XXI, col. 603). Entre temps, l'évêque Guy de Lescar a visité l'Espagne, en 1138, pour inviter les évêques à se rendre au concile œcuménique qui allait se tenir au Latran en avril 1139. L'archevêque d'Arles, Guillaume, est venu à son tour dans la péninsule comme légat pontifical de novembre 1139 à mai 1140 ; il a surtout fixé les frontières qui séparaient les différents diocèses.
(5) Jaffé-Wattenbach, 7906.

partit à son tour et présida un concile, le 30 novembre 1139, dans l'église Saint-Pierre d'Antioche ; Raoul fut accusé de simonie et d'incontinence, mais, cité à trois reprises, il refusa de comparaître ; Albéric d'Ostie se rendit alors dans son palais, pour lui notifier sa déposition, puis il le livra au prince d'Antioche qui l'enferma au monastère de Saint-Siméon. Un autre évêque, Serlo d'Apamée, qui s'était avoué coupable, fut excommunié et déposé par le concile. Bref, la Terre Sainte, après avoir essayé de se détacher du Saint-Siège, reconnaissait son autorité suprême et obéissait aux décisions prises en son nom avec la même respectueuse déférence que les Églises occidentales [1].

LA PAPAUTÉ ET LES PRINCES TEMPORELS Ainsi l'impulsion donnée à l'Église au temps de Grégoire VII a produit tous ses effets au milieu du XIIᵉ siècle. Le schisme d'Anaclet n'a eu aucune répercussion grave sur l'organisation ecclésiastique. Dans ses rapports avec les laïques, la papauté manifeste aussi une puissance grandissante et les princes subissent l'influence du successeur de l'Apôtre avec la docilité souhaitée par Grégoire VII.

PAPAUTÉ ET EMPIRE Le programme grégorien est même dépassé. Au jour de son couronnement impérial, Lothaire a reçu du pape les biens de la comtesse Mathilde que Henri V avait autrefois occupés en les revendiquant comme sa propriété malgré la donation qui les attribuait au Saint-Siège [2]. Si l'empereur ne paraît pas avoir prêté hommage, du moins s'engage-t-il à payer un cens annuel de cent livres d'argent et reconnaît-il la propriété de l'Église romaine à laquelle lesdits biens feront retour après sa mort pour être remis ensuite à sa fille, Gertrude, et à son gendre, Henri de Bavière, qui, lui, prêtera l'hommage et jurera fidélité au « bienheureux Pierre » [3]. Ainsi s'affirmait le pouvoir suzerain du Saint-Siège sur l'Italie du nord, que Lothaire s'était empressé de reconnaître pour mettre fin aux prétentions de son rival, Conrad de Hohenstaufen, qui, soutenu par l'archevêque de Milan, avait essayé de s'emparer de l'héritage de Mathilde et, en s'installant fortement dans l'Italie septentrionale, tenté d'arracher la péninsule à l'influence de Lothaire [4]. Innocent II sut exploiter la situation. Après la mort de Lothaire III, il fit peindre au Latran une fresque sur laquelle on voyait

---

(1) Sur cette affaire d'Antioche, la source essentielle est GUILLAUME DE TYR, *Historia rerum transmarinarum*, XIV-XXIV. Cf. R. GROUSSET, *Histoire des croisades et du royaume franc de Jérusalem*, t. II, Paris, 1935, p. 43-50.

(2) Cf. t. VIII, p. 373 et *supra*, p. 63.

(3) *Hoc nimirum intuitu allodium bone memorie comitisse Mathildis, quod utique ab ea beato Petro constat esse collatum, vobis committimus et ex apostolicae sedis dispensatione concedimus atque in praesentia fratrum nostrorum archiepiscoporum, episcoporum, abbatum nec non principum et baronum per annulum investimus, ita videlicet ut centum libras argenti singulis annis nobis et nostris successoribus exsolvas, et post tuum obitum proprietas ad jus et dominium sancte Romane ecclesie cum integritate absque diminutione et molestia revertatur... Ceterum pro caritate vestra nobili viro Heinrico, Bawarie duci, genero vestro, et filie vestre uxori ejus eandem terram cum prefato censu et supradictis conditionibus apostolica benedictione concedimus, ita tamen ut idem dux hominium faciat et fidelitatem beato Petro ac nobis nostrisque successoribus juret* (Constitutiones et acta, t. I, p. 169-170).

(4) Cf. *supra*, p. 46-47.

Lothaire à genoux devant lui et les mains jointes, recevant la couronne impériale, avec une inscription sur laquelle on lisait que le roi était devenu « l'homme du pape » et avait reçu la couronne de ses mains [1]. En réalité, Lothaire n'était « l'homme du pape » que pour les biens mathildiques, mais on n'était pas fâché, à Rome, d'insinuer qu'il l'était aussi comme empereur. Ainsi s'accréditait, à la faveur d'une confusion voulue, l'idée que Dieu, suivant l'expression dont se servira saint Bernard quelques années plus tard, a confié au successeur de saint Pierre la « disposition des royaumes et des empires » [2].

Pour le moment, la papauté se contente d'intervenir dans les affaires temporelles chaque fois qu'elle en trouve l'occasion, en particulier dans le choix des souverains, s'il y a quelque contestation.

ÉLECTION DE CONRAD DE HOHENSTAUFEN   C'est ce qui se produisit en Allemagne, lors de l'élection du successeur de Lothaire III. Le roi défunt ne laissait pas de fils. Avant de mourir, il remit le duché de Saxe et les insignes royaux à son neveu Hénri le Fier, duc de Bavière [3], qu'il désignait ainsi aux suffrages des princes. Or Henri ne ressemblait en rien à Lothaire : il avait un caractère plus décidé, plus tranchant, et ne cachait pas ses tendances absolutistes qui, lors de l'expédition d'Italie, l'avaient rendu antipathique à Innocent II [4]. Sûr d'interpréter le désir caché des évêques et des seigneurs laïques, le métropolitain de Trèves, Adalbéron, qui, depuis la mort d'Adalbert de Mayence survenue six mois avant celle de l'empereur, exerçait une influence prépondérante et qui, en même temps, venait de recevoir du pape les fonctions de légat pour l'Allemagne [5], orienta le choix des électeurs vers le propre neveu de Henri V, Conrad de Hohenstaufen [6]. Ce prince avait longtemps combattu Lothaire et montré peu de déférence à l'égard de l'Église, mais il s'était, en fin de compte, réconcilié avec le roi et avec le pape, en sorte que les évêques allemands se rallièrent volontiers à sa candidature. Celle-ci fut également bien accueillie par les princes pour deux raisons : Conrad avait une puissance territoriale inférieure à celle de Henri le Fier qui possédait la Saxe, la Bavière et, en Italie, la Toscane ; en outre, en évitant de laisser la royauté dans la même famille, on maintenait le principe électif. Bref Conrad de Hohenstaufen fut élu roi à Coblenz le 7 mars 1138. Huit jours plus tard Adalbéron de Trèves

(1) Otton de Freising, *Gesta Friderici*, III, x : *Unde de imperatore Lothario in palatio Lateranensi super hujusmodi picturam scriptum est :*
          Rex venit ante foras, jurans prius Urbis honores,
          Post homo fit papae, sumit quo dante coronam.
(2) *Epist.* ccxxxvii. Dans le *De consideratione*, IV, iii, saint Bernard, commentant la parole du Seigneur : *Remets ton glaive dans le fourreau*, écrira : « Oui, les deux glaives, spirituel et matériel, appartiennent à l'Église ; l'un doit être tiré pour elle, l'autre par elle, l'un par le prêtre, l'autre par le chevalier, mais au signe du prêtre et sur l'ordre de l'empereur ». Faut-il conclure qu'aux yeux de saint Bernard le pape a le pouvoir temporel autant que le pouvoir spirituel ? Ce serait peut-être aller un peu loin, et, comme le remarque très justement Mgr V. Martin, *Les origines du gallicanisme*, t. I, p. 119, « il serait dangereux de vouloir trop préciser la pensée de l'abbé de Clairvaux », celui-ci n'ayant sans doute pas mesuré la portée d'une réflexion formulée incidemment.
(3) Otton de Freising, *Chronicon*, VII, xx.
(4) Cf. *supra*, p. 67.
(5) Jaffé Wattenbach, 7851 (1er ou 2 octobre 1137).
(6) Sur le rôle d'Adalbéron, voir A. Hauck, *Kirchengeschichte Deutschlands*, t. IV, p. 156-158.

le sacra, et, comme le nouvel archevêque de Cologne, Arnold, n'avait pas encore reçu la consécration épiscopale, il le couronna à Aix-la-Chapelle [1]. En somme, la désignation de celui qui allait être Conrad III a été faite par le représentant du Saint-Siège, sans que cette immixtion de la papauté dans une affaire politique ait suscité en Allemagne la moindre résistance.

Le nouveau souverain, élu par la volonté du légat, devait suivre fatalement la politique de Lothaire. Comme il pouvait redouter l'opposition de Henri de Bavière, qu'il avait évincé, il lui fallait l'appui de l'Église, à l'égard de laquelle il s'est montré aussi déférent que son prédécesseur, et du Saint-Siège dont il attendait la couronne impériale. Il continua donc à appliquer strictement le concordat de Worms : au début du règne, les élections épiscopales de Mayence, Spire, Utrecht, se firent en sa présence ; en 1151, à Cologne, Arnold II fut élu sans que le roi eût été consulté au préalable, mais on s'empressa de solliciter son assentiment qui fut accordé [2]. Avec Rome, les rapports demeurèrent très amicaux et aucun incident ne vint les troubler, mais Conrad III se montra assez apathique et ne fut d'aucun secours aux successeurs d'Innocent II dans leurs démêlés avec la couronne romaine et avec Roger de Sicile [3].

LA PAPAUTÉ ET LA CRISE DYNASTIQUE ANGLAISE — Innocent II ne s'est pas davantage désintéressé de la crise dynastique qui, en Angleterre, a suivi la mort de Henri Ier, survenue le 2 décembre 1135. Son légat, Henri de Winchester, a été amené par les circonstances à jouer un rôle d'une certaine importance [4].

Henri Ier, très préoccupé de l'avenir de ses États, avait, en 1126, fait reconnaître comme son héritière par les prélats et par les barons sa fille Mathilde, veuve de l'empereur Henri V, l'unique survivante de la famille royale depuis le naufrage de la *Blanche-Nef*. Jamais une femme n'avait gouverné l'Angleterre ; de plus Mathilde, par sa fierté, par son humeur dédaigneuse et ses allures autoritaires, plaisait peu aux Anglais que son second mariage avec un prince du continent, Geoffroy Plantagenet, fils du comte d'Anjou Foulque V, avait achevé de lui aliéner. Aussi la volonté de Henri Ier ne fut-elle pas respectée : tandis que Mathilde assistait en Normandie aux obsèques de son père, les bourgeois de Londres et quelques barons proclamèrent roi Étienne, fils du comte de Blois Étienne Henri et par sa mère, Adèle, petit-fils du Conquérant. Tout cela n'avait rien que de très normal. Ce qui est plus curieux, c'est que, dans ce royaume où les souverains s'étaient toujours montrés très jaloux de

---

(1) Pour l'élection de Conrad, voir : W. Bernhardi, *Konrad III*, t. I, p. 2-17, et A. Hauck, *op. cit.*, t. IV, p. 158-160.

(2) Cf. A. Hauck, *op. cit.*, t. IV, p. 160-163. Conrad III a parfois cherché à exercer une influence sur les élections épiscopales : c'est ainsi qu'il parvint à placer ses demi-frères sur les sièges de Freising et de Passau, mais cela ne l'empêcha pas, même en ces circonstances, de se montrer très respectueux des prérogatives ecclésiastiques.

(3) Cf. *infra*, p. 86-90.

(4) Sur la crise dynastique en Angleterre, voir : Ch. Petit-Dutaillis, *La monarchie féodale en France et en Angleterre, Xe-XIIIe siècle*, p. 109 et suiv. ; A. Fliche, *L'Europe occidentale de 888 à 1125*, p. 535 et suiv.

leur indépendance à l'égard du Saint-Siège, les deux prétendants aient également sollicité le patronage du pape.

Mathilde envoya en effet l'évêque d'Angers à Rome pour obtenir l'assentiment d'Innocent II, mais elle se heurta à une fin de non recevoir [1]. Étienne, de son côté, avait promis à l'Église anglaise la plus entière liberté et la restitution de tout ce qui lui avait été enlevé depuis la mort du Conquérant. Aussi l'archevêque de Cantorbéry, Guillaume, qui faisait fonction de légat pontifical, s'était-il empressé de le sacrer ; Innocent II, cédant aux instances des évêques, très impressionné aussi par l'attitude favorable à Étienne du roi de France, Louis VI, ratifia ce qu'avait fait son représentant et le roi, dans la charte qu'il promulgua peu après son avènement, put se vanter d'avoir été « confirmé par Innocent, pontife du Saint-Siège romain » [2]. L'emploi de ce terme mérite d'être souligné ; il eût été certainement désavoué par Guillaume le Conquérant et par ses fils.

Étienne ne tint pas ses engagements. Il se montra particulièrement violent à l'égard de l'évêque de Salisbury, Roger, dont il redoutait la puissance et qu'il fit emprisonner en 1139. Il s'aliéna ainsi le haut clergé. Son propre frère, Henri, évêque de Winchester, qui, à cette date, venait d'être nommé par Innocent II légat pontifical en Angleterre, le cita devant un concile qu'il avait convoqué le 29 août 1139 dans sa ville épiscopale. Certains évêques protestèrent ; l'archevêque de Rouen, Hugues, arrivé le 1er septembre, critiqua vivement Roger de Salisbury pour avoir construit des forteresses qui avaient suscité la défiance du roi. Celui-ci, ayant appris que certains évêques se proposaient de porter l'affaire devant la cour romaine, leur fit conseiller de n'en rien faire et laissa entendre que lui-même saisirait le pape. Finalement, les membres du concile, pris de peur, n'osèrent prononcer aucune sentence contre Étienne, mais il apparaissait clairement que, le jour où le pouvoir du roi chancellerait et que les représailles ne seraient plus possibles, l'épiscopat ferait défection [3].

Or, le 2 février 1141, Mathilde, qui était passée en Angleterre, remporta à Lincoln une grande victoire sur Étienne qui fut fait prisonnier. Le légat Henri s'empressa de traiter avec elle et lui promit de la faire reconnaître par l'Église. Il réunit, à cet effet, le 7 avril, un concile à Winchester. Mathilde y fut acclamée et les bourgeois de Londres joignirent aussitôt leur adhésion à celle des évêques [4]. On a conservé le texte du discours de Henri de Winchester ; on en retiendra seulement ces paroles significatives : « Afin que le royaume ne s'écroule pas faute de roi, avait-il dit devant le concile, je vous ai invités tous, *en vertu de mon droit de légat*,

(1) Cf. Ch. Petit-Dutaillis, *op. cit.*, p. 111 ; et H. Boehmer, *op. cit.*, p. 333 et suiv.
(2) On trouvera le texte de la charte d'Étienne dans Ch. Bémont, *Chartes des libertés anglaises* (*1100-1305*), Paris, 1892, p. 8-10. Cf. Ch. Petit-Dutaillis, *op. cit.*, p. 111-112.
(3) On a sur le concile de Winchester le double témoignage de Guillaume de Malmesbury, *Historia novella*, II, xxii-xxviii, et d'Orderic Vital, *Historia ecclesiastica*, XIII, xx. Cf. Hefele-Leclercq, *op. cit.*, t. V, 1re p., p. 741-743.
(4) Guillaume de Malmesbury a assisté à ce concile dont il a laissé un récit dans *Historia novella*, III, xliii et suiv. Cf. Hefele-Leclercq, *op. cit.*, p. 791-793.

à venir ici [1] ». C'est donc bien le légat pontifical qui, avec l'assentiment du clergé, « auquel appartient le droit d'élire le prince et de l'ordonner », a élu Mathilde « dame d'Angleterre et de Normandie », disposant ainsi du sort du royaume.

Henri de Winchester fut une seconde fois déçu : Mathilde se montra d'une telle dureté qu'elle s'aliéna ses sujets. Ceux-ci lui reprochèrent notamment de n'avoir pas rendu la liberté à son compétiteur. Aussi, dès la fin de 1141, le légat « au nom de Dieu et du pape » demanda-t-il aux évêques réunis à Westminster de reconnaître à nouveau Étienne et de le soutenir de toutes leurs forces [2]. Il en résulta, dans le royaume, une guerre civile qui dura plus de onze ans et se termina par l'avènement de Henri II Plantagenet. Ce prince, comme Frédéric Barberousse en Allemagne, réagira violemment contre les tendances qui, pendant la période de crise, avaient prévalu en Angleterre dans les rapports de l'État et du Siège apostolique.

LOUIS VII ET LE SAINT-SIÈGE En France, la papauté n'a pas eu à intervenir dans les questions dynastiques. La royauté capétienne était fortement assise et Louis VII, en 1137, a succédé à son père Louis VI sans aucune difficulté. Aucun prince occidental n'a subi davantage l'influence de l'Église et du Saint-Siège. Sans doute les premières années du règne avaient-elles été mouvementées. Sous l'impulsion de la reine Aliénor d'Aquitaine, le jeune roi avait été amené à prendre, à propos de diverses élections épiscopales, une attitude d'opposition à l'égard de Rome [3]. De plus, une sœur d'Aliénor, Pétronille, avait épousé le sénéchal Raoul de Vermandois qui, pour contracter cette union que bénirent les évêques de Laon, de Senlis et de Noyon, avait répudié sa femme légitime, une autre Aliénor, nièce du comte de Champagne, Thibaud IV. Naturellement l'épouse délaissée protesta ; un légat pontifical, venu spécialement en France, déclara nul le mariage de Raoul et de Pétronille, puis, devant leur commune révolte contre les décisions de l'Église, les excommunia et jeta l'interdit sur les terres du comte de Vermandois. Poussé par Aliénor, Louis VII soutint sa belle-sœur et son beau-frère, déclara la guerre à Thibaud de Champagne qui protégeait sa nièce, incendia Vitry où treize cents personnes périrent dans les flammes, ce qui n'était pas fait pour rehausser son prestige aux yeux de l'Église et du pape. Du moins le roi fut-il saisi par le remords et accueillit-il favorablement les propositions de paix que lui apporta saint Bernard : en même temps qu'il cédait sur les questions d'ordre ecclésiastique, il abandonna Raoul de Vermandois et se réconcilia avec Thibaud de Champagne, avec l'Église et avec le Saint-Siège [4].

(1) On trouvera le texte de ce discours dans W. STUBBS, *Select Charters and other illustrations of English constitutional history*, ninth edit. revised by H. W. C. DAVIS, Oxford, 1921, p. 139. Cf. CH. PETIT-DUTAILLIS, *op. cit.*, p. 112-113.
(2) Voir le récit de GUILLAUME DE MALMESBURY, *Historia novella*, III, CLII. Cf. HEFELE-LE-CLERCQ, *op. cit.*, t. V, 1re p., p. 793-795.
(3) Cf. *supra*, p. 73-74.
(4) Sur cette affaire, voir surtout : H. D'ARBOIS DE JUBAINVILLE, *Histoire des ducs et des comtes de Champagne depuis le VIe jusqu'au milieu du XIIe siècle*, t. II, p. 395 et suiv. ; A. LUCHAIRE,

Il semble que, dès ce moment, l'influence d'Aliénor ait été ébranlée au profit de celle des clercs. « Plus que jamais, a-t-on pu dire très justement [1], le royaume fut livré à deux autorités internationales, celle du pape et celle de saint Bernard ». C'est Eugène III qui décidera Louis VII à entreprendre la seconde croisade dont saint Bernard sera le prédicateur ; c'est « avec l'assentiment du seigneur pape » que le roi, avant de partir, confiera à Suger l'administration du royaume ; c'est encore le « seigneur pape » qui réconciliera momentanément le pieux souverain avec la sensuelle Aliénor, lors de la visite que les époux royaux lui firent à Rome, à l'automne de 1149, alors qu'ils inclinaient vers la rupture qui fut consommée en 1152 par effet d'une décision du concile de Beaugency, plus sévère qu'Eugène III sur la consanguinité [2]. Alexandre III exercera une influence encore plus accusée. Jamais et nulle part le gouvernement sacerdotal, tel que l'avait rêvé Grégoire VII, n'a paru plus près de sa réalisation que dans le royaume capétien au temps de Louis VII.

LA PAPAUTÉ ET LES ÉTATS CHRÉTIENS DE LA PÉNINSULE IBÉRIQUE

La papauté a exercé aussi une influence en Espagne chrétienne. Sans doute, à partir du pontificat d'Honorius II, elle s'est intéressée moins activement qu'autrefois à la « reconquête ». Après le concile tenu au Latran en 1123, Calixte II avait confié à l'archevêque de Tarragone, Olegar, la mission d'accompagner en qualité de légat pontifical les armées qui iraient combattre les Maures [3], mais il semble que les choses en soient restées là. D'ailleurs la reconquête, pendant les années qui suivent, se réduit à quelques chevauchées d'Alphonse Ier d'Aragon à travers les royaumes de Valence et de Murcie et la Haute-Andalousie [4]. Il n'apparaît pas qu'un représentant du Saint-Siège y ait participé. Le schisme d'Anaclet commence en 1130 et, de plus en plus, la papauté reste étrangère aux événements espagnols. En 1134, Alphonse Ier trouve la mort dans une campagne sur l'Èbre ; il en résulte une crise au cours de laquelle l'Aragon et la Castille faillirent un moment se réunir, mais finalement c'est avec le comté de Barcelone que se groupe l'ancien royaume d'Alphonse Ier, à la suite du mariage de Pétronille, héritière de l'Aragon, avec Raymond-Bérenger IV (1137-1162) qui reprendra la lutte contre les Musulmans et entrera à Tortose (1148) [5].

Les légats pontificaux, qui se sont succédé en Espagne, soucieux avant tout des affaires ecclésiastiques, n'ont guère surveillé ces événements dont devait dépendre le sort de la reconquête chrétienne : tout au plus peut-on signaler la présence de Guy des saints Côme et Damien au concile de Gérone (1143) où Raymond-Bérenger IV fait d'importantes

Louis VII, Philippe Auguste, Louis VIII (1137-1226), t. III[1] de l'*Histoire de France* sous la direction de E. Lavisse, Paris, 1902, p. 6-8.

(1) Ch. Petit-Dutaillis, *op. cit.*, p. 106.

(2) *Ibid.*, p. 114-116.

(3) Jaffé-Wattenbach, 7116.

(4) Sur ces expéditions, voir : Ch. Petit-Dutaillis et P. Guinard, *L'essor des États d'Occident (France, Angleterre, Péninsule ibérique)*, t. IV, 2e p. de l'*Histoire générale. Histoire du Moyen Age* sous la direction de G. Glotz, p. 325.

(5) Cf. *ibid.*, p. 326 et 329.

donations aux Templiers qu'il veut attirer dans son État, précisément
en vue de la reconquête [1]. En revanche, en cette année 1143, la papauté
remporte, dans la péninsule ibérique, un important succès diplomatique
en plaçant sous sa suzeraineté le nouveau royaume de Portugal.

La formation de cet État est intimement liée à la reconquête chrétienne.
A la suite de ses victoires sur les Musulmans qui amenèrent en sa possession
tout le bassin du Tage, Alphonse-Henri, comte de Portugal, avait pu, en
1139, prendre le titre royal. Le roi de Castille, Alphonse VII, en conçut
une vive irritation et c'est ce qui amena Alphonse-Henri à s'appuyer sur
la papauté avec laquelle son rival avait des rapports assez tendus.
L'archevêque de Braga et les moines de Santa-Cruz de Coïmbre servirent
d'intermédiaires : en 1143, le légat Guy reçut le serment par lequel le roi
de Portugal se plaçait sous la protection de l'Église romaine et s'engageait
à verser un cens annuel de quatre onces d'or, en échange de quoi le
pape reconnaîtrait l'indépendance du nouvel État et son caractère de
royaume [2]. Toutefois Lucius II éprouva quelque hésitation à ratifier la
décision de son légat et persista à qualifier Alphonse-Henri de *dux Portu-*
galensis [3] ; peut-être redoutait-il le mécontentement d'Alphonse VII,
dont Alphonse-Henri resta vassal, mais la prise de Lisbonne (1147), qui
eut un grand retentissement, assura l'avenir du Portugal qui devait
occuper par la suite une place brillante dans l'Europe chrétienne.

LE DÉCRET DE GRATIEN Qu'il s'agisse de l'Église ou des royaumes
chrétiens, on observe un réel progrès de l'auto-
rité romaine. C'est pendant le second quart du xiie siècle que les idées
grégoriennes ont reçu leur maximum d'application. Au même moment,
sur le terrain juridique, elles donnent lieu à un nouvel exposé synthé-
tique, le *Décret* de Gratien [4].

L'auteur, moine camaldule de Bologne, est assez mal connu. On ne
sait ni où il est né, ni d'où il était originaire, ni à quelle date précise il
est mort ; il paraît sûr qu'il avait disparu lors du concile du Latran de
1179, mais on ne saurait avancer aucun autre détail biographique. Le
Decretum ou *Concordantia discordantium canonum* a vu le jour un peu
avant les *Sentences* de Pierre Lombard qui en procèdent sans aucun doute,
soit très probablement autour de 1140 [5]. C'est une vaste compilation qui
réunit 3458 textes et qui est divisée en trois parties dont la première
et la troisième ont été subdivisées par un disciple, Paucapalea, en dis-

(1) G. Saebekow, *op. cit.*, p. 46-47.
(2) Mansi, t. XXI, col. 615. Sur les origines du Portugal, cf. Ch. Petit-Dutaillis et P. Guinard, *op. cit.*, p. 330-334.
(3) Jaffé-Wattenbach, 8590. Il faudra attendre le pontificat d'Alexandre III pour que la papauté reconnaisse officiellement au « duc de Portugal » son titre royal.
(4) Sur le Décret de Gratien voir, en attendant l'ouvrage annoncé de G. Le Bras : J. F. Schulte, *Geschichte der Quellen und Literatur des canonischen Rechts von Gratian bis auf die Gegenwart*, Stuttgart, t. 1, 1875, p. 46 et suiv. ; J. de Ghellinck, *Le mouvement théologique du XIIe siècle*. *Études, recherches et documents*, Paris, 1914, p. 306 et suiv. ; art. *Gratien* dans *Dictionnaire de théologie catholique*, t. VI, 1920, col. 1727-1751 ; P. Fournier, *Deux controverses sur les origines du Décret de Gratien*, dans *Revue d'histoire et de littérature religieuses*, t. III, mars-juin 1898. On trouvera le texte du décret dans E. Friedberg, *Corpus juris canonici. Pars prior*. Leipzig, 1879, et dans *P. L.*, CLXXXVII.
(5) Cf. l'article cité de P. Fournier.

tinctions, tandis que la seconde groupe 36 causes, chaque cause comprenant à son tour plusieurs questions et chaque question étant formée de canons. Les textes utilisés figurent pour la plupart dans les collections antérieures. Comme ses prédécesseurs, Gratien suit un plan logique destiné à provoquer des interprétations conformes aux directions suivies par l'Église. Toutefois, ce qui fait la supériorité du *Decretum* sur les collections de la fin du XIe siècle, c'est non seulement qu'il est plus complet et renferme tous les textes connus, mais c'est aussi et surtout qu'il se présente comme un véritable « traité de science canonique »[1] où l'on s'efforce de *solvere contrarietates*, c'est-à-dire de résoudre les contradictions qui surgissent du rapprochement des textes. De là le très grand succès d'une œuvre qui, bien qu'elle n'ait jamais eu force de loi, a toujours été considérée comme faisant autorité en matière canonique et, comme telle, se trouve à la source d'un bon nombre de décisions ecclésiastiques.

Il est à remarquer aussi que « le canoniste bolonais se double d'un théologien »[2] très au courant des controverses qui ont jailli dans les écoles. On verra par la suite quelle a pu être son influence sur les institutions de la Chrétienté médiévale et sur le mouvement doctrinal. Pour le moment, il suffit de retenir que, comme ses prédécesseurs italiens, Anselme de Lucques et Deusdedit, Gratien met sa science canonique au service de la suprématie romaine. Plus que jamais, il résulte du *Décret* que le pape domine l'Église : les conciles provinciaux ne peuvent se tenir sans son assentiment et leurs décisions doivent être approuvées par lui ; les définitions du Saint-Siège ne sauraient soulever aucune opposition et les Décrétales ont la même autorité que l'Écriture sainte. Vis-à-vis du pouvoir laïque, l'Église a une indépendance totale ; les princes ne peuvent prendre aucune décision d'ordre ecclésiastique, ni participer aux conciles, ni intervenir dans les élections épiscopales où leur pouvoir se réduit à un simple *consensus*, toute contestation devant être résolue par le métropolitain ou par le légat pontifical, mais non par le roi. A plus forte raison, l'empereur n'a-t-il aucun droit, même de regard, dans l'élection du pontife romain ; il doit rester étranger à toutes les questions disciplinaires aussi bien que religieuses, mais il sera soumis au pape et, plus généralement, les princes temporels devront obéir aux prêtres[3]. Le droit canonique, autour de 1140, s'inspire donc, plus que jamais, des idées grégoriennes en matière de centralisation ecclésiastique et de gouvernement sacerdotal, mais, ce qui est plus remarquable encore, c'est que ce droit est la résultante des faits : les Églises nationales se plient à toutes les exigences de l'autorité romaine et les princes, pour la plupart, ne se cabrent pas devant les ingérences pontificales à l'intérieur de leurs États.

LES ŒUVRES POLÉMIQUES   Les idées grégoriennes sont tellement acceptées que la littérature polémique, si riche pendant les dernières années du XIe siècle et les premières du XIIe, est

---

(1) L'expression est de A. VILLIEN dans *Dictionnaire de théologie catholique*, t. VI, col. 1729.
(2) J. DE GHELLINCK, *op. cit.*, p. 306.
(3) Cet aspect de l'œuvre de Gratien a été bien mis en lumière par A. HAUCK, *Kirchengeschichte Deutschlands*, t. IV, p. 164-167.

relativement peu abondante au temps d'Innocent II et de ses successeurs immédiats. Les écrivains de cette époque sont surtout des dialecticiens qui se cantonnent dans l'étude des problèmes théologiques et philosophiques ; c'est par occasion seulement qu'ils abordent les questions d'ordre plus pratique qui s'étaient posées avec acuité au début de la lutte du Sacerdoce avec l'Empire et qui seront soulevées à nouveau, lorsque Frédéric Barberousse reprendra à son compte, avec une vigueur accrue, les prétentions césaropapistes des empereurs saxons et franconiens. Pour le moment, on vit selon la tradition grégorienne dont les purs adeptes estiment que la papauté se montre trop conciliante et qu'elle aurait dû profiter des circonstances créées par la politique ecclésiastique de Lothaire pour accroître ses revendications et adopter une attitude d'exclusivisme intransigeant, prônée par certains de ses défenseurs.

Parmi les représentants de cette tendance, une mention spéciale est due à Honorius d'Autun, qui, Français d'origine, paraît avoir passé la plus grande partie de son existence en Allemagne. Il a laissé une œuvre théologique importante [1], mais on peut le considérer aussi comme un grégorien attardé qui combat avec ardeur les formes actuelles de la simonie, en rappelant notamment qu'il est interdit aux clercs de recevoir des honoraires pour le baptême, la sépulture ou les messes [2]. Il a surtout prêché la subordination totale de l'État à l'Église [3] : il considère comme abusif que l'empereur soit élu par les princes ; à ses yeux, c'est au pape seul qu'il appartient de le désigner avant de le couronner et ce qui vaut pour l'empereur s'applique à tous les princes temporels : la royauté doit être soumise au Sacerdoce, comme elle l'était déjà sous l'ancienne Loi [4]. On s'achemine ainsi vers les thèses qui succéderont aux théories grégoriennes et accentueront les prétentions temporelles du Saint-Siège.

On relève les mêmes tendances chez un contemporain d'Honorius d'Autun, Geroch, un Bavarois né vers 1093 qui, après avoir été écolâtre d'Augsbourg, fut, à partir de 1132, prévôt de la collégiale régulière de Reichersberg. Adversaire passionné de Henri V, partisan déterminé de la Réforme, très apprécié d'Eugène III, il salue le règne de Lothaire comme l'aube de temps nouveaux où la plus parfaite concorde règnera entre le Sacerdoce et l'Empire. Toutefois, tout en souhaitant lui aussi que le clergé dispose simultanément de la puissance spirituelle et de la puissance temporelle, il reconnaît que les évêques ressemblent trop souvent à des princes et il préconise pour eux une réforme morale qui les astreindrait à s'inspirer davantage des préceptes évangéliques [5]. Par là il demeure très grégorien tout en annonçant une génération nouvelle qui étendra le champ des revendications ecclésiastiques.

(1) On la trouvera dans *P. L.*, CLXXII. Elle sera étudiée au tome XIII. Les œuvres polémiques ont été éditées par J. DIETERICH, dans *Libelli de lite imperatorum et pontificum*, t. III, p. 29-80.
(2) *De offendiculo*, XLIV-LIV (*Libelli de lite*, t. III, p. 53-57).
(3) Voir la *Summa gloria* dans *Libelli de lite*, t. III, p. 63-80.
(4) *Summa gloria*, XXI-XXIII. Sur les théories politiques d'Honorius d'Autun, voir : A. HAUCK, *op. cit.*, t. IV, p. 135.
(5) Sur Geroch de Reichersberg, cf. les articles de la *Realencyclopädie für protestantische Theologie und Kirche*, t. VI, p. 565-568, le *Dictionnaire de théologie catholique*, t. VI, col. 1311-1312, et surtout les quelques indications très suggestives de A. HAUCK, *op. cit.*, t. IV, p. 135-136. On trouvera son œuvre dans les *Libelli de lite*, t. III, p. 131-525. Geroch a vécu jusqu'en 1169 et une partie de ses traités se rapporte au début du pontificat d'Alexandre III.

L'OPPOSITION DANS L'ÉGLISE On peut donc conclure qu'au lendemain du schisme d'Anaclet, la papauté dispose d'une puissance réelle. On observe cependant quelques symptômes inquiétants que saint Bernard n'a pas dissimulés dans son *De consideratione* [1] et qui laissent prévoir qu'en cas de crise le Saint-Siège ne trouverait peut-être pas partout dans l'Église les appuis sur lesquels il croyait pouvoir compter.

Saint Bernard a critiqué avant tout la procédure des appels qui encombrent la cour romaine. Avant de signaler à son disciple Eugène III les périls qui pouvaient en résulter pour la papauté elle-même, il a déjà eu l'occasion, lors de ses voyages successifs à Rome, de dénoncer les abus inhérents à cette pratique. Mais les papes sont restés sourds à ses remontrances : Innocent II considère que le droit d'appel est une nécessité du gouvernement ecclésiastique [2] et l'on ne voit pas qu'Eugène III ait apporté des modifications sensibles au désastreux régime que flétrissait l'abbé de Clairvaux. Or les jugements de la cour pontificale — saint Bernard l'a plusieurs fois signalé avec véhémence [3] — n'étaient pas toujours à l'abri de tout reproche. Aussi une réaction se dessine-t-elle : des évêques, des abbés, des laïques affectent d'ignorer les décisions romaines et parfois évitent d'en tenir compte [4]. De même, il ne semble pas que les légats pontificaux aient été partout accueillis avec le respect dont on les entourait autrefois ; leur prestige tend à diminuer, parce qu'ils ne sont pas toujours à la hauteur de leur mission [5].

Ainsi, pour brillantes que soient les apparences de l'édifice construit par Grégoire VII et ses successeurs, on y constate quelques fissures inquiétantes. Qu'il survienne un souverain soucieux de restaurer les prérogatives royales, les fissures risquent de se changer en lézardes qui provoqueront l'écroulement général. L'avènement de Frédéric Barberousse en Allemagne, de Henri II en Angleterre, plus tard de Philippe Auguste en France va précisément déterminer une marche vers l'absolutisme et, dès la seconde moitié du XIIᵉ siècle, les monarchies nationales essaieront de secouer la domination romaine. Cet assaut sera grandement facilité par les difficultés que la papauté, si puissante à travers le monde chrétien, rencontre tout près de son siège, à Rome et en Italie.

§ 4. — Les difficultés de la politique italienne.

INNOCENT II ET ROGER II DE SICILE Le roi de Sicile, Roger II, était le seul souverain qui, après la mort d'Anaclet (25 janvier 1138), n'eût pas manifesté envers Innocent II des sentiments de parfaite soumission. Le concile du Latran, en 1139, avait lancé l'excommunication contre lui [6] ; au lieu de négocier une réconciliation, Innocent II, dont la rancune envers ses adversaires était

(1) Cf. *supra*, p. 36-38.
(2) Jaffé-Wattenbach, 7696 (30 mai 1135).
(3) Cf. *supra*, p. 37, 70, 75.
(4) On trouvera de curieux exemples dans A. Hauck, *op. cit.*, t. IV, p. 183-185.
(5) Cf. *ibid.*, p. 188-189.
(6) Cf. *supra*, p. 69.

tenace, voulut anéantir la puissance du plus ardent d'entre eux. Comme
Roger, quittant la Sicile, avait débarqué à Salerne (25 mai 1139) et ne
cachait pas son dessein de se créer dans l'Italie continentale un État allant
jusqu'au Garigliano, le pape réunit des troupes et alla lui-même sur le
théâtre des opérations. Mal lui en prit : le 22 juillet 1139, sur les bords du
Garigliano, près de Galluccio, son armée essuya une retentissante défaite ;
il fut lui-même fait prisonnier avec les cardinaux et les fonctionnaires
qui l'accompagnaient [1].

Innocent II n'avait plus qu'à accepter les conditions qu'on lui offrait.
Le 27 juillet, le traité de Mignano, dont une bulle pontificale indique
les clauses essentielles, consacrait la puissance territoriale de Roger II [2].
Confirmant les concessions faites autrefois par Honorius II [3], le pape
conféra au prince l'investiture de la Sicile, de la Pouille et de Capoue en
lui reconnaissant le titre assez singulier de « roi de Sicile, du duché de
Pouille et de la principauté de Capoue », voulant marquer par là que
l'union des trois États était personnelle à Roger [4]. La paix était faite
avec le plus redoutable adversaire de la papauté en Italie et, si précaire
qu'elle pût être, elle allait permettre au Saint-Siège de parer à d'autres
dangers encore plus immédiats.

LA RÉVOLUTION ROMAINE DE 1143 Le gouvernement pontifical a toujours été aux prises avec des diffi-
cultés à Rome. Depuis le xe siècle, l'aristocratie n'a pour ainsi dire jamais
cessé d'y fomenter des troubles ; le schisme d'Anaclet avait été pour
les grandes familles une nouvelle occasion de s'affronter et de se combattre. A côté de la noblesse, les bourgeois et le peuple créaient maintenant des ennuis au Saint-Siège. Le mouvement urbain, très intense dans
l'Italie du nord, s'était étendu jusqu'à Rome qui, en 1143, se révolta
contre Innocent II, supprima la préfecture urbaine et s'érigea en commune [5]. Innocent II mourut le 24 septembre 1143. Il fut remplacé par
Célestin II qui ne fit que passer (26 septembre 1143-8 mars 1144), puis
par Lucius II [6]. La situation ne cessait de s'aggraver : les meneurs, sous
l'influence des idées de restauration de la Rome antique qui étaient dans
l'air depuis longtemps déjà, annonçaient un vaste programme selon lequel
le pape renoncerait à toute autorité temporelle au profit d'un patrice
pour se confiner exclusivement dans l'exercice de ses fonctions spirituelles, puis, passant à l'action, ils élevèrent à cette dignité le propre
frère d'Anaclet, Jordan Pierleone [7]. « L'orgueil et l'arrogance des Romains,
écrivait saint Bernard, sont plus hauts que leur valeur » [8]. Lucius II,

(1) Voir le récit de ces opérations dans F. CHALANDON, *op. cit.*, t. II, p. 85-89.
(2) JAFFÉ-WATTENBACH, 8043. Cf. E. JORDAN, *L'Allemagne et l'Italie aux XIIe et XIIIe siècles*,
t. IV, 1re p. de l'*Histoire générale. Histoire du Moyen Age* sous la direction de G. GLOTZ, p. 27
29, et F. CHALANDON, *Histoire de la domination normande en Italie et en Sicile*, t. II. p. 90-91.
(3) Cf. *supra*, p. 49-50.
(4) Cf. E. JORDAN, *op. cit.*, p. 28.
(5) Sur les débuts de la commune romaine, voir : E. JORDAN, *op. cit.*, p. 35-36 ; W. BERNHARDI,
Konrad III., p. 349-351 ; H. GLEBER, *Papst Eugen III.*, p. 5-7.
(6) W. BERNHARDI, *op. cit.*, p. 352-353 et 357.
(7) OTTON DE FREISING, *Chronicon*, VII, xxxi. Cf. W. BERNHARDI, *op. cit.*, p. 360.
(8) Saint BERNARD, *Epist.* CCXLIV.

inquiet, songea tout d'abord à faire appel au roi de Germanie, Conrad III, seul capable à ses yeux de sauver la papauté menacée. Mais Conrad était trop occupé dans son propre royaume pour répondre à l'appel pontifical. Las d'attendre une intervention qui ne paraissait pas devoir se produire, Lucius II, avec quelques partisans décidés, attaqua le Capitole où siégeait le « Sénat », organe directeur de la commune, mais il fut blessé et mourut peu après (15 février 1145) [1].

Son successeur fut élu le jour même où Lucius II avait rendu l'âme et ce fut le Cistercien Eugène III qui, pour éviter des troubles, se retira au monastère de Farfa où il fut sacré le 18 février [2]. A peine était-il parti que le Sénat décréta l'abolition de la préfecture de Rome et reconnut l'autorité suprême du patrice auquel tous, nobles et bourgeois, devaient obéir. Pour ponctuer cette décision, le peuple se mit à piller les palais cardinalices et aussi les églises, y compris Saint-Pierre, où il se livra à toutes sortes de violences contre les personnes [3].

EUGÈNE III ET LES ROMAINS   A la nouvelle de ces événements, une vive émotion s'empara du monde chrétien. Saint Bernard exprima son indignation contre le « peuple insensé » qui, avec une audace sacrilège, avait « chassé l'héritier de Pierre du siège et de la ville de Pierre », pour conclure que Rome n'était plus qu'un « corps tronqué et décapité » [4]. Ses exhortations demeurèrent sans effet aussi bien auprès des Romains que de Conrad III qui persista dans son abstention. Mais Eugène III manœuvra avec habileté : s'appuyant sur la campagne romaine, restée fidèle au Saint-Siège, il rendit difficile le ravitaillement de Rome et amena ainsi ses adversaires à capituler. Le patriciat fut aboli et la préfecture rétablie ; le Sénat ne fut pas supprimé, mais il dut se confiner dans des attributions purement municipales et ses membres, nommés par le peuple, ne devaient entrer en fonctions qu'avec l'autorisation du pape. La paix une fois signée, Eugène III put pénétrer dans Rome (19-20 décembre 1145) [5].

Il ne devait pas y rester bien longtemps. Dès le mois de janvier 1146, de nouvelles difficultés surgirent : le Sénat voulait reprendre la guerre contre la ville voisine de Tivoli ; le pape n'y était pas favorable et tenait à maintenir la paix à l'intérieur de ses États. La situation devint très vite tendue. Eugène III, à la fin de janvier, dut se retirer sur la rive droite du Tibre au Transtévère, puis à Sutri où il séjourna du 10 mars au 16 mai, enfin à Viterbe où il avait déjà vécu au début de son pontificat et où on le retrouve à partir du 23 mai [6]. Une fois en lieu sûr, il chercha

(1) W. Bernhardi, *op. cit.*, p. 450-451.
(2) Boson, *Vita Eugenii*, édit. Watterich, *Vitae pontificum Romanorum* t. II, p. 281. Cf. H. Gleber, *op. cit.*, p. 8-9 et 17-18.
(3) *Vita Eugenii*, ibid., p. 282 ; Otton de Freising, *Chronicon*, VII, xxxi. Cf. W. Bernhardi, *op. cit.*, p. 457-458.
(4) Saint Bernard, *Epist.* ccxliii. Cf. E. Vacandard, *op. cit.*, t. II, p. 261-264.
(5) *Vita Eugenii*, édit. Watterich, *op. cit.*, t. II, p. 282-283 ; Otton de Freising, *Chronicon*, VII, xxxi-xxxiv. Cf. W. Bernhardi, *op. cit.*, p. 461-463 ; H. Gleber, *op. cit.*, p. 21-22.
(6) W. Bernhardi, *op. cit.*, p. 463-464 ; H. Gleber, *op. cit.*, p. 22-23. Pour l'itinéraire du pape, cf. Jaffé-Wattenbach, 8849 et suiv.

une entente et, pour y parvenir, consentit à entreprendre l'expédition souhaitée contre Tivoli. Celle-ci eut lieu et aboutit à la destruction de la ville[1], mais le pontife ne retira aucun avantage de la concession qu'il avait faite aux Romains, à son corps défendant. Il ne put retourner au Latran, comme il l'avait espéré ; il plaça dès lors tous ses espoirs dans la venue du roi de Germanie, Conrad III. Celui-ci ne parut guère pressé de répondre à son appel et, au lieu de descendre en Italie, il se laissa entraîner vers l'Orient en participant à la seconde croisade[2].

ARNAUD DE BRESCIA   Au début de 1147, Eugène III quitte Viterbe et, après un séjour dans l'Italie du nord, passe les monts ; il ne reviendra dans la péninsule qu'en juin 1148[3]. Cette longue absence ne pouvait manquer d'être mise à profit par ses adversaires. L'arrivée à Rome d'un agitateur dangereux, Arnaud de Brescia, qui, malgré la soumission qu'il avait faite à Eugène III en juin 1146[4], demeurait hostile à toute ingérence de l'Église dans le domaine temporel, allait ranimer les passions mal éteintes et déchaîner à nouveau le mouvement révolutionnaire. Arnaud recommença en effet à dénoncer la richesse du clergé, en particulier celle des cardinaux et des fonctionnaires de la curie qu'il traitait journellement d'hypocrites et d'avares ; l'austère pape cistercien lui-même était accusé d' « engraisser sa chair et de remplir sa bourse ». Les Romains, toujours crédules et sensibles à l'éloquence, se laissèrent gagner par les théories d'Arnaud. Des troubles s'ensuivirent et le bas clergé, en particulier, s'insurgea contre les hauts dignitaires[5]. Eugène III, mis au courant, vit clairement d'où venait l'impulsion : il ne songea pas un instant à composer avec Arnaud, que, dans une bulle du 15 juillet 1148, il qualifie de « schismatique »[6], et songea à reprendre Rome par la force. A la fin de décembre 1148, il vint se fixer à Viterbe, puis, en avril 1149, il se rendit à Tivoli dont le comte lui était tout dévoué[7]. Peu après, il vit venir à lui les ambassadeurs du roi Roger II de Sicile qui lui offrirent troupes et subsides pour tenter l'opération à laquelle il songeait[8].

LA PAPAUTÉ ET L'ITALIE DE 1150 A 1153   Le pape accepta. Cette décision était grosse de conséquences. Sans doute elle permit à Eugène III de rentrer au Latran à la fin de l'année 1149, mais elle risquait d'entraîner une rupture avec la Germanie. Conrad III, lors de son séjour à Constantinople, au début de l'année 1149, s'était rapproché de l'empereur byzantin, Manuel Comnène, et avait décidé avec lui d'organiser une expédition en commun contre

(1) H. GLEBER, *op. cit.*, p. 23-27.
(2) *Ibid.*, p. 118-119.
(3) *Ibid.*, p. 51 et suiv.
(4) La date de 1146 semble devoir être préférée à celle de 1145, ainsi que l'a établi R. L. POOLE, *John of Salisbury at the Papal Court*, dans *English historical Review*, t. XXXVIII, 1923, p. 321 et suiv., et par G. W. GREENAWAY, *Arnold of Brescia*, p. 92 et suiv.
(5) JEAN DE SALISBURY, *Historia Pontificalis*, XXXI ; OTTON DE FREISING, *Gesta Frederici*, II, XX.
(6) JAFFÉ-WATTENBACH, 9218.
(7) Pour l'itinéraire d'Eugène III, voir JAFFÉ-WATTENBACH, 9305 et suiv. Cf. H. GLEBER, *op. cit.*, p. 108, qui montre qu'Eugène III n'est pas rentré à Rome au printemps de 1149, comme on l'a dit parfois.
(8) Cf. F. CHALANDON, *op. cit.*, t. II, p. 108 et suiv.

le roi de Sicile. Dès son retour en Occident, il fut sollicité tout à la fois par le pape et les Romains ; ceux-ci, lorsqu'ils eurent appris qu'un traité avait été conclu entre Eugène III et Roger II, se montrèrent encore plus pressants et ne manquèrent pas, dans les lettres qu'ils adressèrent à Conrad, de rappeler les souvenirs de la Rome antique toujours vivaces au XIIe siècle [1]. La maladie empêcha le roi de venir en Italie [2] et l'ajournement de cette expédition allait permettre à Wibald de Corvey, dont l'influence était grande sur le souverain, de ménager un rapprochement entre celui-ci et le Saint-Siège.

Le plan d'attaque, élaboré à Constantinople contre Roger II, n'avait pu se réaliser immédiatement : une attaque serbe contre l'Empire byzantin et, en Allemagne, la révolte de Welf retinrent les deux alliés. Eugène III, qui avait utilisé Roger II pour rentrer à Rome, mais qui redoutait sa continuelle ingérence dans les affaires de l'Église, souhaitait au fond se rapprocher de Conrad III, à condition que le roi renonçât à son entente avec Manuel Comnène qu'en Occident l'on rendait responsable de l'échec de la croisade. Il ne cessa de correspondre avec Wibald qui, de son côté, gardait quelque rancune à l'égard de Roger II pour l'avoir expulsé du Mont-Cassin. Pendant toute l'année 1150, on négocia et, lorsque, le jour de Pâques 1151, Roger II, mécontent de n'avoir pas obtenu d'Eugène III le renouvellement de l'investiture de ses États, eut fait couronner son fils à Palerme, le pape se décida à envoyer en Allemagne deux légats chargés de sceller une entente avec Conrad III. Le roi, toujours sous l'influence de Wibald, accueillit favorablement les avances pontificales et, pendant l'année 1151, d'accord avec le pape, il prépara une expédition en Italie, que la mort l'empêcha de réaliser [3]. Le 15 février 1152, il disparut si opportunément qu'Otton de Freising a accusé Roger II de l'avoir fait empoisonner [4]. L'avènement de Frédéric Barberousse devait accélérer l'évolution commencée : avant de mourir (8 juillet 1153), Eugène III signa avec le successeur de Conrad III le traité de Constance aux termes duquel Frédéric s'engageait à ne pas traiter avec les Romains ni avec le roi de Sicile sans être d'accord avec le Saint-Siège [5]. Ainsi se scellait entre la papauté et le roi de Germanie l'accord vers lequel avait tendu la politique d'Eugène III : la sécurité du pape dans Rome semblait assurée pour le moment, mais l'entrée en scène de Frédéric Barberousse, très différent de ses deux prédécesseurs, était un facteur nouveau dont l'influence ne devait pas tarder à se faire sentir : le césaropapisme, en régression constante au cours des quarante dernières années, va connaître bientôt une éclatante renaissance.

---

(1) W. BERNHARDI, op. cit., p. 769 et suiv. Une des lettres du Sénat (ibid., p. 773, n. 10) se termine par ces vers :

> Rex valeat ; quicquid cupit obtineat super Aostes ;
> Imperium teneat, Romae sedeat, regat orbem
> Princeps terrarum, ceu fecit Justinianus.
> Caesaris accipiat Caesar que sunt sua presul,
> Ut Christus jussit, Petro solvente tributum.

(2) W. BERNHARDI, op. cit., p. 774.
(3) On trouvera un exposé de ces négociations dans F. CHALANDON, op. cit., t. II, p. 140 et suiv.
(4) OTTON DE FREISING, Gesta Friderici, I, LXIII. Cf. W. BERNHARDI, op. cit., p. 925.
(5) F. CHALANDON, op. cit., t. II, p. 154.

CHAPITRE III

LA RÉPRESSION DE L'HÉRÉSIE

L'Église, pendant la première moitié du XIIe siècle, n'a pas eu seulement à faire face à un schisme qui, si grave qu'il ait pu paraître au début, n'a pas laissé de traces profondes. L'hérésie, qui, depuis plusieurs siècles, n'avait guère troublé les chrétiens d'Occident et qui, en tout cas, ne s'était jamais propagée parmi les masses, a fait une réapparition inquiétante. Un peu partout se glissent des doctrines peu conformes à l'orthodoxie qui réunissent des adeptes en assez grand nombre ; ainsi s'annonce la grande crise qui, à la fin du XIIe et au XIIIe siècle, devait si profondément remuer le monde catholique.

Parmi ces hérésies du début du XIIe siècle, on peut distinguer deux courants essentiels : d'un côté les divers mouvements issus du manichéisme et, de l'autre, les erreurs relatives à la constitution de l'Église et au régime de la propriété ecclésiastique.

§ 1. — La lutte contre les erreurs néo-manichéennes [1].

CAUSES DE LA RECRUDESCENCE DE L'HÉRÉSIE

Dès la fin du Xe siècle, il est question en Occident d'hérésies qui se rattachent au manichéisme et qui donnèrent lieu à une sévère répression de la part des souverains temporels [2]. Le mouvement, assez intense pendant la première moitié du XIe siècle, paraît s'être ralenti dans la seconde. Il va au contraire reprendre dès le début du XIIe et se propagera un peu partout.

Quelles sont les causes de cette recrudescence de l'hérésie ? Il faut reconnaître qu'on ne les aperçoit pas très bien. On peut se demander toutefois si, à certains égards, la Réforme grégorienne n'y a pas été pour quelque chose. Ce qui caractérise la plupart des doctrines issues du manichéisme, c'est une morale plutôt relâchée : le mariage indissoluble est souvent attaqué ; on enseigne en même temps que les faiblesses de la chair sont susceptibles d'excuse et qu'elles ne sauraient entraîner, au moins pour le commun des hommes, la damnation éternelle. Or la Réforme grégorienne, dans son principe, a pour but de discipliner les mœurs, de réagir contre la dépravation toute païenne et la luxure éhontée qui s'étaient introduites dans la société seigneuriale ou même dans le clergé,

---

(1) BIBLIOGRAPHIE. — Les sources et travaux seront indiqués au fur et à mesure à propos de chaque hérésie. On trouvera un tableau d'ensemble, à la fois vigoureux et précis, en tête de l'ouvrage de J. GUIRAUD, *Histoire de l'Inquisition au moyen âge*, t. I, 1935, p. 1-33.
(2) Cf. t. VII, p. 459-462.

et que l'Église avait trop longtemps tolérées. Cette réaction morale, en contraignant beaucoup d'hommes à renoncer à la vie dissolue où ils se complaisaient, a pu avoir pour conséquence de leur faire rejeter les principes mêmes sur lesquels elle reposait : forcés d'opter entre les pires passions de la chair et la doctrine morale de l'Évangile, devenue de stricte obligation, ils ont essayé de contester la vérité de cette doctrine et lancé des idées subversives qui leur permettraient de ne pas renoncer à des vices qu'ils n'étaient pas assez énergiques pour combattre. De là aussi, sans doute, un autre caractère commun à la plupart des hérésies de la première moitié du XIIᵉ siècle : la hiérarchie, promotrice du redressement moral, est vigoureusement attaquée ; on prétendra qu'elle n'est pas nécessaire et que chacun est libre d'interpréter la doctrine à sa guise. Bref, pour ne pas se plier à la règle évangélique de chasteté totale chez les clercs, de chasteté dans le mariage pour les laïques, les hérétiques voudront à leur tour réformer l'Église avec une orientation exactement inverse de celle des Grégoriens [1].

TANCHELIN   Un premier foyer d'hérésie s'est allumé, dès le début du XIIᵉ siècle, dans les Pays-Bas, la Flandre et l'Allemagne rhénane. Celui qui a jeté l'étincelle est un certain Tanchelin [2]. Il commença sa prédication dans le diocèse d'Utrecht où elle eut un très vif succès, puis il l'étendit aux régions avoisinantes, notamment à Anvers, à Cambrai et à Liége. Elle se rattache, dans son origine, à la fameuse question des sacrements administrés par les prêtres mariés ou concubinaires qui s'était posée aussitôt après la promulgation, en 1074, des premiers décrets grégoriens ; Tanchelin a probablement connu l'opuscule de Sigebert de Gembloux qui a été très répandu dans les Pays-Bas et il s'en est inspiré [3]. Toutefois il ne se borna pas à défendre la validité des sacrements conférés par les clercs nicolaïtes. Il en vint très vite tout à la fois à attaquer la hiérarchie et à prêcher une morale subversive. Il ne reconnaît aucune autorité dans l'Église, pas même celle du pape auquel il se substitue en quelque sorte, car il se donne comme inspiré de Dieu et fait figure de prophète. Comme tel, il enseigne que les sacrements, à commencer par le mariage, n'ont pas de valeur et, joignant le geste à la parole, il s'offre lui-même toutes sortes de libertés avec les femmes qui ont adhéré à ses doctrines ; les désordres de la chair ne sauraient, dit-il, porter atteinte à la vie de l'âme ! Tanchelin a été très loin dans

(1) Selon A. HAUCK, *Kirchengeschichte Deutschlands*, t. IV, p. 94, il faut voir dans le développement des hérésies en Allemagne une conséquence du fait que, par suite des divisions inhérentes à la lutte du Sacerdoce et de l'Empire, l'épiscopat n'a plus sur le clergé et les fidèles l'influence qu'il avait deux siècles plus tôt et que l'on a cessé d'obéir à ses directives. Il y a certainement, pour l'Allemagne, une grande part de vérité dans cette opinion, mais elle ne saurait valoir pour d'autres pays, comme le Midi de la France, où l'hérésie s'est également propagée.
(2) L'hérésie de Tanchelin (ou Tauchelin) est surtout connue par une lettre du clergé d'Utrecht à l'archevêque de Cologne Frédéric (*Codex Udalrici*, nº 168 dans *Monumenta Bambergensia*, p. 296) qui date de l'année 1112 et par une vie de saint Norbert, XVI (M. G. H., S.S., t. XII, p. 690 et suiv.). Cf. J. GUIRAUD, *op. cit.*, p. 2-3 ; A. HAUCK, *op. cit.*, t. IV, p. 95-97 ; H. PIRENNE, *Tanchelin et le projet de démembrement du diocèse d'Utrecht vers 1100* dans *Académie royale de Belgique. Bulletin de la classe des Lettres et des Sciences morales et politiques*, t. XIII, 1927, p. 112-119.
(3) Cf. t. VIII, p. 102-103.

cette voie ; il n'a pas reculé devant le sacrilège en se fiançant avec la
Vierge Marie et en plaçant sa main dans la main d'une statue de la mère
du Christ.

Sa prédication eut un immense succès et son ascendant sur ses disciples
fut extraordinaire : les trois mille personnes qui le suivaient allaient
jusqu'à boire l'eau dans laquelle il s'était baigné. Parmi ses disciples,
les plus connus sont le prêtre apostat Everwacher et le forgeron Manas-
sès, fondateur de la « Gilde » de treize membres réunissant douze hommes
et une femme qui incarnait Marie.

PROGRÈS DE L'HÉRÉSIE Les idées et les pratiques de Tanchelin ne
tardèrent pas à provoquer une certaine émo-
tion dans l'Église et cela non pas seulement aux Pays-Bas, mais aussi
en Allemagne : Tanchelin fut emprisonné par l'archevêque de Cologne ;
il réussit à s'échapper on ne sait dans quelles conditions et fut tué,
en 1115, par un prêtre. Le mouvement qu'il avait créé ne disparut pas
avec lui. On signale, en 1124, à Anvers l'existence de très nombreux
Tanchelinistes et c'est pour les combattre que saint Norbert installe
dans cette ville ses chanoines réguliers [1]. On en trouve aussi dans la région
de Cologne, où le prévôt de Steinfeld, Evervin, vers 1143, les dénonce à
saint Bernard, et à Trêves où ils s'adonnent aux mêmes pratiques [2].
En 1144, à Liége, les clercs se montrent également fort inquiets, comme
en témoigne la lettre qu'ils adressent à cette date au pape Lucius II [3] ;
ils notent que les erreurs ainsi répandues se rattachent à celles des
sectes manichéennes. Les pays du nord de la France ont été conta-
minés de bonne heure : les Liégeois prétendent que l'hérésie leur est
venue d'un pays de Champagne appelé *Mons Guimari* ; dans le Soisson-
nais, un paysan du nom de Clémentius a prêché les nouvelles doctrines
qui, constate aussi Guibert de Nogent, sont « celles des Manichéens, telles
que saint Augustin les décrivait » [4]. Quelques années plus tôt, vers
1116, l'ermite Henri, originaire de Lausanne, les divulguait autour du
Mans [5] et il est fort probable que le Breton Eudes de l'Étoile, qui com-
parut en 1148 au concile de Reims, était lui aussi un de ces hérétiques
manichéens [6].

SES CARACTÈRES Il résulte des témoignages des chroniqueurs et aussi
des lettres et sermons de saint Bernard, plusieurs.
fois sollicité d'intervenir, que tous ces hérétiques, depuis la région rhénane jusqu'à la Bretagne, professaient à peu près les mêmes doctrines.
Ils rejettent l'autorité de l'Église et substituent parfois à sa hiérarchie
une hiérarchie nouvelle : Eudes de l'Étoile, après avoir changé son nom

---

(1) *Vita Norberti*, xvi.
(2) *Evervini epistola* (*P. L.*, CLXXXII, 676).
(3) *Epistola ecclesiae Leodiensis ad Lucium papam* dans Martène, *Veterum scriptorum am-
plissima collectio*, t. I, p. 777.
(4) Guibert de Nogent, *De vita mea*, III, xvii.
(5) *Gesta episcoporum Cenomannensium* (*Historiens de France*, t. XII, p. 547 et suiv.).
(6) Cf. J. Guiraud, *op. cit.*, p. 14-15.

en celui d'Eon, déclare agir en vertu de l'autorité de celui qui doit venir juger les vivants et les morts ; comme tel, il ordonne des archevêques et des évêques [1] ; à Cologne, on distingue des auditeurs, des croyants et des élus qui correspondent à trois degrés successifs que tout fidèle peut être admis à franchir [2]. Les sacrements sont considérés comme dépourvus de valeur : Clémentius de Soissons n'accorde aucune validité au baptême des enfants et il en est de même un peu partout ; à Liége, ce n'est pas seulement le baptême dont on nie l'efficacité, mais aussi la pénitence, l'ordre et bien entendu le mariage [3].

C'est plus particulièrement contre ce dernier sacrement que s'est porté l'effort des hérétiques manichéens du XIIe siècle et il en est résulté une immoralité qui se traduit par les plus incroyables débauches. Evervin raconte que ces fils de Satan vivent avec des femmes et prétendent qu'en cela ils ne font qu'imiter les apôtres « qui avaient le droit de se faire accompagner par de saintes femmes » [4]. A Soissons, Guibert de Nogent raconte que les deux sexes se réunissaient dans des souterrains et se livraient ensemble aux actes les plus honteux [5]. Au Mans, si l'on en croit l'auteur des *Gesta episcoporum Cenomannensium*, les mêmes habitudes luxurieuses sévissaient parmi les hérétiques [6]. Partout on observe une dépravation éhontée qui arrachera à saint Bernard des cris de violente indignation :

Vous les successeurs des apôtres ! Les apôtres étaient sur le boisseau ; vous êtes, vous, sous le boisseau. Les apôtres étaient la lumière du monde ; vous en êtes les ténèbres. Où avez-vous appris que l'Église doive se cacher et vivre sous terre ? Qu'y a-t-il de commun entre les apôtres et vous ? Que vous traînez comme eux des femmes avec vous, voire même que vous les enfermez avec vous ? Prenez garde : être accompagné d'une femme porte moins au soupçon que de cohabiter avec elle. Et qui aurait jamais soupçonné rien de mal de ceux qui ressuscitaient les morts ? Faites de même, et je suis prêt à prendre pour un homme la femme qui vous accompagne. Sinon, vous êtes un téméraire d'usurper les privilèges de ceux dont vous ne possédez pas la sainteté [7].

RÉPRESSION DE L'HÉRÉSIE   Ce caractère de l'hérésie néo-manichéenne la rendait particulièrement dangereuse : au moment où la Réforme grégorienne visait à un redressement moral, les divers disciples de Tanchelin ruinaient par leurs scandaleuses pratiques la discipline imposée par l'Église. Aussi, un peu partout, évêques, clercs, laïques se montrèrent-ils inquiets et essayèrent-ils d'éteindre les foyers d'hérésie. Deux méthodes s'affrontèrent : celle de saint Bernard qui cherche à convaincre et celle qui avait été pratiquée, dès le début du XIe siècle, par Robert le Pieux, puis plus tard par Henri III [8], qui consiste à supprimer l'erreur par les violences envers les personnes.

(1) Cf. J. GUIRAUD, *op. cit.*, p. 14-15.
(2) *Evervini epist.* III, IV, VI.
(3) Cf. J. GUIRAUD, *op. cit.*, p. 10 et 17.
(4) *Evervini epist.* III.
(5) GUIBERT DE NOGENT, *De vita mea, loc. cit.*
(6) *Gesta episcoporum Cenomannensium, loc. cit.*
(7) Saint BERNARD, *In Cantic. sermo* LXVI, 8.
(8) Cf. t. VII, p. 462.

ROLE DE SAINT BERNARD — Saint Bernard, à la demande d'Evervin, a essayé de réfuter les néo-manichéens. Sa polémique avec eux lui a donné l'occasion de prouver l'utilité sociale du mariage chrétien :

> Il faut être bestial pour ne pas s'apercevoir que condamner les justes noces, c'est lâcher les rênes à toutes sortes d'impudicités. Otez de l'Église le mariage honoré et le lit sans tache, et vous la remplirez de concubinaires, d'incestueux, d'êtres immondes. Choisissez donc : ou peuplez le ciel de tous ces monstres ou réduisez le nombre des élus aux seuls continents. Mais la continence est rare sur la terre. Faut-il croire que le Sauveur se soit anéanti uniquement pour elle ? Comment aurions-nous tous reçu la plénitude de sa grâce, si les continents seuls y ont part. Et de quel droit raccourcit-on ainsi le bras de Dieu [1] ?

Dans un autre sermon, saint Bernard montre avec non moins de finesse les dangers de la cohabitation entre hommes et femmes en dehors du mariage :

> Dites-moi, mon ami, quelle est cette femme que je vois près de vous ? Est-ce votre épouse ? Non, dites-vous, car mon vœu s'y oppose. Est-ce votre fille ? Non encore. Qu'est-ce donc ? Une sœur, une nièce, une parente enfin, à quelque degré que ce soit ? Nullement. Mais alors, comment votre vertu est-elle en sûreté dans une telle compagnie. Etre toujours avec une femme et ne pas pécher est plus difficile que de ressusciter un mort. Cette jeune fille est tous les jours en tête à tête avec vous, et vous voulez que je croie à votre vertu ! Admettons que vous soyez chaste ; cette intimité ne vous est pas permise. Si vous l'ignorez, l'Église défend la cohabitation entre hommes et femmes à ceux qui ont fait vœu de continence. Si vous ne voulez pas scandaliser l'Église, chassez-moi cette femme [2].

La crainte de « scandaliser l'Église » n'embarrassait sans doute pas beaucoup les hérétiques du xiie siècle. L'on peut se demander aussi dans quelle mesure les arguments de saint Bernard ont pu les ramener à une plus saine conception du mariage. Ce qui mérite en tout cas d'être retenu, c'est cet effort pour les convaincre. *Capiantur non armis, sed argumentis*, s'écrie encore l'abbé de Clairvaux [3]. Mais cette méthode de controverse était-elle capable d'aboutir à un résultat tangible ? Bernard ne l'a pas cru ; il a lui-même admis que l'Église devait protéger la foi de ses fidèles en excommuniant les hérétiques et en les livrant, au besoin, au prince séculier pour qu'il les retranche de la société et, par là, les empêche de compromettre le salut éternel de ceux qui vivent dans l'orthodoxie [4].

VIOLENCES A L'ÉGARD DES HÉRÉTIQUES — Ce mode de répression est malheureusement intervenu plus qu'il n'aurait fallu. Peines spirituelles et peines temporelles ont frappé les hérétiques avec une absence de mesure qui déconcerte quelque peu. A Cologne, les disciples de Tanchelin sont traduits devant le tribunal de l'archevêque :

---

(1) Saint BERNARD, *In Cant. sermo* LXVI, 3. Cf. E. VACANDARD, *Vie de saint Bernard*, t. I, p. 214 et suiv.

(2) Saint BERNARD, *In Cant. sermo* LXV, 6.

(3) Saint BERNARD, *In Cant. sermo* LXIV. Cf. aussi *sermo* LXVI, 12 : *Fides sua danda est, non imponenda.* Dans ce dernier sermon, saint Bernard critique ceux qui ont fait périr les hérétiques, *perfidiae martyres.*

(4) Cf. *In Cant. sermo* LXIV, 8 et *sermo* LXV, 1 ; *epist.* CCCLXIII. Cf. E. VACANDARD, *op. cit.*, t. I, p. 220-221.

les uns abjurent, les autres avouent ; très peu s'obstinent à nier. On sou-
met ceux-ci à l'épreuve de l'eau froide, mais ils refusent de renoncer à
leurs doctrines dont ils affectent au contraire de se glorifier et qu'ils se
déclarent prêts à défendre en discussion publique ; le peuple ne leur en
laisse pas le temps et les jette sur un bûcher, malgré la défense du tribunal
ecclésiastique qui fut débordé [1]. A Liége, les choses se passent à peu près
de la même façon [2] et aussi à Soissons où les hérétiques, raconte Guibert
de Nogent, furent d'abord traduits devant un concile réuni à Beauvais,
mais enlevés par le peuple qui les entraîne hors de la ville et les brûle
sans façon [3]. Au Mans, il y a eu également des scènes de violence,
provoquées cette fois par les hérétiques qui infligèrent les pires outrages
à des clercs envoyés pour discuter avec eux ; la sagesse de l'évêque Hildebert réussit pourtant à rétablir la paix ; menacé par les disciples de
l'ermite Henri de Lausanne, le prélat n'usa pas de représailles, mais,
à la suite d'un incendie qui détruisit une partie des faubourgs de sa ville
épiscopale, il fit preuve d'une telle charité qu'il regagna tout le terrain
perdu ; Henri, se sentant abandonné, prit la fuite et tout rentra dans
l'ordre [4]. Quant à Eudes de l'Étoile, il tomba entre les mains de l'évêque
de Saint-Malo, Jean de la Gaille, qui le fit comparaître devant le concile
réuni à Reims en 1148 par Eugène III ; on le condamna à la prison perpétuelle et il mourut peu après ; ses disciples manifestèrent à son égard
la plus aveugle fidélité, ce qui leur valut d'être mis à mort [5].

Ainsi, un peu partout, il est question, dès la première moitié du
XIIe siècle, de répression sanglante et c'est là un symptôme fâcheux qui
ne fera que s'accentuer par la suite. L'hérésie néo-manichéenne n'a été
nullement ruinée par les sentences des conciles et par les bûchers. Au
moment où des adeptes des doctrines de Tanchelin font leur apparition
un peu partout entre le Rhin et la Bretagne, un mouvement plus sérieux
se produit dans le Midi de la France qui devait devenir par la suite l'une
des terres d'élection de l'hérésie cathare.

PIERRE DE BRUYS ET   En 1119, le concile tenu par Calixte II à Tou-
HENRI DE LAUSANNE   louse avait condamné « ceux qui, sous prétexte
                      de zèle, rejettent l'eucharistie, le baptême des
enfants, le sacerdoce ainsi que les autres ordinations ecclésiastiques et
le mariage », en les excluant de l'Église et en ordonnant qu'ils fussent
livrés au pouvoir temporel (c. 3) [6]. Les doctrines incriminées ressemblaient
singulièrement à celles qui, au même moment, se répandaient dans la
région du Rhin et de la Meuse, dans le Maine et en Bretagne. Il y a d'ailleurs une relation entre ces divers foyers d'hérésie, car l'ermite Henri

(1) *Evervini epistola*, II. Voir aussi *Annales Brunwilarenses*, a. 1143 (M. G. H., *S.S.*, t. XVI
p. 727).
(2) *Epistola ecclesiae Leodiensis ad Lucium*.
(3) Guibert de Nogent, *De vita mea*, III, xvii.
(4) *Gesta episcoporum Cenomannensium* (*Historiens de France*, t. XII, p. 550).
(5) On a conservé un récit très circonstancié de ces débats grâce à Guillaume de Newbury,
De rebus anglicis libri v. Voir aussi Otton de Freising, *De gestis Friderici*, iv. Cf. Hefele-
Leclercq, *Histoire des conciles*, t. V, p. 827-829.
(6) Mansi, t. XXI, col. 225. Cf. Hefele-Leclercq, *op. cit.*, t. V, 1re d., p. 570.

de Lausanne, après avoir été chassé du Mans, s'était dirigé vers Poitiers et vers Bordeaux, puis vers la Provence où il avait retrouvé un autre hérétique notoire, Pierre de Bruys, en compagnie duquel il parcourut la Septimanie et la Gascogne. Cette prédication, qui semble avoir été particulièrement ardente, ranima le zèle de ceux qui avaient été condamnés par le concile de Toulóuse et qui n'hésitèrent pas à sortir de l'Église [1].

C'est en effet à l'Église que s'attaquent avant tout Pierre de Bruys et Henri de Lausanne [2]. Ils lui dénient toute autorité en matière de foi aussi bien que de morale. Ils prônent la libre interprétation des textes sacrés, suppriment la plupart des sacrements et avec eux le sacerdoce aussi bien que la hiérarchie. Les églises devenant ainsi inutiles, ils recommandent de les démolir ainsi que les croix dont ils font un véritable massacre, parce que, disaient-ils, ces emblèmes qui rappelaient la Passion du Christ, loin d'être un objet de vénération, suscitaient le mépris et la haine [3]. Ce sont, à peu de chose près, les théories des hérétiques du nord, avec un caractère iconoclaste plus accentué.

PROGRÈS DE L'HÉRÉSIE EN LANGUEDOC Ce qui assura à ces idées une diffusion plus large qu'ailleurs, ce fut la parole attrayante et entraînante de leurs défenseurs. Henri de Lausanne surtout, avec sa haute stature, sa voix bien timbrée, ses yeux vifs et mobiles, exerçait beaucoup de séduction, en particulier sur les femmes auprès desquelles il se montrait assidu et avec lesquelles ses relations ne furent pas toujours très pures [4]. Il eut dans le Midi le même succès qu'au Mans ; le terrain était bien préparé et, sous son impulsion, conjuguée avec celle de Pierre de Bruys, les théories manichéennes connurent en Languedoc, autour de 1140, un réel succès. Le peuple y adhéra avec enthousiasme et la noblesse elle-même se laissa gagner. L'abbé de Cluny, Pierre le Vénérable, constate avec douleur que « toutes les institutions ecclésiastiques sont devenues un objet de mépris » [5] et saint Bernard fait ce tableau, plutôt sinistre, de la ruine religieuse en Languedoc :

Qu'avons-nous appris et qu'apprenons-nous chaque jour ? Quels maux a faits et fait encore à l'Église de Dieu l'hérétique Henri ! Les basiliques sont sans fidèles, les fidèles sans prêtres, les prêtres sans honneur et, pour tout dire en un mot, il n'y a plus que des chrétiens sans Christ. On regarde les églises comme des synagogues ; les sacrements sont vilipendés ; les fêtes ne sont plus solennisées ; les hommes meurent dans leurs péchés ; les âmes paraissent devant le tribunal terrible sans avoir été réconciliées par la pénitence ni fortifiées par la sainte communion. On va jusqu'à priver les enfants des chrétiens de la vie du Christ en leur refusant la grâce du baptême. O douleur, faut-il qu'un tel homme soit écouté et que tout un peuple croie en lui [6] !

(1) Cf. J. GUIRAUD, *op. cit.*, p. 3.
(2) BIBLIOGRAPHIE. — Cette hérésie de Pierre de Bruys et d'Henri de Lausanne n'a pas donné lieu jusqu'ici à des travaux scientifiques. On ne peut que renvoyer à J. GUIRAUD, *op. cit.*, p. 3 et suiv., et à E. VACANDARD, *Vie de saint Bernard*, t. II, p. 224 et suiv.
(3) Ces précisions sur les erreurs des « Pétrobrusiens » et des « Henriciens » sont données par un traité de PIERRE LE VÉNÉRABLE destiné à réfuter leurs erreurs, *Tractatus adversus Petrobrusianos hereticos* (P. L., CLXXXIX, 719-850). Cf. J. GUIRAUD, *op. cit.*, p. 4-5 et E. MALE, *L'art religieux du XIIᵉ siècle en France*, p. 423-424.
(4) *Gesta episcoporum Cenomannensium* (*Historiens de France*, t. XII, p. 549).
(5) PIERRE LE VÉNÉRABLE, *Tractatus adversus Petrobrusianos hereticos* (P. L., CLXXXIX, 787).
(6) Saint BERNARD, *Epist.* CCXLI.

Histoire de l'Église. 1. IX.   7

C'est à Henri de Lausanne que font allusion ces derniers mots. Au moment où la lettre fut écrite, Pierre de Bruys avait été brûlé à Saint-Gilles [1], mais Henri était plus actif que jamais, au point d'inquiéter la papauté elle-même. En 1145, le légat Albéric, cardinal-évêque d'Ostie, fut chargé par Eugène III d'aller combattre l'hérésie en Languedoc : il s'adjoignit l'évêque de Chartres, Geoffroy, et saint Bernard qui, quoique très éprouvé par une santé délabrée, répondit aussitôt à son appel [2].

INTERVENTION DE SAINT BERNARD — L'abbé de Clairvaux semblait indiqué pour mener une lutte qui s'annonçait difficile. Son éloquence pouvait en imposer aux populations conquises par celle d'Henri de Lausanne, mais surtout sa pureté de mœurs, son ascétisme, son total désintéressement étaient la vivante réfutation des appréciations portées par les hérétiques sur la richesse et le laisser-aller du clergé. Sa mission fut, en outre, fort bien préparée, grâce à un contact préalable avec les évêques et avec le comte de Toulouse, Alphonse [3].

C'est vers Toulouse que saint Bernard se dirige, mais, au passage, il prêche à Poitiers, à Bergerac, à Périgueux, à Sarlat, à Cahors [4]. Toulouse était la citadelle de l'hérésie qui y réunissait de multiples adeptes. La crainte d'une controverse publique avec saint Bernard, que le peuple désirait vivement, poussa Henri de Lausanne à s'éloigner. L'abbé de Clairvaux sut admirablement tirer parti de cette retraite ; il eut beau jeu d'affirmer que Henri n'avait pas osé affronter un débat en présence de ceux qu'il avait essayé de gagner à des doctrines perverses, qu'il avait redouté qu'on ne dévoilât ses mauvaises mœurs, que l'on ne mît à nu la bassesse de ses sentiments et sa scandaleuse hypocrisie [5]. Les conversions pourtant ne furent pas tout d'abord aussi nombreuses que Bernard l'avait espéré. Sa charité devait opérer plus de conquêtes que ses discours : ses biographes lui attribuent des miracles dont il est difficile de contrôler l'exactitude [6] ; du moins en visitant les malades, en consolant les affligés, en portant à toutes les blessures physiques ou morales le baume divin, en se montrant bon pour tous, a-t-il persuadé ses adversaires qu'il était l'envoyé de Dieu. Tout en constatant que pour un pays aussi atteint une longue prédication serait nécessaire, Geoffroy de Chartres ne pouvait se défendre de l'espoir que l'hérésie ne tarderait pas à disparaître dans Toulouse.

Saint Bernard eut, semble-t-il, moins de succès à Verfeil où il se rendit ensuite, mais à Albi, où le légat qui l'avait précédé n'avait pu réunir plus de trente personnes pour assister à sa messe, la cathédrale fut trop

(1) Pierre le Vénérable, op. cit., praefatio (P. L., CLXXXIX, 723).
(2) Bernardi vita, III, vi.
(3) C'est à lui qu'est adressée la lettre citée à la p. 97, n. 6.
(4) Epistola Gaufredi, monachi Claraevallensis quaedam s. Bernardi miracula recensens dans A. A., S.S., Augusti, t. IV, p. 349 et suiv. Cf. J. Guiraud, op. cit., p. 6-7.
(5) Epistola Gaufredi, iv et suiv.
(6) Suivant Geoffroy de Chartres, Epist., vii, il aurait notamment guéri un chanoine paralysé des deux jambes et ce miracle, dont le bruit se répandit très vite dans la ville, aurait amené la conversion d'un grand nombre d'hérétiques. Cf. aussi Bernardi vita, III vi.

petite pour contenir ceux qui voulaient l'entendre. Geoffroy de Chartres, qui donne ce détail, a conservé l'essentiel de son discours. « Je suis le semeur de l'Évangile, dit-il en commençant ; j'étais venu semer dans votre champ et j'ai trouvé le sol occupé par une mauvaise semence ; mais vous êtes un champ raisonnable, le champ du Seigneur, et vous choisirez entre les deux semences ». Saint Bernard aurait ensuite procédé à une comparaison minutieuse entre les théories de Henri de Lausanne et les doctrines orthodoxes, en terminant par un vigoureux appel à l'unité catholique, qui enflamma tous les cœurs [1].

Le redressement paraissait donc en bonne voie, mais saint Bernard, toujours pressé de regagner Clairvaux, séjourna à peine deux mois en Languedoc (juin-juillet 1145). Il s'imaginait que sa prédication avait ramené les hérétiques au sein de l'Église d'une façon durable ; il comptait que les moines cisterciens de Grandselve continueraient son action, mais il se trompait : les doctrines de Henri de Lausanne avaient poussé des racines trop profondes pour être ainsi éliminées en quelques semaines et, bien que leur auteur ait disparu peu après [2], elles ne tardèrent pas à retrouver leurs anciens adeptes ou à en faire de nouveaux. Vingt ans plus tard, l'hérésie manichéenne réapparaîtra en Languedoc sous une autre forme, mais avec une virulence accrue, et donnera lieu alors à des luttes sanglantes.

§ 2. — Le mouvement pour la pauvreté : Arnaud de Brescia [3].

ARNAUD DE BRESCIA   A côté du mouvement né du manichéisme un autre a pris place, qui ne concerne qu'indirectement le dogme et la morale, mais qui confine au terrain fragile et mouvant de la politique ; il s'incarne en la personne, si curieuse à tous égards, d'Arnaud de Brescia.

Né sans doute dans les dernières années du xıᵉ siècle, originaire de Brescia, Arnaud est venu en 1115 à Paris où il a suivi les leçons d'Abélard auquel il a voué une admiration profonde, mêlée de beaucoup d'affection. Dans quelle mesure a-t-il adhéré aux théories philosophiques de son maître, il est difficile de le dire. De bonne heure il s'oriente sur une voie assez différente. Dès sa jeunesse, il s'était distingué par la pureté de ses mœurs et par son amour très sincère de la pauvreté, en même temps que par un tempérament impétueux qu'il avait peine à refréner. En 1119, il revient dans sa ville natale, est ordonné prêtre et devient abbé d'une communauté de chanoines réguliers. Il assiste aux luttes qui mettent aux prises le peuple de Brescia avec l'évêque Manfred. Celui-ci était

(1) *Epistola Gaufredi*, x. Cf. E. VACANDARD, *op. cit.*, t. II, p. 237-239.
(2) Suivant J. GUIRAUD, *op. cit.*, p. 9, qui se fonde sur le témoignage d'Aubri de Trois-Fontaines, a. 1148 (M. G. H., *S.S.*, t. XXIII, p. 839), Henri de Lausanne aurait été traduit, en 1148, devant le concile de Reims par l'évêque de Toulouse qui s'était assuré de sa personne et il fut condamné à la prison perpétuelle. D'après VACANDARD, *op. cit.*, t. II, p. 240, n. 2, Aubri de Trois-Fontaines aurait confondu Henri de Lausanne avec Eudes de l'Étoile, qui fut en effet condamné à la prison perpétuelle par le concile de Reims (cf. *supra*, p. 96), et Henri de Lausanne aurait terminé sa vie dans les prisons de l'évêque de Toulouse.
(3) BIBLIOGRAPHIE. — Elle a été indiquée *supra*, p. 42. n. 1.

cependant animé d'intentions réformatrices qui soulevèrent contre lui les prêtres dissolus, décidés à persévérer dans le vice. Arnaud de Brescia, dont les mœurs étaient sans tache, aurait dû, semble-t-il, se trouver aux côtés de son évêque dans cette lutte pour la chasteté cléricale. Son tempérament l'amena au contraire à prendre parti à la fois contre Manfred et contre les opposants. A ses yeux, il fallait chercher l'origine de tels scandales dans la richesse de l'Église et la réforme morale, qu'il souhaitait, ne pouvait triompher que si au préalable le clergé renonçait à ses biens, puis, après les avoir remis aux laïques, se confinait dans la plus stricte pauvreté. En conséquence, il proposait la suppression de toute propriété ecclésiastique, ce qui le mit en conflit avec son évêque [1]. Par là il se séparait de saint Bernard qui, tout en formulant les critiques les plus dures à l'égard des évêques amollis et enorgueillis par le luxe [2], n'a jamais formulé semblable remède aux fâcheuses tendances de certains membres du clergé.

SA CONDAMNATION PAR INNOCENT II — Les choses s'envenimèrent lorsque, l'évêque Manfred s'étant rendu à Rome en 1138, Arnaud souleva la ville de Brescia contre lui en son absence, afin de l'empêcher de rentrer. Dénoncé au concile du Latran, il fut frappé des plus dures sanctions : Innocent II lui retira sa charge et le pria de quitter l'Italie où il lui était interdit de revenir et de prêcher sans une autorisation pontificale [3]. Arnaud retourna alors en France où il retrouva Abélard qui commençait lui-même à être inquiété et il l'accompagna au concile de Sens, en 1140 [4]. Invité lui aussi à se retirer dans un cloître, il ne fit pas preuve du même esprit de soumission que son maître et s'installa à Paris sur la montagne Sainte-Geneviève où il reprit ses attaques contre le clergé séculier et régulier.

NOUVELLES ATTAQUES D'ARNAUD CONTRE LE CLERGÉ — Pendant cette période de sa vie, tout en ne modifiant guère ses doctrines sur la pauvreté, il leur donne un tour de plus en plus acerbe et se montre particulièrement violent envers les personnes. « Il s'emportait contre les évêques, raconte l'*Historia pontificalis*, leur reprochant leur cupidité, leurs honteux profits et le plus souvent la turpitude de leur vie ». Saint Bernard, auquel Arnaud gardait beaucoup de rancune pour ses attaques contre Abélard, n'est pas épargné : il est représenté comme un moine « altéré de vaine gloire et jaloux de tous ceux qui avaient un nom dans les lettres ou dans la religion, s'ils n'étaient pas de son école » [5].

(1) Otton de Freising (*Gesta Friderici*, II, xx) a fort bien résumé les idées d'Arnaud de Brescia en ces termes : *Dicebat nec clericos proprietátem nec episcopos regalia nec monachos possessiones habentes aliqua ratione salvari posse ; cuncta haec principis esse, ab ejusque beneficentia in usum tantum laicorum cedere oportere.*
(2) Cf. *supra*, p. 27-30.
(3) Otton de Freising, *Gesta Friderici*, II, xx ; Jean de Salisbury, *Historia pontificalis*, xxxi. Cf. Hefele-Leclercq, *Histoire des conciles*, t. V, 1re p., p. 735-737.
(4) Cf. *supra*, p. 25-26.
(5) Jean de Salisbury, *Historia pontificalis*, xxxi.

Ces attaques produisirent très mauvais effet, même parmi les étudiants. La royauté capétienne s'inquiéta elle aussi ; saint Bernard avait informé Louis VII du danger que faisait courir « le schismatique incorrigible, le semeur de discordes, le perturbateur de la paix, le destructeur de l'unité » [1]. Arnaud fut invité à quitter la France. Il se réfugia à Zurich où il reprit ses prédications auxquelles il conserva leur thème habituel. Saint Bernard prévint aussitôt l'évêque de Constance, Hermann, dont relevait Zurich : « Chassé de Brescia, de l'Italie, de la France, lui écrivait-il, Arnaud opère maintenant, paraît-il, l'iniquité dans votre diocèse et dévore votre peuple comme une bouchée de pain ». Tout en rendant hommage à l'austérité de vie de l'hérétique, il dénonçait « sa faim et sa soif du sang des âmes », expliquait comment, « par ses discours flatteurs et le semblant de ses vertus », Arnaud captait les riches et les puissants pour s'insurger ensuite contre les clercs, les évêques et se déchaîner contre l'ordre ecclésiastique tout entier. « Le Seigneur pape, concluait-il, avait déjà ordonné de le lier, mais il ne s'est trouvé personne pour accomplir cette bonne action. Qui donc liera enfin ce loup féroce, afin qu'il n'escalade plus la bergerie du Christ et qu'il n'égorge plus les brebis » [2] ?

On ne sait pas quel a été l'effet de cette intervention. En tout cas, en 1143, on retrouve Arnaud de Brescia en Bohême où il reçut de la part d'un légat du pape, du nom de Guy, un accueil plus réconfortant. Saint Bernard s'empressa de mettre en garde le représentant du Saint-Siège. « Ce n'est pas sans motif, lui écrivait-il, que le vicaire apostolique a forcé cet homme, originaire d'Italie, à passer les Alpes et ne souffre pas qu'il rentre dans sa patrie ». Il ajoutait : « Le favoriser, c'est donc être en opposition avec le Seigneur pape et même avec le Seigneur Dieu » [3]. L'abbé de Clairvaux formulait cependant l'hypothèse d'une conversion possible d'Arnaud de Brescia et telle était, semble-t-il, la vérité, car, en 1146, Arnaud vient à Viterbe, se jette aux pieds d'Eugène III, fait amende honorable et reçoit son absolution après avoir promis d'accomplir la pénitence prescrite par le pape [4]. Un an plus tard tout était à recommencer : Arnaud était venu à Rome, comme l'avait exigé Eugène III, et il avait tenu ses engagements jusqu'au jour où, se laissant gagner par le mouvement populaire, il reprit ses prédications, fonda une secte qui lui survivra sous le nom d'*hérésie des Lombards* et dans laquelle on pratiquait une vie chaste et austère, tout en multipliant les attaques les plus pernicieuses contre le clergé et contre le pape lui-même [5].

MORT D'ARNAUD DE BRESCIA   Arnaud de Brescia, devenu l'idole des Romains, sera placé par eux à la tête de la commune, mais, en 1155, livré à Adrien IV qui le remettra lui-même au bras séculier ; il aura la tête tranchée ; son cadavre sera brûlé et ses

---

(1) Saint BERNARD, *Epist.* cxcv.
(2) *Ibid.* Cf. E. VACANDARD, *op. cit.*, t. II, p. 250-251.
(3) Saint BERNARD, *Epist.* cxcvi.
(4) *Historia pontificalis*, xxxi.
(5) *Ibid.* Cf. J. GUIRAUD, *op. cit.*, p. 28-29.

cendres seront jetées dans le Tibre [1]. Malgré des intentions à l'origine assez pures, il a, précisément en raison de sa dignité de vie, contribué à saper l'édifice catholique en s'attaquant à la hiérarchie. Tout d'abord prédicateur de la pauvreté dont il donnait lui-même l'exemple, il en est venu, sous prétexte que le clergé ne pratiquait pas cette vertu, à nier l'utilité du sacerdoce, puis à rejeter les sacrements parce qu'ils étaient conférés par les prêtres. Par là il rejoint les hérésies nées du manichéisme et il semble bien qu'après sa mort celles-ci se soient développées dans l'Italie du Nord en retenant un bon nombre de ses théories. En lui se rejoignent les divers courants qui s'étaient dessinés pendant la première moitié du XIIe siècle et qui vont devenir l'impétueux torrent que l'Église aura tant de peine à endiguer par la suite.

(1) Cf. J. GUIRAUD, *op. cit.*, p. 29-30.

CHAPITRE IV

LA RÉFORME MONASTIQUE

L'Église d'Occident, pendant le second quart du XIIe siècle, ne se contente pas de lutter contre le schisme et contre l'hérésie. Toujours animée de l'idéal grégorien, elle se préoccupe de diffuser parmi ses membres le plus pur esprit chrétien et de propager partout la Réforme. La grande figure de saint Bernard va émerger, une fois de plus, au-dessus de toutes celles des artisans de cette régénération morale, papes, évêques, clercs et moines qui souvent ont sollicité les conseils ou les directions de l'abbé de Clairvaux. Avec lui les habitudes monastiques tendent de plus en plus à s'insinuer dans l'Église séculière. Cela tient à l'extraordinaire force de rayonnement qu'a acquise le monachisme qui, sous des formes multiples et variées, a rarement connu pareille intensité de vie et d'action.

Pendant les dernières années du XIe siècle et les premières du XIIe, il y avait eu une véritable efflorescence d'ordres nouveaux [1], mais, pour la plupart, ils ont laissé peu de traces dans l'histoire de l'Église au temps de saint Bernard. Parmi eux, seuls les Chartreux et les Cisterciens méritent de retenir l'attention, tandis que Cluny continue à incarner une certaine forme de la vie bénédictine et que Prémontré, aux frontières de l'Église séculière, prolonge, en lui imprimant un nouveau caractère, le mouvement qui, au XIe siècle, avait porté les chapitres à se régulariser selon la règle dite de saint Augustin.

§ 1. — Les Chartreux [2].

LES CHARTREUX APRÈS LA MORT DE SAINT BRUNO

Depuis la mort de saint Bruno, survenue en 1101, les communautés de Chartreux n'avaient cessé de s'accroître, tellement les pratiques qui y étaient observées correspondaient aux besoins ascétiques de certaines âmes, éprises de perfection chrétienne. La Grande Chartreuse a eu la chance d'avoir, au début du XIIe siècle, un prieur tout à fait remarquable en la personne de Guigues du Châtel auquel elle doit son orientation définitive.

GUIGUES, PRIEUR DE LA GRANDE CHARTREUSE

Originaire du Dauphiné, Guigues est entré à la Grande Chartreuse en 1107 et a été élu prieur en 1110 ; il devait exercer cette charge pendant vingt-sept ans, jusqu'à sa mort (1137).

---

(1) Cf. t. VIII, p. 445 et suiv.

(2) BIBLIOGRAPHIE. — Voir t. VIII, p. 445, n. 3. La règle des Chartreux a été publiée sous le titre de *Statuta ordinis cartusiensis a domno Guigone priore Cartusiae edita*, Bâle, 1510, et rééditée par MIGNE dans *P. L.*, CLIII, 631-760. Elle a donné lieu à un bon commentaire de S. AUTORE, art. *Chartreux* dans *Dictionnaire de théologie catholique*, t. II, 1905, col. 2273 et suiv.

Fidèle à l'esprit de saint Bruno, il a développé avant tout chez ses frères le goût de la vie érémitique, telle qu'on la comprenait à la Chartreuse. Il a laissé des lettres et des « méditations » sur les avantages de la solitude, sur la vérité et la paix, sur les quatre degrés par lesquels l'âme s'élève vers Dieu, à savoir la lecture, la méditation, la prière, la contemplation [1], où il a exposé sa conception de la vie monastique. Saint Bernard, qui est venu à la Grande Chartreuse, y a trouvé une atmosphère conforme à ses propres aspirations et il a entretenu avec Guigues une correspondance qui témoigne de l'harmonie de leurs aspirations, au point que, comme l'écrit Guillaume de Saint-Thierry, ils devinrent, après leur entrevue, « un cœur et une âme » [2]. Toutefois il semble que Guigues ait accordé à l'étude une part plus importante que l'abbé de Clairvaux. Une de ses préoccupations essentielles a été de constituer la bibliothèque du monastère. Pour cela, il a organisé une véritable chasse aux manuscrits et il s'est adressé à Cluny d'où Pierre le Vénérable lui envoya, avec un Crucifix, les vies de saint Grégoire de Nazianze et de saint Jean Chrysostome, la réponse de saint Ambroise au discours de Symmaque devant le Sénat, en lui annonçant que d'autres livres suivraient [3]. Guigues a manifesté sa reconnaissance dans une lettre touchante où, après s'être déclaré le « serviteur et fils du seigneur et père, le très révéré abbé de Cluny », il continue en ces termes :

Crucifié vous-même, vous avez envoyé l'image du Crucifié à des hommes qui doivent être des crucifiés. Nous rendons grâce pour la qualité du don à la charité du donateur. Mais, si la charité que vous nous témoignez apporte un grand soulagement à notre infirmité, l'humilité dont vous faites preuve cause une grande confusion à notre bassesse. Au nom de l'affection dont votre cœur brûle pour nous, indignes, nous vous demandons, quand vous daignerez nous écrire, de penser suffisamment à notre édification pour ne pas exposer notre faiblesse à un dangereux orgueil [4].

RÉDACTION DE LA RÈGLE DES CHARTREUX   En même temps qu'il s'efforçait d'inculquer à ses frères l'amour de la pénitence et du travail sous toutes ses formes, Guigues se préoccupait de satisfaire à un vœu qui lui avait été adressé tout à la fois par l'évêque de Grenoble, saint Hugues, et par les supérieurs des ermitages établis sur le modèle de la Chartreuse, qui étaient maintenant au nombre de sept. On demandait au prieur, pour unifier les pratiques en usage dans les divers monastères, d'établir une règle commune ; Guigues déféra volontiers à ce désir et, de 1127 à 1130 environ, il rédigea les *Consuetudines* [5].

Cette règle contient soixante-dix-neuf titres ou chapitres. Elle est, comme on l'a remarqué [6], « une sorte de mélange, ingénieusement combiné, de la vie érémitique et de la vie cénobitique ». Chaque moine a sa cellule où il travaille, prie, fait sa cuisine, mange et dort seul ; mais,

(1) On trouvera les œuvres de Guigues dans *P. L.*, CLIII, 593-630.
(2) *Bernardi vita*, III, II. Cf. saint BERNARD, *Epist.* XI, XII.
(3) PIERRE LE VÉNÉRABLE, *Epist.* I, 24.
(4) GUIGUES, *Epist.* II (*P. L.*, CLIII, 594).
(5) Les éditions de la règle ont été indiquées p. 103, n. 2.
(6) E. VACANDARD, *Vie de saint Bernard, abbé de Clairvaux*, t. I. p. 189.

l'occupation essentielle de la vie monastique étant l'office liturgique, la règle prévoit que les moines se réuniront à l'église pour la messe et pour les heures. En d'autres termes, le Chartreux vit comme un ermite, en ce sens que, sauf aux moments où il retrouve ses frères pour l'*opus Dei*, il est seul, ce qui lui permet de s'astreindre plus sûrement à la loi du silence sans laquelle il ne saurait y avoir de véritable vie monastique. C'est là ce qui fait la grande originalité de la règle des Chartreux qui, par ailleurs, apparaît comme une combinaison de la discipline cistercienne et de la discipline clunisienne. Comme à Cîteaux, on pratique à la Chartreuse un rigoureux ascétisme soit dans la nourriture, soit dans le vêtement qui comporte un cilice que le moine ne quitte ni jour ni nuit, mais le travail intellectuel, à peu près banni des abbayes cisterciennes, occupe à la Chartreuse, comme à Cluny, une place privilégiée et, dans la paix de sa cellule, le moine s'adonne à l'étude, principalement à celle de la théologie.

LES CHAPITRES DE 1142 ET 1143   La rédaction d'une règle était un premier pas vers l'unité. Celle-ci n'était pas pleinement réalisée par les *Consuetudines* qui, tout en créant une discipline commune aux différentes Chartreuses [1], ne les réunissaient pas sous la forme d'un ordre ayant à sa tête un supérieur général. On aspirait à cet indispensable complément des « coutumes ». Guigues était disposé à entrer dans cette voie, mais la catastrophe qui, le 30 janvier 1132, amena la destruction du couvent de la Grande Chartreuse enseveli sous une avalanche [2], retarda la réalisation de cette réforme. C'est seulement en 1142 qu'Anthelme, qui fut prieur de 1139 à 1151, réunit un premier chapitre général où cinq maisons seulement furent représentées. On ne put arriver à aucun résultat positif, certains ermitages, dont celui de Calabre, tenant à conserver leur autonomie. Un second chapitre, en 1143, ne réalisa pas non plus la réforme souhaitée. Vingt ans plus tard, le 17 avril 1164, Alexandre III, ratifiant le décret du troisième chapitre, réuni l'année précédente, organisa les Chartreux en un ordre [3]. Ainsi se perpétuera une forme de vie monastique dont on ne saurait méconnaître la réelle originalité.

§ 2. — Les abbayes cisterciennes [4].

DÉVELOPPEMENT DE L'ORDRE CISTERCIEN   On a déjà cité le texte de Guillaume de Saint-Thierry rappelant les progrès réalisés par l'ordre cistercien aussitôt après l'entrée de saint Bernard dans la célèbre abbaye bourguignonne (1112). « A dater

(1) C'est ainsi que l'on nommera désormais les ermitages, le nom de Grande Chartreuse étant réservé au plus ancien d'entre eux.
(2) Voir le récit de cette catastrophe dans ORDERIC VITAL, *Historia ecclesiastica*, XIII, VI, qui la place à tort en 1134.
(3) JAFFÉ-WATTENBACH, 11.019. Sur les premiers chapitres, voir surtout S. AUTORE, art. *Chartreux* dans *Dictionnaire de théologie catholique*, t. II, col. 2284.
(4) BIBLIOGRAPHIE. — I. SOURCES. — Voir p. 13, n. 1, celles qui concernent saint Bernard. On trouvera la liste chronologique des abbayes avec leur filiation dans L. JANAUSCHEK, *Origines cistercienses*, Vienne, 1877. Pour les statuts édictés par les chapitres de l'ordre, voir : J. M. CANIVEZ,

de ce jour, Dieu bénit Cîteaux, de telle sorte que cette vigne du Seigneur porta ses fruits et qu'elle étendit ses rameaux jusqu'à la mer et au delà »[1]. Au cours des années qui suivirent, l'affluence devint telle qu'il fallut fonder des filiales : en 1113 celle de La Ferté (Saône-et-Loire), en 1114 celle de Pontigny (Yonne), en 1115 celles de Morimond (Aisne) et de Clairvaux (Aube)[2].

FONDATION DE CLAIRVAUX La dernière de ces créations est l'œuvre de saint Bernard. Quoique le jeune seigneur bourguignon fût récemment arrivé à Cîteaux, l'abbé Étienne Harding n'a pas hésité à lui confier la délicate mission d'établir une nouvelle colonie aux bords de l'Aube, sur la terre mise à la disposition des moines par le comte de Champagne, Hugues Ier. Bernard répondit avec empressement à l'appel de son supérieur ; il partit avec douze religieux dont plusieurs appartenaient à sa propre famille. Après quelques jours de marche, les voyageurs atteignirent le lieu sauvage et broussailleux, désigné sous le nom de « vallée de l'absinthe », situé aux confins du plateau de Langres, à l'issue de deux gorges étroites que dominaient des croupes calcaires et blanchâtres, au milieu des forêts, où ils devaient vivre désormais. Ils n'avaient, selon la coutume cistercienne, emporté avec eux que les quelques objets nécessaires à la célébration du culte et il fallut tout créer avec les maigres ressources que l'on pourrait trouver sur place. Malgré cet extrême dénuement, on se mit courageusement à l'œuvre ; on dressa un autel et l'on construisit des cabanes en planches qui servirent de monastère. L'évêque du lieu, Josseran de Langres, étant absent, saint Bernard se rendit à Châlons-sur-Marne pour recevoir l'ordination des mains de Guillaume de Champeaux, puis il vint rejoindre ses compagnons dans leur désert qu'ils avaient, non sans quelque ironie, baptisé Clairvaux[3].

Statuta Capitulorum generalium ordinis cisterciensis ab anno 1116 ad annum 1786, t. I (1116-1220), Louvain, 1933 (*Bibliothèque de la Revue d'histoire ecclésiastique*, fasc. 9). Le *Cartulaire de Clairvaux*, très précieux pour l'histoire économique des abbayes cisterciennes, se trouve en partie à la Bibliothèque municipale de Troyes, en partie aux Archives de l'Aube.

II. TRAVAUX. — Les ouvrages relatifs à saint Bernard signalés p. 13, n. 1, notamment celui de E. VACANDARD, contiennent un bon nombre d'indications sur le développement de l'ordre cistercien au milieu du XIIe siècle. Pour l'organisation des abbayes, on continuera à avoir recours au livre ancien, mais toujours utile, de H. D'ARBOIS DE JUBAINVILLE, *Études sur l'état intérieur des abbayes cisterciennes et principalement de Clairvaux au XIIe et au XIIIe siècle*, Paris, 1858. Outre quelques pages très suggestives dans les ouvrages de G. SCHNUERER, *L'Église et la civilisation au moyen âge*, trad. G. CASTELLA, t. II, Paris, 1935, et de A. HAUCK, *Kirchengeschichte Deutschlands*, t. IV, 3e-4e édit., Leipzig, 1913, on pourra encore consulter : E. HOFFMANN, *Die Entwicklung der Wirtschaftsprinzipen des Cistercienserorden während des 12. und 13. Jahrhunderts* dans *Historisches Jahrbuch*, t. XXXI, 1910 ; E. MAIRE, *Les Cisterciens en France, autrefois et aujourd'hui*, Paris, 1922 ; G. FONTAINE, *Pontigny, abbaye cistercienne*, Paris, 1928 ; J. CANIVEZ, *L'ordre de Cîteaux en Belgique, des origines (1132) au XXe siècle*, Forges-lez-Chimay 1926 ; E. DE MOREAU, *L'abbaye de Villers-en-Brabant aux XIIe et XIIIe siècles*, Bruxelles, 1909 ; F. WINTER, *Die Cistercienser des nordöstlichen Deutschlands*, Gotha, 1868, 3 vol. ; H. SVOBODA, *Die Klosterwirtschaft der Cistercienser im östlichen Deutschland*, Nuremberg, 1930 ; E. ORTVED, *Cistercicordenen og dens Klostre i Norden*, Copenhague, 1928 ; F. HALL, *Beiträge zur Geschichte der Cistercienserklöster in Schweden*, Bregenz, 1903 ; F. A. MULLIN, *A history of the work of the Cistercians in Yorkshire*, Washington, 1932 ; E. LAMBERT, *L'art gothique en Espagne aux XIIe et XIIIe siècles*, Paris, 1931.

(1) *Vita S. Bernardi*, I, IV.
(2) Cf. t. VIII, p. 456.
(3) On trouvera le récit de la fondation de Clairvaux dans la *Vita S. Bernardi*, I, V-VII. Cf. E. VACANDARD, *Vie de saint Bernard, abbé de Clairvaux*, t. I, p. 64 et suiv.

La fondation de Clairvaux a eu d'incalculables conséquences. L'abbaye dirigée par saint Bernard est devenue très vite le modèle des monastères cisterciens. Il y eut cependant au début quelques tâtonnements. Persuadé que, pour arriver à la pure contemplation, but et objet de la vie monastique, il était nécessaire avant tout de briser le corps par de multiples mortifications, saint Bernard s'est imaginé qu'il pourrait astreindre ses frères aux dures pénitences qu'il s'infligeait à lui-même. Il dut bientôt revenir de cette illusion. Ses compagnons lui ayant fait l'aveu de leurs faiblesses, il fut tout d'abord surpris de « rencontrer des hommes, quand il croyait avoir affaire à des anges », mais, ajoute Guillaume de Saint-Thierry, « l'humilité des disciples servit de leçon au maître »[1] ; l'influence de Guillaume de Champeaux, ce savant et ce diplomate animé d'un robuste bon sens et d'un grand cœur[2], fit le reste : Bernard comprit ce qu'était la fragilité humaine et il en vint peu à peu à réprouver chez les autres les excès d'austérité qu'il se réserva à lui seul. Il sut appliquer la règle avec mesure ; personne ne s'est montré plus expert dans la direction des moines, spécialement dans la formation des novices.

COMMENT ON PRATIQUE LA RÈGLE CISTERCIENNE A CLAIRVAUX — Soucieux d'appliquer la règle selon sa lettre et plus encore conformément à l'esprit qui l'anime, saint Bernard a cherché par dessus tout à préserver les moines de deux dangers, la femme et la science profane.

La femme lui est toujours apparue comme l'incarnation du démon, non pas qu'il la méprise (il a fondé des monastères de femmes), mais il redoute pour ses frères les fréquentations féminines. « Pas de conversation avec les femmes, n'admettez même pas leurs visites », écrivait-il à un solitaire qui demandait s'il lui était permis de s'entretenir avec les dames subvenant à ses besoins par leurs aumônes[3]. Aussi veille-t-il à l'observation très stricte de l'article de la Règle qui interdit aux femmes de pénétrer dans les abbayes cisterciennes, même dans les fermes et autres dépendances. Il sait d'ailleurs mesurer toute l'étendue du sacrifice qu'il impose. « Ce n'est pas un médiocre mérite que de ne pas toucher à une femme », a-t-il pu écrire[4], mais il est impossible, à ses yeux, de vivre honnêtement en une telle compagnie. Aussi, non contents de pratiquer une absolue chasteté, les moines doivent-ils éviter jusqu'à l'occasion du péché qui par elle-même constitue déjà un péché.

Ce n'est pas seulement la femme que saint Bernard bannit des abbayes cisterciennes ; c'est aussi la science profane, cette autre ennemie du moine qui tant de fois a causé sa perdition.

La science n'est pour lui que « la paille de la gloire »[5] ; le moine ne peut attendre d'elle qu'un renouveau d'orgueil et d'égoïsme qui l'éloignera

---

(1) *Bernardi vita.* I, vi.
(2) Sur Guillaume de Champeaux, cf. t. VIII, p. 380-382.
(3) Saint BERNARD, *Epist.* ccccıv.
(4) Saint BERNARD, *De praecepto et dispensatione*, xv.
(5) Saint BERNARD, *Epist.* cvııı. Cf. aussi *Epist.* cıv au moine Gautier, pour le détourner de l'étude.

de Dieu. Elle est la source des tentations de l'esprit, comme la femme est la source des tentations de la chair. L'une et l'autre constituent les deux obstacles qui s'opposent à l'acquisition des vertus fondamentales du moine, celles qui le mènent sûrement à Dieu, la chasteté et l'humilité.

Il faut également éviter tout contact avec les autres impuretés du siècle. Le moine cistercien sacrifiera ses richesses « dont la possession est une charge, l'amour une souillure, la perte une cruelle souffrance » et qu'il faudra bien, si on ne les abandonne par amour du Christ, remettre un jour à la mort, « cette voleuse à laquelle vous ne pouvez soustraire ni vous ni vos biens »[1]. Il se séparera également de sa famille, si dur que cela puisse paraître, pour obéir à la parole divine : *Celui qui aime son père et sa mère plus que moi n'est pas digne de moi*, car abandonner une mère pour aller à Dieu, « c'est pour son bien et c'est une preuve qu'on l'aime davantage »[2].

Aussi la vie du moine n'est-elle qu'un perpétuel renoncement. Pour se maintenir dans cette voie, il n'aura qu'à se plier aux exigences de la règle qui se résument, pour saint Bernard, en ces deux mots : pénitence et obéissance. On a vu comment l'abbé de Clairvaux a donné l'exemple de ces deux vertus fondamentales[3]. Non content de les prêcher par son exemple, il a veillé à leur stricte observation dans le monastère qui lui était confié. L'ordinaire de Clairvaux était d'une exceptionnelle frugalité : laitages, poissons et œufs n'ont jamais franchi le seuil de l'abbaye où l'on vécut plus d'une fois de feuilles et de faînes, l'amour de Dieu se chargeant de suppléer à l'insuffisance de la nourriture[4]. Le vêtement n'était pas l'objet de plus de soins et les moines durent se contenter de tuniques rapiécées ou de chaussures sommairement raccommodées. Saint Bernard se préoccupe encore davantage de la mortification de l'esprit : il entend supprimer chez ses moines ce qu'il appelle la « volonté propre », c'est-à-dire « celle qui est purement la nôtre et ne s'accorde ni avec celle de Dieu ni avec celle des hommes », que Dieu hait et punit, parce qu'elle est aux antipodes de la charité[5]. Pour parvenir à cette fin, il exige l'obéissance totale, sûr moyen pour le moine de parvenir à cette indispensable mortification de l'esprit. Cela n'empêchera pas l'abbé de Clairvaux de manifester une délicatesse touchante dans ses rapports avec ses frères : s'il n'hésite pas à sévir quand il le faut, il excelle aussi à consoler les repentants, à soutenir les faibles, à faire spontanément accepter par tous une discipline qui, pour être rigoureuse, n'en demeure pas moins paternelle, on pourrait presque dire maternelle, tellement elle est enveloppée de douceur et de mansuétude. « Si la misé-

(1) Saint BERNARD, *Epist.* CIII.
(2) Saint BERNARD, *Epist.* CIV. Voir aussi *Epist.* CX où on lit : « Dût votre père se coucher sur le seuil de la porte, dût votre mère, les cheveux épars et les vêtements déchirés, vous montrer les mamelles qui vous ont allaité, dût votre petit-neveu se suspendre à votre cou, passez par dessus le corps de votre père, passez par dessus le corps de votre mère, et, les yeux secs, volez à l'étendard de la croix. Le plus haut degré de piété filiale en pareil cas est d'être cruel pour le Christ ». Cf. E. VACANDARD, *op. cit.*, t. I, p. 144 et suiv.
(3) Cf. *supra*, p. 15-17.
(4) Voir les détails retenus à ce sujet par E. VACANDARD, *op. cit.*, t. I, p. 72 et suiv.
(5) Saint BERNARD, *In tempore Paschae, sermo* III.

ricorde était un péché, écrivait un jour saint Bernard, je ne pourrais pas m'empêcher d'être miséricordieux »[1].

PRESTIGE DE CLAIRVAUX Grâce à saint Bernard, Clairvaux a été de toutes les abbayes cisterciennes celle où la *Carta caritalis* a exercé le plus d'attrait. Le monastère de la vallée de l'Aube a vu accourir en foule tous ceux qui, nobles ou lettrés, clercs ou laïques, avaient soif d'amour divin et qui, désireux de pratiquer la discipline cistercienne, ont plus encore recherché la direction de saint Bernard[2]. Il suffit qu'en 1116, un an seulement après la fondation, l'ascétique abbé se montre à Châlons-sur-Marne pour que l'école, que dirigeait cependant un homme de grand savoir, Étienne de Vitry, se vide presqu'instantanément de ses élèves ; Étienne lui-même n'a d'autre ressource que d'entrer à Clairvaux où il ne put d'ailleurs rester. Que saint Bernard prenne la parole devant un auditoire, quel qu'il soit, aussitôt vingt ou trente personnes, fascinées par son éloquence, s'attachent à ses pas, et le suivent. Il en sera ainsi à Paris en 1140 à l'issue du sermon *De conversioné clericorum*, au cours du voyage sur le Rhin en 1146-1147 qui amena une soixantaine de nouvelles recrues. Des personnages illustres se sont laissé entraîner, comme le frère du roi de France, Henri, comme Philippe, archidiacre de Liége, comme cet Alexandre, chanoine de Cologne, sur la vocation duquel se sont forgées de touchantes légendes et qui deviendra abbé de Cîteaux en 1167 ou 1168[3].

LES FILIALES DE CLAIRVAUX Dès 1116, l'affluence à Clairvaux était telle qu'il fallut songer à essaimer. L'abbaye, filiale de Cîteaux, fonda à son tour d'autres filiales dont le nombre ira sans cesse en s'accroissant. En 1118, la générosité de Hugues de Vitry permit d'en créer une première à Trois-Fontaines, au diocèse de Châlons ; peu de temps après, une autre s'établit à Fontenay, près de Montbard, elle-même bientôt suivie, en 1121, d'une troisième à Foigny, non loin de Vervins[4]. C'était là une preuve d'incomparable vitalité. Comme, au fur et à mesure que s'accentuait l'action extérieure de saint Bernard, le nombre des moines de Clairvaux ne cessait d'augmenter, qu'Allemands et Italiens commençaient à se diriger eux aussi vers la vallée de l'Aube, il fallut de plus en plus favoriser l'exode des frères. Successivement on vit surgir les filiales d'Igny, au diocèse de Reims (1126), de Reigny-sur-Cure, au diocèse d'Auxerre (1128), d'Ourscamp-sur-Oise, au diocèse de Noyon (1129), de Cherlieu, au diocèse de Besançon (1131), puis, au cours de l'année 1131, en dehors des limites du royaume capétien, celles de Bonmont, au pays de Vaud, et d'Eberbach, près de Mayence. Par la suite, le mouve-

---

(1) Saint BERNARD, *Epist.* LXX. Cf. dans E. VACANDARD, *op. cit.*, t. II, p. 403, l'oraison funèbre du moine Humbert, où saint Bernard a exprimé sous une forme très touchante les sentiments qui l'animaient à l'égard de ses frères.

(2) Cf. la *Vita Bernardi*, I, XIII de GUILLAUME DE SAINT-THIERRY, à laquelle nous empruntons les détails qui suivent.

(3) Cf. E. VACANDARD, *op. cit.*, t. II, p. 389 et suiv.

(4) L. JANAUSCHEK, *Origines cistercienses*, p. 6-10.

ment se précipite : en 1132, quatre filiales de Clairvaux voient le jour à Longpont, au diocèse de Soissons, à Rievaulx en Angleterre, à More-ruela, en Espagne, à Vaucelles, au diocèse de Cambrai. Viennent ensuite, en 1134 et en 1135, Vauclair, au diocèse de Laon, La Grâce-Dieu, au diocèse de Saintes, Buzay, au diocèse de Nantes, puis, à l'étranger, Him-merod dans la région rhénane, Hautecombe, au bord du lac du Bourget, Chiaravalle (Italie), Fountains (Angleterre) [1]. Voilà où en était Clairvaux en 1136, c'est-à-dire vingt ans seulement après sa fondation. Entre cette date et celle de la mort de saint Bernard (1153), quarante-six autres filiales ont vu le jour [2] ; les moines de Clairvaux ont, pendant ces seize années, pénétré dans le midi de la France, multiplié les fondations en Normandie et en Angleterre, atteint les pays scandinaves, notamment la Suède où, à la demande du roi Sverker (1133-1152), saint Bernard a dépêché le moine Gérard, originaire de Maëstricht, et le Danemark où, en 1151, fut créé le monastère d'Esrom, au diocèse de Roskild, pour répondre au désir du roi Valdemar le Grand et de l'archevêque de Lund, Eskil ; la Pologne a été également touchée par le mouvement parti de Clairvaux, de même que la péninsule ibérique où les fils de saint Bernard se sont répandus plus que partout ailleurs : si d'autres abbayes cisterciennes, comme Morimond, ont elles aussi essaimé dans ce pays, on a pu enre-gistrer en Espagne la naissance, entre 1141 et 1143, de cinq filiales authen-tiques de Clairvaux, tandis qu'en Portugal, par la volonté du roi Al-phonse Ier, petit-fils de Henri de Bourgogne et arrière-petit-fils de Robert le Pieux, les disciples de saint Bernard se sont installés à Alcobaça dont le monastère devait jouer un rôle des plus brillants dans la vie portugaise [3].

En 1153, sur 350 monastères cisterciens que l'on compte en Occident, il y en a 160, soit près de la moitié, qui relèvent de Clairvaux [4]. On ne saurait trouver de témoignage plus éclatant en faveur de l'œuvre monas-tique de saint Bernard. Malgré sa vie prodigieusement mouvementée, l'animateur de la Chrétienté n'a jamais oublié qu'il était abbé de Clair-vaux et des filiales de cette abbaye. Suivant l'expression de Guillaume de Saint-Thierry, *emisit, non dimisit* [5], ce qui revient à dire qu'il a toujours veillé sur ses frères lointains ; avec une sollicitude touchante, il n'a cessé de leur manifester l'intérêt qu'il portait à leur œuvre, de leur prodiguer ses conseils, de les armer pour le maintien de la discipline tra-ditionnelle sans laquelle la vie monastique risque de ne pas parvenir à son but qui est Dieu [6].

---

(1) L. Janauschek, *op. cit.*, t. I, p. 14 et suiv. Cf. E. Vacandard, *op. cit.*, t. I, p. 401 et suiv.
(2) On trouvera un très vivant exposé de ce développement de Clairvaux dans E. Vacandard, *op. cit.*, t. II, p. 404 et suiv.
(3) Sur la fondation d'Alcobaça, cf. L. Janauschek, *Origines cistercienses*, t. I, p. 110 ; Man-rique, *Annales cistercienses*, t. II, p. 84-85. Il n'y a rien à retenir des légendes relatives aux rap-ports de saint Bernard avec le roi Alphonse Ier qui aurait dû son titre de roi au saint de Clairvaux, parce que les prières de Bernard auraient entraîné en 1139 la victoire d'Alphonse sur les Musul-mans grâce à laquelle il put obtenir sa couronne.
(4) L. Janauschek, *op. cit.*, t. I, p. iv-v et 294.
(5) *Vita Bernardi*, I, xii.
(6) Cf. E. Vacandard, *op. cit.*, t. I, p. 158 et suiv. C'est à Godefroy, abbé de Fontenay, qu'est dédié le traité *De gradibus humilitatis et superbiae.*

AUTRES FILIALES CISTERCIENNES Si Clairvaux, en raison de la personalité de saint Bernard, tend à devenir, pendant le second quart du XIIe siècle, le foyer le plus ardent de la vie cistercienne, il ne faudrait pas croire que Cîteaux et les trois filiales primitives soient restées inactives. Plus de 180 monastères ont été fondés par leurs soins. Rien de plus caractéristique, à cet égard, que le rayonnement de Morimond. C'est de cette abbaye que procèdent, directement ou indirectement, la plupart des monastères de Castille, de Navarre, d'Aragon et de Catalogne, l'action de saint Bernard et de ses disciples immédiats s'étant surtout exercée sur la Galice et le Portugal. Le rôle des abbayes de Lescale-Dieu, près de Tarbes, et de Berdoues, au diocèse d'Auch, l'une et l'autre filiales de Morimond, a été particulièrement décisif : la première a donné le jour, en 1141, à la communauté de Niencebas qui, en 1152, se transporta à Fitero où elle acquit une célébrité toute particulière, puis, la même année, à celles de Monsalud et de Sagramenia en Castille, en 1146 à celle de Veruela en Aragon, en 1149 à celle de La Oliva en Navarre ; la seconde a eu pour filles Valbuena (1143) et Cantabos (1151). Ces divers monastères en ont engendré d'autres ; l'Espagne s'est ainsi couverte d'abbayes cisterciennes dont les églises et les cloîtres, souvent encore debout, attestent la remarquable prospérité [1].

C'est également de Morimond que procèdent la plupart des abbayes d'Allemagne. Le premier abbé de cette filiale de Cîteaux, Arnold, était un Allemand ; il n'est donc pas surprenant que l'archevêque de Cologne, Frédéric, se soit adressé à lui pour introduire dans son diocèse la discipline cistercienne. Ainsi fut fondé, sans doute en 1123, le monastère d'Altenkamp qui lui-même a fait souche avec Walkenried (1127) et Volkerode (1130) au diocèse de Mayence, Amelungsborn (avant 1141) au diocèse d'Hildesheim, Hardehausen (1140) au diocèse de Paderborn, Michaelstein (1148) près de Halberstadt. Toutes ces abbayes, à l'exception de la dernière, ont eu elles-mêmes de nombreuses filiales, tandis que Morimond, continuant sa propagande en Allemagne, créait encore Ebrach au diocèse de Würzbourg (1127), Altenberg au diocèse de Cologne (avant 1137), Sainte-Croix au diocèse de Passau (1143). Ces divers monastères ont également essaimé : Altenberg dans le Nord-Est avec Zinna en Brandebourg, avec Gniezno et Poznan en Pologne, tandis que Sainte-Croix devait devenir la souche des abbayes cisterciennes de Zwetl, Baumgartenberg et Lilienfeld en Autriche [2].

EXTENSION DE L'ORDRE CISTERCIEN L'ordre cistercien a donc connu, dès l'époque de saint Bernard, une extraordinaire diffusion. Il n'est pas un pays d'Occident qui n'ait participé au mouvement, depuis la péninsule ibérique jusqu'à la Scandinavie et depuis l'Angleterre jusqu'à la Hongrie, où Sainte-Croix a fondé en 1142

(1) L. JANAUSCHEK, *op. cit.*, t. I, p. 65 et suiv. Cf. E. LAMBERT, *L'art gothique en Espagne aux XIIe et XIIIe siècles*, p. 76 et suiv., et p. 299 où l'on trouvera un tableau des abbayes cisterciennes d'Espagne.
(2) Pour ces débuts de l'ordre cistercien en Allemagne, voir surtout : A. HAUCK, *Kirchengeschichte Deutschlands*, t. IV, p. 340-342.

le monastère de Czikádor, en attendant que, en 1179, Pontigny crée la filiale d'Egres [1]. On ne saurait non plus assez insister sur la rapidité avec laquelle s'est accrue la famille monastique groupée autour de Cîteaux et de ses quatre premières filiales. L'action personnelle de saint Bernard y est pour beaucoup, mais elle ne suffit pas à expliquer la prodigieuse vogue de l'ordre. Celui-ci répondait, mieux qu'aucun autre, aux aspirations religieuses de l'époque. Il est probable enfin que son organisation, plus souple que celle de Cluny, a contribué elle aussi, en laissant à chaque monastère une certaine autonomie, au succès d'une discipline plus fidèle qu'aucune autre à l'esprit et à la lettre de la règle bénédictine [2].

ORGANISATION DE L'ORDRE CISTERCIEN — Il n'y a pas lieu de revenir ici sur la *Carta caritatis* de 1119 dont on a déjà indiqué les tendances décentralisatrices, les différentes abbayes n'étant rattachées à Cîteaux que par un lien de « charité fraternelle » [3]. On notera seulement que l'esprit d'Étienne Harding n'a pas cessé d'animer l'ordre auquel ce grand abbé avait donné sa constitution définitive. La multiplication des filiales n'a rien changé aux tendances qui s'étaient manifestées lors de la fondation des premières d'entre elles. L'ordre cistercien a conservé la physionomie d'une vaste fédération où l'autorité appartient non pas à l'abbé de Cîteaux, mais au chapitre général qui se réunit tous les ans à Cîteaux et où tous les couvents sont représentés. Ainsi s'affirme le caractère d'association internationale qui fait l'originalité du mouvement. Comme le chapitre général a tout pouvoir de légiférer, l'abbé de Cîteaux n'est que *primus inter pares* et son gouvernement reste contrôlé par les abbés des cinq filiales qui ont le droit de visiter l'abbaye-mère, tandis qu'eux-mêmes acceptent le contrôle de leurs propres filiales [4]. Grâce à cette organisation, le contact n'a jamais été perdu entre les différentes abbayes cisterciennes que le même souffle a animées et qui ont maintenu parmi elles au cours du xiie siècle la pure tradition bénédictine.

LA VIE CISTERCIENNE — La discipline cistercienne, telle que la reflètent les *Instituta capituli generalis*, promulgués en 1134, ne diffère guère de celle qui avait été établie par la *Carta caritatis* de 1119. C'est seulement pendant la seconde moitié du xiie siècle qu'apparaîtront les premiers symptômes de décadence.

On continue, à Cîteaux et dans ses diverses filiales, à pratiquer à la lettre la règle de saint Benoît. La pénitence, que saint Bernard a prêchée par son exemple, demeure la vertu essentielle du moine, celle qui englobe et résume toutes les autres. Elle se traduit d'abord par une série de restrictions dans la nourriture et le vêtement : l'usage de la viande et même des légumes accommodés au gras est interdit, à tel point que, d'après

(1) Cf. P. Tiburce Huempfner, *Les fils de saint Bernard en Hongrie*, Budapest, 1927, p. 5.
(2) Cf. t. VIII, p. 448 et suiv.
(3) Cf. t. VIII, p. 456-457.
(4) Sur le rôle respectif du chapitre général et de l'abbé, voir : H. d'Arbois de Jubainville, *Études sur l'état intérieur des abbayes cisterciennes*, p. 145 et suiv.

un statut du chapitre général de 1152, le moine qui aurait contrevenu sciemment à cette prescription au cours d'un voyage devra jeûner au pain et à l'eau pendant sept vendredis [1] ; le costume est resté ce qu'il était à l'origine et il ne préserve d'aucune rigueur de la température [2] ; de même, on observe les articles de la règle bénédictine qui enjoignent au moine de coucher tout habillé, sans enlever même ses souliers, sur une simple paillasse, l'usage du matelas n'étant permis qu'aux malades [3]. La pénitence de l'esprit, tant recommandée par saint Bernard, accompagne celle du corps et a pour forme essentielle l'obéissance totale à la volonté de l'abbé, à tel point que le manque de soumission est, conformément au précepte de saint Benoît, puni par les verges [4].

La vie cistercienne est donc bien cette vie mortifiée que l'abbé de Clairvaux n'a cessé de prêcher. Elle continue à ignorer les atténuations à la règle bénédictine que Cluny avait introduites dans ses monastères. Deux traits la distinguent particulièrement, la pratique totale de la pauvreté et la prédominance du travail manuel sur le travail intellectuel.

PAUVRETÉ DES MONASTÈRES L'obligation de la pauvreté pour le moine cistercien est absolue : même au XIIIe siècle, malgré les adoucissements apportés à la règle, les Institutions du chapitre général condamneront le moine « surpris en flagrant délit de propriété » à jeûner au pain et à l'eau tous les vendredis pendant un an et à recevoir la discipline au chapitre pendant quarante jours, ou même, si le « vol » a quelque importance, à être complètement exclu de la communauté [5]. La pauvreté collective est également prescrite. La *Charte de charité* interdit aux monastères la possession des églises, des villages, des serfs, des fours et des moulins banaux ; elle les autorise à avoir des terres arables, des vignes, des prés, des bois, des cours d'eau où les moines pourront pêcher, mais seulement pour leur propre usage, sans qu'il soit permis de les affermer [6]. Encore ces divers biens fonciers ne pourront-ils entrer dans le domaine des abbayes que par des donations, car il est défendu d'acheter, tout achat supposant la possession d'argent qui n'est jamais tolérée. Les quêtes ne sont permises en aucun cas, même pour la construction d'églises et, à cet effet, on doit se contenter des offrandes spontanément apportées [7]. Ces églises sont elles-mêmes le reflet de la pauvreté cistercienne : elles sont très simples, dépourvues de toute ornementation ; les objets qui servent au culte témoignent de la volonté d'éviter tout ce qui aurait l'apparence de richesse [8]. Sans doute, ces principes ne seront-ils pas indéfiniment respectés et l'on reprochera, par la suite, aux Cisterciens leur excessive fortune, mais, tant que vivra saint

(1) Cette décision a été insérée dans les *Institutiones capituli generalis* rédigées en 1240. Dist. XIII, cap. II.
(2) Cf. H. D'ARBOIS DE JUBAINVILLE, *op. cit.*, p. 136-138.
(3) *Ibid.*, p. 140-141.
(4) *Ibid.*, p. 13.
(5) *Institutiones capituli generalis*, Dist. VI, cap. XVI.
(6) *Carta caritatis*, XV.
(7) Cf. H. D'ARBOIS DE JUBAINVILLE, *op. cit.*, p. 276-279.
(8) On reviendra sur les caractères de l'art cistercien au chap. VI.

Bernard, aucune entorse ne sera donnée à la règle ; c'est l'année qui a suivi sa mort que l'on signale le premier achat d'immeubles à Clairvaux [1].

IMPORTANCE DU TRAVAIL MANUEL   Avec la stricte pauvreté, ce qui distingue le moine cistercien, c'est l'intensité du travail manuel auquel il se livre à tout moment. L'étude n'est pas absolument proscrite, mais elle se réduit, comme l'ordonne saint Bernard, à la lecture de l'Écriture et des Pères [2]. En revanche, la règle insiste sur la nécessité pour le moine de vivre des œuvres de ses mains ; si les convers sont employés pour certaines besognes qui touchent à l'industrie, et parfois, lorsque le besoin s'en fait sentir, comme auxiliaires pour l'agriculture, ce sont les moines qui cultivent les champs, fauchent les prés, coupent les arbres, creusent les canaux d'irrigation, entretiennent le domaine, sur lequel, à la différence du domaine clunisien, il n'y a ni colons ni serfs [3]. De même, la règle interdit aux moines de se tailler des revenus sur le travail d'autrui ; ils n'accepteront ni cens ni dîmes et vivront uniquement des ressources du sol exploité par eux [4].

ROLE ÉCONOMIQUE DES ABBAYES CISTERCIENNES   Cette conception du travail devait par la suite engendrer d'importantes conséquences dans l'ordre économique. Invités à travailler la terre, installés dans des régions incultes, le plus souvent au milieu de forêts jusque-là impénétrées, les moines cisterciens, en vertu de la règle, entreprendront des travaux de défrichement et de colonisation qui s'intensifieront au fur et à mesure que les filiales se multiplieront. Peu à peu non seulement en France, mais plus encore dans les pays nouvellement gagnés à la civilisation occidentale, comme l'Allemagne entre l'Elbe et l'Oder, les Cisterciens gagneront des terres à l'agriculture ; parfois, comme en Angleterre, ils s'adonneront à l'élevage et créeront l'industrie de la laine [5]. Toutefois, au temps de saint Bernard, ce mouvement de colonisation ne fait que s'esquisser ; c'est surtout pendant la seconde moitié du xiie siècle qu'il s'affirmera et s'intensifiera, tout en procédant toujours de l'application des principes économiques posés par la règle cistercienne.

§ 3. — L'ordre clunisien au temps de Pierre le Vénérable [6].

LA CRISE CLUNISIENNE   Cluny n'a pas eu pendant le second quart du xiie siècle le même rayonnement que Cîteaux. L'ordre a eu de la peine à se remettre de la crise qui avait suivi la mort

---

(1) Cf. H. d'Arbois de Jubainville, *op. cit.*, p. 288.
(2) Cf. *supra*, p. 17-18.
(3) *Exordium parvum*, xv. Cf. H. d'Arbois de Jubainville, *op. cit.*, p. 47 et suiv. ; C. Hoffmann, *Die Entwicklung der Wirtschaftsprinzipen im Cistercienserorder während des 12. und 13. Jahrhunderts*, dans *Historisches Jahrbuch*, t. XXXI, 1910, p. 700-704.
(4) *Institutiones capituli generalis*, v et ix.
(5) Cf. l'article cité de C. Hoffmann, et aussi : G. Schnuerer, *L'Église et la civilisation au moyen âge*, t. II, p. 424-425.
(6) Bibliographie. — I. Sources. — On trouvera t. VIII, p. 427, n. 1, l'indication des sources concernant l'ordre clunisien en général. Il faut ajouter ici celles qui ont trait plus spécialement

de saint Hugues et dont l'abbé Pons de Melgueil (1109-1122) est, pour une large part, responsable [1]. Pierre le Vénérable, élu abbé le 23 août 1122, a eu à faire face à une situation qui, sans son énergique gouvernement, aurait pu provoquer une décadence rapide et irrémédiable.

Le fléchissement de la discipline clunisienne, au début du XIIᵉ siècle, a été relevé par saint Bernard qui, dans son *Apologia* composée entre 1123 et 1125, s'est livré à une acerbe critique de l'ordre où pendant deux siècles s'était concentrée la tradition bénédictine [2]. L'abbé de Clairvaux s'attaque avant tout à la nourriture qui, à ses yeux, n'a plus rien de monacal :

On apporte plats sur plats et, pour vous dédommager de l'abstinence de viande, la seule chose qui vous soit interdite, on vous sert d'énormes poissons à deux reprises. Etes-vous rassasiés des premiers, on vous en offre d'autres qui vous font oublier que vous avez goûté les précédents. Le palais, stimulé par des sauces de nouvelle invention, sent, à tout moment, comme s'il était à jeun, se réveiller ses désirs. L'estomac se charge sans qu'on y pense et la variété prévient le dégoût... Et qui dira toutes les manières dont on apprête les œufs ? On les tourne, on les retourne, on les délaie, on les durcit, on les hache, on les frit, on les rôtit, on les farcit, on les sert tantôt seuls, tantôt mêlés à d'autres aliments. Et pourquoi tout cela, si ce n'est dans l'unique but d'éviter le dégoût ?

Mêmes critiques pour la boisson : saint Bernard flétrit l'usage immodéré du vin et surtout de vins d'origine différente qu'en certains jours de fête on mêle à du miel ou qu'on saupoudre d'épices. Et il conclut :

Après ces repas, on se lève de table, les veines gonflées, la tête lourde, et pourquoi faire, sinon pour dormir ? S'il faut dans cet état aller à l'office, pourra-t-on chanter, et de quel nom appeler les plaintes qu'on tire de sa poitrine [3] ?

Le costume donne lieu à des remarques analogues : les moines, au lieu de songer uniquement à couvrir leur nudité, s'habillent comme des chevaliers auxquels ils disputent les tissus fins et les étoffes précieuses, oubliant que « des vêtements efféminés indiquent la mollesse de l'âme », cédant aussi à une vanité qui se traduit par un luxe aux formes multiples : celui qui se déplace traîne avec lui une nombreuse escorte et, même s'il va seulement à quatre lieues de chez lui, « il lui faut tout son mobilier », c'est-à-dire linge de table, coupes, aiguières, candélabres, tentures pour son lit [4]. Ce luxe se retrouve aussi dans les églises clunisiennes auxquelles saint Bernard a reproché amèrement leurs excessives dimensions, leur trop somptueuse ornementation et, en particulier, leurs riches peintures

à Pierre le Vénérable, à savoir sa vie écrite, assez peu de temps après sa mort, par un moine de Cluny du nom de Rodolphe, mais qui n'est qu'un panégyrique sans grand intérêt (*P. L.*, CLXXXIX, 15-28), et surtout l'ensemble des œuvres de Pierre le Vénérable que l'on trouvera dans *P. L.*, CLXXXIX. On a conservé de lui, outre plusieurs écrits qui traitent de questions de théologie, un livre intitulé *De miraculis libri duo*, où il est question de la réforme de plusieurs prieurés clunisiens et d'autres maisons religieuses, et un recueil de lettres (*P. L.*, CLXXXIX, 61-480) qui abondent en renseignements précieux pour l'histoire non seulement de l'ordre clunisien, mais de l'Église en général.

II. TRAVAUX. — Il n'existe malheureusement aucune monographie récente de Pierre le Vénérable. On devra se contenter des ouvrages généraux indiqués t. VIII, p. 427, n. 1.

(1) Cf. t. VIII, p. 444-445.
(2) On trouvera l'*Apologia ad Guillelmum* dans *P. L.*, CLXXXII, 895-940.
(3) *Apologia*, IX.
(4) *Ibid.*, X-XI.

« qui attirent le regard des fidèles, dissipent leur dévotion et rappellent les cérémonies judaïques »[1].

C'est donc le luxe sous toutes ses formes que saint Bernard dénonce dans les monastères clunisiens. A certains égards, Pierre le Vénérable s'est montré plus sévère encore pour ses propres moines. Dans une lettre à l'archevêque de Lyon, qui date du début de son abbatiat, il s'est plaint amèrement des désordres qui s'étaient insinués dans les abbayes de la province lyonnaise :

A l'exception d'un petit nombre de moines, le reste n'est qu'une synagogue de Satan. Que peuvent-ils revendiquer du moine, si ce n'est le nom et l'habit ? Où est en eux l'humilité, l'apparence seulement de l'humilité, où est la charité, où est la pauvreté ? Je parle de cette pauvreté véritable qui seule rend les hommes heureux et non de celle qui les rend misérables parce que, désirant en sortir, ils convoitent avec passion les richesses et se donnent mille peines pour les acquérir... Mobiles, inconstants, emportés, orgueilleux, cupides, avares, leur profession est une prévarication, leur stabilité un vagabondage, la conversion de leurs mœurs une aversion de Dieu ; leur cloître, c'est l'univers entier ; leur Dieu, c'est leur ventre ; leur abbé, c'est leur propre volonté ; leurs mortifications, ce sont les délectations de la chair. Ils profanent par leur mauvaise vie les lieux consacrés ; ils font de la maison de prières une caverne de voleurs[2].

Un tel témoignage est significatif. En quelques années, Cluny avait failli à l'idéal bénédictin. Une réforme s'imposait et, fort heureusement, le successeur de Pons de Melgueil était capable de la mener à bien.

PIERRE LE VÉNÉRABLE   L'abbé connu sous le nom de Pierre le Vénérable était originaire d'Auvergne ; il appartenait à la famille de Montboissier, dont le château était situé sur l'éperon montagneux qui sépare Sauxillanges de Cunlhat. Son père, Maurice, était mort au retour d'un voyage en Terre sainte et sa mère, Maingarde, devenue veuve, finit ses jours au monastère de Marcigny. Pierre, né en 1094, entra comme oblat au monastère voisin de Sauxillanges ; lorsqu'il eut fait profession, saint Hugues l'envoya à Vézelay où il resta une dizaine d'années et où, sous la direction de l'abbé Renaud, il acquit une vaste culture tout à la fois religieuse et profane. En 1120, il fonde le prieuré de Domène, près de Grenoble ; deux ans plus tard, le 23 août 1122, il est élu abbé de Cluny[3].

SON ACTIVITÉ INTELLECTUELLE   On ne pouvait faire un meilleur choix. Pierre le Vénérable incarnait la tradition bénédictine, telle qu'on l'avait toujours comprise à Cluny. C'est avant tout un homme de science. On lui doit plusieurs traités de théologie qui tiennent une place honorable parmi la littérature religieuse du XIIe siècle. Le plus intéressant est celui qui a trait à la réfutation des erreurs

(1) *Apologia*, XII. Peut-être saint Bernard n'est-il pas strictement impartial ; il a été très froissé (cf. *Epist.* I) de ce que Cluny eût soustrait à Cîteaux un de ses cousins, Robert de Châtillon. Toutefois ce dépit personnel ne saurait être la seule cause des critiques adressées à l'ordre clunisien.
(2) PIERRE LE VÉNÉRABLE, *Epist.* II, 2.
(3) Sur la jeunesse de Pierre le Vénérable, voir surtout *Radulfi monachi vita Petri venerabilis*, I. On trouvera des indications sur sa famille dans le *Cartulaire de Sauxillanges*, édit. DOUNIOL, p. 558 et suiv. Pierre le Vénérable a parlé de sa mère en termes très touchants dans une de ses lettres (*Epist.* II, 17).

manichéennes colportées par Pierre de Bruys et par Henri de Lausanne [1] ; intitulé *Tractatus contra Petrobrusianos*, il a été composé sans doute en 1139 ou 1140 [2]. Pierre le Vénérable s'attache à mettre ses adversaires en contradiction avec l'Écriture et avec la tradition de l'Église ; s'il s'égare parfois, par exemple au sujet de l'Eucharistie, en des comparaisons peu significatives avec les phénomènes qui s'observent dans la nature, il sait tirer parti des textes évangéliques et a des accents émus, capables de toucher les cœurs endurcis : pour justifier la coutume du baptême dès le jeune âge, il évoque l'affection manifestée par le Christ à l'égard des petits enfants que le Maître fait approcher de lui et qu'il bénit, en leur ouvrant le royaume des cieux ; de même, il plaide avec une certaine éloquence en faveur de la dévotion à la croix, signe du salut, que l'on adore non pour elle-même, mais pour Jésus qui y est suspendu.

Les autres traités de Pierre le Vénérable, dirigés contre les Juifs et les Mahométans [3], offrent moins d'intérêt ; s'ils contiennent des développements dogmatiques de quelque valeur sur la filiation divine du Christ en qui Israël a le tort de n'apercevoir qu'un roi temporel, s'ils font preuve d'une connaissance approfondie des doctrines adverses, on y relève par ailleurs bien des discussions pénibles et oiseuses sur des fables sans intérêt et on s'étonne qu'un homme aussi cultivé et aussi pondéré que l'abbé de Cluny verse, quand il s'agit des Juifs et des Musulmans, dans des violences de langage peu en harmonie avec son caractère.

Il n'y a pas lieu de s'attarder sur les autres œuvres de Pierre le Vénérable. Son *De miraculis* groupe une série de faits légendaires destinés à l'édification des moines et témoigne d'une naïveté surprenante chez un homme aussi instruit [4]. On a également conservé de lui quelques sermons où se retrouvent les ingénieuses et subtiles interprétations des Écritures auxquelles se complaisaient trop souvent les hommes du moyen âge [5]. Ce qui lui assure une place dans la littérature médiévale, c'est avant tout sa correspondance, recueillie par son disciple Pierre de Poitiers, où il se livre tout entier, où il révèle tout à la fois un esprit cultivé dont le libéralisme n'exclut pas une fidélité raisonnée à la discipline catholique, et une âme ardente, pétrie de charité généreuse, puisant dans une sûre piété une très grande faculté de dévouement désintéressé [6].

SA FIDÉLITÉ ROMAINE   L'ordre clunisien, depuis ses origines, s'est signalé par son attachement à l'Église et plus spécialement au Siège apostolique qui n'a cessé de le combler de privilèges. Pierre le Vénérable n'a pas failli à la tradition de ses prédécesseurs. Au

---

(1) Cf. *supra*, p. 96-97.
(2) *Tractatus contra Petrobrusianos* (P. L., CLXXXIX, 710-856). Pour la date de ce traité, cf. E. VACANDARD, *Les origines de l'hérésie albigeoise*, dans *Revue des questions historiques*, t. LV, 1894, p. 79, n. 2.
(3) *Tractatus adversus Judaeos* (P. L., CLXXXIX, 507-658) ; *Tractatus adversus sectam Saracenorum* (*Ibid.*, 659-718).
(4) *De miraculis libri duo* (P. L., CLXXXIX, 851-952).
(5) *Sermones Petri venerabilis* (P. L., CLXXXIX, 953-1004).
(6) *Epistolarum Petri venerabilis libri sex* (P. L., CLXXXIX, 61-484).

lendemain de son élection, Calixte II pouvait écrire aux moines de Cluny (21 octobre 1122) [1] :

> Nous établissons dans le gouvernement de votre abbaye, nous voulons aimer comme le fils de saint Pierre votre abbé Pierre, que vous avez récemment élu pour l'honneur de Dieu et pour l'utilité du monastère... Celui qui témoignera à l'abbé Pierre respect et obéissance se rendra agréable à Dieu, aux apôtres, à nous-même, et méritera de la miséricorde divine le pardon de ses péchés.

Pierre le Vénérable s'est montré digne de la confiance pontificale. Au lendemain de la double élection de février 1130, il résista aux sollicitations d'Anaclet, qui était pourtant un ancien moine de Cluny, et reçut Innocent II qui procéda à la dédicace de la basilique élevée par saint Hugues, où Urbain II, en 1095, avait consacré le grand autel [2]. Il a souvent accompagné le pontife au cours de son voyage à travers la France ; en 1134, il s'est rendu au concile de Pise avec plusieurs abbés clunisiens [3] ; il n'a pas cessé un instant de travailler à l'extinction du schisme, de ranimer la confiance d'Innocent II, quelque peu ébranlée à certains moments, si bien que l'on a pu comparer son rôle à celui que saint Hugues avait joué auprès de Grégoire VII et d'Urbain II [4]. Plusieurs lettres révèlent en pleine lumière ses sentiments à l'égard du pape légitime :

> Quant à moi, le dernier des membres du Christ, quant à votre église de Cluny, tant qu'un souffle nous restera, nous vous obéirons, nous partagerons vos travaux, nous mourrons, s'il le faut, avec vous. Dieu ne pourra nous séparer de notre pasteur, de saint Pierre et du Christ qui sont réunis dans votre personne.

A cette affirmation succèdent les paroles réconfortantes :

> Rappelez-vous que l'Église s'est toujours agrandie dans les souffrances, multipliée dans les douleurs, et que sa patience a fini par triompher de toutes les résistances. Le nombre des années écoulées doit augmenter en vous l'espérance d'une victoire prochaine. Après avoir combattu pendant sept ans avec succès les ennemis de Dieu, la huitième année sera celle de la résurrection. Vous chanterez *alleluia* comme le Christ, vainqueur des enfers, et l'Église, qui, à la suite du Christ, a bu en passant les eaux du torrent, lèvera désormais la tête [5].

SA CHARITÉ   Avec cet inaltérable dévouement au Saint-Siège, reflet de son orthodoxie, le trait dominant du caractère de Pierre le Vénérable, c'est son inépuisable charité. Son biographe a raconté à ce sujet une série d'anecdotes touchantes [6] et qui, même si elles ont été enjolivées pour l'édification des lecteurs, s'accordent fort bien avec d'autres témoignages plus sûrs, à commencer par les lettres de l'abbé qui sont empreintes de bienveillance, de mansuétude, de miséricorde, de compassion sincère envers ceux qui souffrent autant que d'une

---

(1) Jaffé-Wattenbach, 6992.
(2) Cf. *supra*, p. 57, et t. VIII, p. 441.
(3) Cf. *supra*, p. 64-65.
(4) Cf. J. H. Pignot, *Histoire de l'abbaye de Cluny depuis la fondation de l'abbaye jusqu'à la mort de Pierre le Vénérable (909-1157)*, t. III, Autun-Paris, 1868, p. 176.
(5) Pierre le Vénérable, *Epist.* i, 1. Cf. aussi *Epist.* ii, 3, à Innocent II : « Rois, princes, nobles et vilains, grands et petits, tous ceux qui en un mot étaient liés d'amitié avec moi ou avec l'Église de Cluny, je me suis empressé de les amener aux pieds de votre majesté, soit par moi-même, soit par d'autres, en écrivant, en donnant des ordres, en employant tour à tour les menaces et les caresses ».
(6) *Radulfi monachi vita Petri venerabilis*, ii et iii.

volonté bien arrêtée de dévouement et de sacrifice. C'est que la charité, née d'un cœur pur et d'une foi sincère, apparaît à Pierre le Vénérable comme la source de toutes les vertus à laquelle le chrétien ne doit pas se lasser de puiser en abondance.

C'est elle qui non seulement crée, mais parfait la justice. Toutes les autres vertus, auxiliaires de la justice, tournent leurs regards vers la charité, comme des filles vers leur mère. De cette racine sort un arbre chargé de fruits dont les nombreux rameaux s'étendent au loin. C'est en elle que se trouvent la chasteté, l'humilité, la vérité, la sincérité, l'obéissance, la justice. Lisez l'Évangile et vous entendrez le Christ dire : *Elle est toute la loi et les prophètes* (MATTH. VII, 12) [1].

Pierre le Vénérable ne s'est pas contenté de définir le précepte qui doit animer la vie du chrétien ; il s'y est rigoureusement conformé. Jamais un mot acerbe n'est venu sous sa plume. Même avec ses adversaires il a fait preuve, au cours des polémiques qu'il a eu l'occasion de soutenir contre eux, d'une patience et d'un esprit de compréhension rares à son époque. Il sera question plus loin de ses discussions avec l'ordre cistercien et avec l'abbé de Clairvaux [2]. Sans renoncer à son point de vue, il s'est montré peut-être plus conciliant que son antagoniste, parce que très préoccupé de ne pas faillir au devoir de charité. Voici en effet ce qu'il confie à saint Bernard dans la lettre où il répond aux accusations portées contre son ordre :

A l'aide de la charité, vous dénouerez, quand vous le voudrez, avec facilité, avec promptitude, avec justice, nos difficultés. La charité est, comme nous l'avons dit souvent, la loi et les prophètes. Elle est la plénitude de la loi et le but du précepte. Répandue, selon les paroles de l'Apôtre, dans le cœur des saints par l'opération de l'Esprit saint, elle parle, selon la diversité des temps et des personnes, un différent langage. Elle seule n'est jamais variable, jamais sujette à division, jamais multiple, mais toujours simple, stable, inébranlable, toujours la même... Quelles que soient les personnes à qui elle s'adresse, les lieux, les époques où elle parle, elle doit être obéie sans hésitation [3].

La charité a conduit Pierre le Vénérable à se montrer d'une exceptionnelle tolérance. Rien de plus significatif à cet égard que ses rapports avec Abélard que, par sa douceur tout évangélique, il a réussi à ramener dans le giron de l'Église. C'est à Cluny qu'Abélard a fini ses jours dans la paix et la quiétude [4], protégé par l'abbé qui, en une lettre émouvante, demanda à Innocent II de ne pas permettre que personne vînt troubler ou chasser du monastère le pécheur repentant tout heureux « d'avoir trouvé, comme le passereau, un toit pour s'abriter et, comme la tourterelle, un nid pour se cacher » [5]. Abélard a vécu deux ans auprès de Pierre le Vénérable, donnant à ses frères l'exemple de l'humilité, de la piété et de la sainteté et, lorsqu'il eut rendu à Dieu son âme tourmentée, l'abbé eut la touchante pensée d'écrire à Héloïse pour retracer à sa « vénérable et très chère sœur en Jésus-Christ les derniers moments, profondément édifiants », de celui auquel elle avait été « unie d'abord par les

---

(1) PIERRE LE VÉNÉRABLE, *Epist.* III, 7.
(2) Cf. *infra*, p. 120-121.
(3) PIERRE LE VÉNÉRABLE, *Epist.* I, 88.
(4) Cf. *supra*, p. 27.
(5) PIERRE LE VÉNÉRABLE, *Epist.* IV, 4.

liens de la chair, puis par les liens plus forts et plus sacrés de l'amour divin » [1].

LA RÉFORME DE L'ORDRE CLUNISIEN   Cette charité, qui demeure l'aliment de sa vie, Pierre le Vénérable l'a mise avant tout au service de ses frères. La réforme de l'ordre clunisien, secoué au début du XIIe siècle par une crise qui menaçait de devenir grave, a été sa préoccupation dominante et les critiques cisterciennes n'ont eu d'autre résultat que de renforcer sa volonté de ranimer dans l'ordre l'esprit des fondateurs.

MAINTIEN DES TRADITIONS CLUNISIENNES   Ces critiques, Pierre le Vénérable a tenu à en souligner le caractère exagéré et, s'il a cherché à supprimer les abus qui s'étaient fait jour sous l'abbatiat de Pons de Melgueil, il n'a pas songé un seul instant à modifier l'esprit de la règle clunisienne dans laquelle les Cisterciens apercevaient une atténuation, à leurs yeux condamnable, des préceptes de saint Benoît. Dans une lettre célèbre [2], après avoir flétri l'orgueil des « stricts observateurs de la Règle », qui, tout en se targuant d'y être fidèles, oublient trop facilement « le petit chapitre où elle enjoint au moine de s'estimer le plus vil et le dernier des hommes », il fait justice des accusations dont l'institution clunisienne avait été l'objet. On reproche, dit-il, à l'ordre de Cluny de n'être pas soumis à l'autorité épiscopale. « Et pour qui prend-on donc l'évêque de Rome ; connaît-on un évêque plus digne et plus véritablement évêque que celui-là ? N'est-ce pas à lui que l'autorité divine a confié la suprématie sur tous les autres ?... Or c'est cet évêque que nous nous glorifions d'avoir pour pasteur ; c'est à lui seul que nous faisons profession d'obéir ; lui seul peut nous interdire, nous suspendre, nous excommunier ». Pierre le Vénérable défend aussi le costume clunisien, en remarquant que la Règle bénédictine ne proscrit formellement ni les pelisses, ni les fourrures, ni les couvertures de lits, ni les caleçons et il considère que, devant ce silence, les interdire aux moines dans certains climats « serait une cruauté ou tout au moins une imprudence ». De même, ajoute-t-il, saint Benoît n'a pas fixé de façon absolue quelles devaient être la quantité et la qualité de la nourriture. Quant au travail, son but est de chasser l'oisiveté, ennemie de l'âme, et, en préférant le travail intellectuel au travail manuel, les Clunisiens ne font que se conformer à la leçon du Christ, telle qu'elle se dégage de l'exemple de Marthe et de Marie. En un mot, en face des « éplucheurs de syllabes » qui oublient trop facilement « que la lettre tue et que l'esprit vivifie », Pierre le Vénérable maintient les traditions clunisiennes combattues par Cîteaux : exemption de l'ordinaire, tempéraments dans la nourriture et le vêtement, prédominance du travail intellectuel.

Saint Bernard n'a pas été convaincu et, dans son *Apologie*, il a fait

---

(1) PIERRE LE VÉNÉRABLE, *Epist.*, IV, **21.**
(2) *Ibid.*, I, 28.

siennes toutes les objections dressées par Cîteaux contre Cluny, en ayant soin seulement de les dépouiller de ce qu'elles pouvaient avoir de trop violent [1]. En réalité, l'opposition des deux ordres était celle de deux conceptions différentes de la vie monastique : Cîteaux incline vers l'ascétisme et outrepasserait plutôt les prescriptions de la règle bénédictine, que Cluny, par un souci très accentué de culture intellectuelle, cherche au contraire à atténuer, la faim et le froid constituant des obstacles au travail de l'esprit [2].

LES STATUTS DE 1132   Tout en restant strictement fidèle à la modération clunisienne, Pierre le Vénérable a voulu empêcher ses moines de glisser vers de fâcheuses habitudes. En 1132, il réunit à Cluny le chapitre de l'ordre. Deux cents prieurs et douze cents frères répondirent à son appel. L'abbé proposa une série de réformes tendant à rétablir notamment la loi du jeûne et celle du silence. Il se heurta à d'assez vives oppositions, mais il finit par en triompher et cette grande assemblée vota les statuts que Pierre avait rédigés [3].

Ces statuts, sans rien changer à la discipline clunisienne, visent avant tout à restaurer certaines pratiques de pénitence tombées en désuétude. Le jeûne du vendredi est rétabli ; l'usage de la viande n'est autorisé les autres jours que pour les malades et les convalescents ; le *pigmentum*, liqueur composée de vin, de miel et d'aromates, est interdit sauf le jeudi saint. Le vêtement est l'objet de prescriptions analogues : les moines ne pourront plus utiliser certaines étoffes précieuses et certaines fourrures qui incitaient à la coquetterie ou à un bien-être excessif ; les garnitures de lit en drap d'écarlate ou de couleurs diverses sont proscrites. Le luxe des prieurs est également endigué par l'interdiction d'emmener en voyage plus de trois chevaux ; même les cérémonies du culte donnent lieu à des restrictions de luminaire, l'utilisation des couronnes d'or et d'argent munies de nombreux cierges étant limitée aux grandes solennités.

D'autres articles visent au rétablissement de la loi du silence quelque peu tombée en désuétude. Pierre le Vénérable veut qu'elle soit partout observée, même à l'infirmerie et dans les chantiers ; il supprime l'une des deux conversations permises chaque jour dans le cloître et aussi, pendant le carême, les tolérances accordées à certains jours de la semaine. Toujours avec la même préoccupation, il défend de laisser entrer au monastère les clercs et autres personnes étrangères, sauf en certains cas

---

(1) Saint BERNARD, *Apologia ad Guillelmum* (*P. L.*, CLXXXII, 895-940). Comme l'a très justement remarqué E. VACANDARD (*Vie de saint Bernard, abbé de Clairvaux*, t. l, p. 104, n. 2), l'*Apologia* est postérieure à la lettre I, 28 de Pierre le Vénérable, car « les griefs énumérés par Pierre le Vénérable ne répondent qu'imparfaitement à ceux qui sont articulés dans l'*Apologia* ». S'il en était autrement, Pierre le Vénérable n'aurait pas manqué de répondre aux critiques adressées par saint Bernard aux églises clunisiennes dont l'abbé de Clairvaux condamne la richesse et le luxe.

(2) Sur cette opposition des deux tendances, voir l'article de dom F. CABROL, *Cluny et Cîteaux. Saint Bernard et Pierre le Vénérable* dans *Saint Bernard et son temps. Recueil de mémoires et de communications présentés au congrès de l'Association bourguignonne des Sociétés savantes en 1927*, Dijon, 1928, t. I, p. 19-28.

(3) ORDERIC VITAL, *Historia ecclesiastica*, XIII, IV. On trouvera le texte des statuts dans *P. L.*, CLXXXIX, 1023-1046.

nettement spécifiés, et d'employer à l'infirmerie des laïques qui divulguent ensuite les secrets de la vie claustrale.

L'oisiveté est également combattue sous toutes ses formes. L' « antique et saint travail des mains » est remis en honneur et tout moine doit se livrer à un ouvrage utile ; ceux qui ne s'occupent pas à lire ou à écrire éviteront désormais de dormir, appuyés contre les murs du cloître, ou de perdre leur journée à des conversations oiseuses.

En même temps qu'il rétablit les pratiques indispensables à la vie monastique, Pierre le Vénérable remet au point l'organisation générale de l'ordre. Il entend assurer un meilleur recrutement en réservant à l'abbé le pouvoir d'admettre un postulant, ce qui devait avoir pour résultat d'écarter les vieillards, infirmes, fous et autres indésirables qui venaient chercher dans les abbayes clunisiennes une retraite les plaçant à l'abri du besoin. Il ordonne d'envoyer les novices à Cluny avant l'expiration de la troisième année pour recevoir la bénédiction de l'abbé et leur interdit jusque-là de remplir aucune fonction, de demander les ordres ecclésiastiques, de chanter la messe s'ils sont déjà prêtres. Il prescrit à toutes les maisons, même à celles qui ne réunissent qu'un petit nombre de moines, d'observer strictement tous les articles de la règle et ne tolère aucune atténuation sous prétexte qu'il n'y aurait dans une maison que trois ou quatre religieux, afin d'éviter l'oisiveté ou des désordres pires encore. Enfin aucun moine ne pourra être élevé au sacerdoce avant vingt-cinq ans et l'on devra exclure de cette haute fonction ceux qui, trop jeunes ou insuffisamment instruits, sont incapables de comprendre les devoirs qui y sont attachés.

APPLICATION DES STATUTS Telle est la réforme accomplie par Pierre le Vénérable. Fut-elle suffisante pour enrayer la décadence de Cluny ? On ne saurait l'affirmer ; du moins faut-il constater que l'abbatiat de Pierre le Vénérable est marqué par un effort de redressement qui a porté des fruits momentanés.

Pierre n'est pas seulement un législateur. Il a veillé à l'exécution de la règle avec une douce fermeté ; ses biographes laissent entendre qu'il eut à faire face à de véritables révoltes parmi les moines, mais il n'y a pas lieu de s'attarder sur des incidents enrichis, semble-t-il, de beaucoup de légendes [1]. Certaines lettres de l'abbé prouvent qu'il dut lutter pour imposer l'observation des statuts adoptés en 1132. L'interdiction d'une nourriture recherchée paraît avoir suscité une très vive opposition et Pierre le Vénérable a été obligé de rappeler l'obligation de l'abstinence à ces moines qui, « pareils à des milans et à des vautours, accourent partout où ils aperçoivent la fumée de la cuisine, partout où l'odeur de la viande frappe leur odorat », qui « passent l'année entière en liesse et en festins pour se préparer des supplices éternels » [2]. Le programme réformateur n'en fut pas moins appliqué, mais avec une modération

---

(1) On a conservé deux biographies de Pierre le Vénérable que l'on trouvera en tête de l'édition de ses œuvres (*P. L.*, CLXXXIX, 15-42). La première est due à son disciple, le moine Rodolphe.
(2) PIERRE LE VÉNÉRABLE, *Epist.* VI, 15.

et un esprit de miséricorde qui se reflètent à tout moment dans la correspondance de Pierre le Vénérable [1].

RENOUVEAU DES ÉTUDES   Pour remédier au relâchement toujours prêt à s'introduire dans les abbayes clunisiennes, Pierre le Vénérable s'est efforcé avant tout de remettre l'étude en honneur. Sans doute Cluny n'a pas produit, au milieu du XIIe siècle, d'hommes d'une réelle valeur intellectuelle ; les œuvres qui en sont sorties méritent à peine une mention, mais elles sont relativement nombreuses et, à défaut de talent, révèlent une certaine activité : Grégoire et Pierre de Pithiviers ne sont que d'honnêtes théologiens ; la biographie de Pierre le Vénérable par Rodolphe et la chronique de Richard de Poitiers sont dépourvues de qualités littéraires et laissent une impression de sécheresse lamentable. En revanche, si à Cluny même on ne peut citer aucun écrivain saillant, dans les abbayes affiliées il y a eu des historiens qui comptent parmi les meilleurs de l'époque : l'abbaye de Saint-Evroul, en Normandie, a été illustrée par Orderic Vital et, à Vézelay, Hugues de Poitiers a écrit une histoire du monastère, vivante et passionnée ; Pierre de Poitiers est un poète d'une ironie mordante que Pierre le Vénérable, avec un optimisme excessif, n'hésite pas à mettre en parallèle avec les plus grands poètes latins [2]. Les vieilles traditions clunisiennes ont donc persisté et elles ont contribué à enrayer la décadence.

ADMINISTRATION TEMPORELLE DE PIERRE LE VÉNÉRABLE   Tout en travaillant à la rénovation spirituelle de l'ordre qu'il avait reçu mission de diriger, Pierre le Vénérable ne s'est pas désintéressé du temporel et a pu accroître les ressources nécessaires au développement de la vie monastique. En 1147-1148, il a promulgué un règlement concernant l'abbaye de Cluny et les maisons qui lui étaient rattachées directement, la *Disposilio rei familiaris*, où il expose les résultats de son administration [3]. Il y rappelle qu'au moment où il a été élevé à la fonction abbatiale, il a trouvé « une Église grande, religieuse, illustre, mais très pauvre ». Cluny abritait alors plus de trois cents moines, mais pouvait en nourrir à peine cent, auxquels il fallait ajouter les hôtes et « un nombre infini de pauvres » ; aussi la récolte était-elle épuisée au bout de trois ou quatre mois et fallait-il recourir à un pain « faible de poids, noir, mêlé de son », et ajouter au vin une forte quantité d'eau. Des mesures énergiques étaient indispensables pour approvisionner le monastère. Pierre imposa à chaque doyenné une con-

---

(1) ORDERIC VITAL, *Historia ecclesiastica*, XIII, IV. Cf. aussi PIERRE LE VÉNÉRABLE, *Epist.* IV, 46, adressée à saint Bernard, où il est question des attaques dont l'abbé de Cluny avait été l'objet dans son propre monastère, lors de son voyage à Rome. « Mon caractère, écrit-il, me porte naturellement à l'indulgence ; l'habitude m'y porte encore davantage ». Pierre constate cependant qu'il y a des cas où il faut user de sévérité, mais il semble bien qu'il n'ait pu se résoudre aux dures sanctions.

(2) Cf. *Carmina Petri venerabilis*, 1 : *Adversus calumniatores carminum sui Petri Pictavensis defensio*, V, 30 et suiv.

(3) BRUEL, 4132. Cf. Guy DE VALOUS, *Le monachisme clunisien des origines au XIe siècle*, t. I, p. 23.

tribution en rapport avec sa production : avoine, si cette céréale était surtout cultivée, ou froment, ou vin, lorsque la vigne prédominait [1]. Les cens, que Cluny percevait sur certains monastères italiens, provençaux, espagnols et anglais, servirent au vestiaire et le prieur fut spécialement chargé de remettre aux moines, aux différentes époques de l'année, les frocs, coules, pelisses, capuces, fémoraux, chemises qui leur étaient nécessaires. Les autres dépenses, ordinaires ou extraordinaires, furent également prévues ; sans augmenter sensiblement les revenus du monastère, Pierre le Vénérable, en réformant l'administration, a pu assurer un meilleur rendement ; Cluny lui doit beaucoup à cet égard.

L'EXPANSION CLUNISIENNE SOUS PIERRE LE VÉNÉRABLE Ce digne successeur des grands abbés des Xe et XIe siècles s'est préoccupé aussi de l'extension de l'ordre, mais celui-ci avait pris un tel développement qu'un certain ralentissement était fatal, sans compter que la concurrence des ordres nouveaux, notamment de l'ordre cistercien, restreignait le champ de l'action clunisienne. Aussi les fondations contemporaines de son gouvernement se réduisent-elles à quatre : Dompierre, Sainte-Marie de Montdidier et Clunizet en France, Saint-Vincent de Salamanque en Espagne [2]. Dans un passage du *De miraculis*, Pierre le Vénérable célèbre avec fierté la prospérité du monastère de Cluny « connu dans tout l'univers par sa piété, par sa discipline, par le nombre de ses religieux » [3]. S'il est exact que, comme il le constate, la Gaule, la Germanie, l'Angleterre, l'Espagne, l'Italie sont « remplies de monastères fondés ou restaurés par Cluny », fondations et restaurations sont, à quelques exceptions près, antérieures à son abbatiat ; il n'en a pas moins eu le mérite de conserver ce qui existait avant lui, malgré les forces dissolvantes qui s'attaquaient à une institution vieille de plus de deux siècles.

LA CENTRALISATION CLUNISIENNE L'ordre conserve également sa physionomie. Aucune atteinte n'a été portée à la centralisation clunisienne que Pierre le Vénérable a défendue avec âpreté, surtout vis-à-vis des grandes abbayes qui cherchaient à s'émanciper de la tutelle de l'abbaye-mère [4]. Depuis son affiliation à Cluny (1066), le monastère de Saint-Gilles n'avait cessé de protester contre les décisions pontificales qui réservaient la nomination de l'abbé à l'abbé de Cluny et accordaient à celui-ci toute autorité. A la demande de Pierre le Vénérable, Honorius II, le 2 avril 1125, confirma les dispositions prises par ses prédécesseurs [5]. Les moines de Saint-Gilles persévérèrent dans leurs revendications et, le 8 mars 1132, Innocent II dut intervenir à nouveau : les droits de l'abbé de Cluny furent solennellement

---

(1) Cet approvisionnement en vin paraît avoir été assez difficile et Pierre le Vénérable s'est préoccupé de planter de nouvelles vignes, en même temps qu'il cherchait à assurer, pour les anciennes, un meilleur rendement.
(2) G. DE VALOUS, *op. cit.*, t. II, p. 170.
(3) PIERRE LE VÉNÉRABLE, *De miraculis*, I, IX.
(4) Cf. G. DE VALOUS, *op. cit.*, t. II, p. 57-61.
(5) JAFFÉ-WATTENBACH, 7195.

reconnus ; il garda le pouvoir de réformer le monastère, de présider le chapitre conventuel, de prendre les sanctions nécessaires en cas de manquements à la discipline ; le pape rendit pourtant aux moines l'élection de l'abbé, en spécifiant toutefois que, si aucun d'eux ne paraissait capable d'assumer cette charge, leur choix se porterait obligatoirement sur un religieux de Cluny [1]. A Vézelay, en 1129, l'abbé Baudouin est élu sans le consentement de l'abbé de Cluny ; le pape casse l'élection et impose Aubri, désigné par Pierre le Vénérable [2]. Saint-Bertin prétendait, tout en acceptant la discipline clunisienne, conserver son autonomie ; en 1125, Honorius II ordonne à l'abbé de se rendre à Cluny pour y porter sa soumission ; les choses se passèrent comme Rome les avait prescrites, mais la résistance ne cessa pas pour cela et, malgré les efforts de Pierre le Vénérable pour maintenir son pouvoir, le pape finit par libérer Saint-Bertin de l'obédience clunisienne [3]. C'est le seul échec enregistré par Pierre, mais, après lui, Saint-Gilles et Vézelay ne tarderont pas à conquérir leur indépendance. Ainsi s'annonce une désagrégation que le grand abbé a réussi à retarder de quelques années.

DIFFUSION DE L'ESPRIT CLUNISIEN   L'ordre clunisien a donc conservé, dans le second quart du xiie siècle, sa physionomie traditionnelle. On doit constater aussi que la conception de vie monastique qu'il représente s'est, malgré les incontestables progrès de la discipline cistercienne, maintenue et propagée jusque dans des abbayes qui n'étaient pas affiliées à l'ordre. Les deux influences de Clairvaux et de Cluny se sont parfois rencontrées et juxtaposées : l'irrésistible impulsion de saint Bernard a entraîné certains monastères à revenir à un mode de vie plus conforme à la tradition bénédictine, mais la règle une fois remise en vigueur, on a préféré à l'ascétisme rigoureux que prêchait l'apôtre de Clairvaux les modes d'activité clunisienne, en particulier sur le plan intellectuel.

SUGER ET SAINT-DENIS   Rien de plus caractéristique à cet égard que ce qui s'est produit à Saint-Denis au temps de l'abbé Suger. L'illustre abbaye, toute parée de glorieux souvenirs, avait connu au début du xiie siècle une inquiétante décadence. Si l'on en croit saint Bernard [4], la clôture n'était plus respectée ; courtisans et hommes d'armes s'y promenaient librement ; jeunes gens et jeunes filles s'y livraient à des ébats qui n'avaient rien d'édifiant, en sorte que cette pieuse retraite n'était plus que « l'officine de Vulcain et la synagogue de Satan ». Ce laisser-aller s'accompagnait du luxe le plus malsain et c'est sans doute l'abbé de Saint-Denis qui est visé dans l'*Apologie*, lorsque saint Bernard dénonce avec son âpreté habituelle les supérieurs de communauté qui, tels de puissants châtelains en expédition de guerre

(1) JAFFÉ-WATTENBACH, 7550.
(2) G. DE VALOUS, *op. cit.*, t. II, p. 59.
(3) *Ibid.*, p. 60.
(4) Saint BERNARD, *Epist.* LXXVIII.

ou en partie de plaisir, se font suivre en voyage par un nombreux personnel domestique avec soixante chevaux et plus [1].

En février 1122, à la mort de l'abbé Adam, Suger fut élu pour lui succéder, alors qu'il était absent et sans qu'on eût pris la peine de le consulter ni de solliciter l'avis du roi Louis VI. Il n'osa pas refuser la dignité qui lui était offerte et se laissa introniser, après avoir été au préalable ordonné prêtre [2]. Il s'occupa d'abord de restaurer le temporel de l'abbaye ; le *Liber de rebus in administratione sua gestis*, qu'il a composé vers 1144-1145, permet de suivre l'exécution de son programme qui se résume en ces mots : augmenter le bien-être matériel des religieux, afin qu'ils pussent se livrer à d'abondantes aumônes, agrandir et embellir l'église du monastère, fierté et orgueil des rois de France, but de multiples pèlerinages, dont les murs se lézardaient de toutes parts et qui ne réussissait plus à contenir les foules qui s'y pressaient aux jours de grande solennité [3]. Cette œuvre fut accomplie avec un ordre et une méthode dignes d'admiration. Très vite Saint-Denis fit de nouveau grande figure.

Suger ne se désintéressa pas du spirituel. A partir de 1127, il n'intervint plus guère dans la politique et se consacra tout entier à la réforme de son monastère, jusqu'au jour où la royauté fit de nouveau appel à ses services. Le redressement moral accompli dans l'espace de quelques années souleva l'enthousiasme de saint Bernard qui rendit un hommage ému aux résultats obtenus :

Maintenant l'austérité, la discipline et l'étude fleurissent dans cet asile. Le souci des affaires séculières en est soigneusement banni et l'on y médite dans un perpétuel silence sur les choses du ciel. Le seul allégement aux austérités et à la rigueur de la discipline est dans la douceur de la psalmodie et du chant des hymnes... La maison de Dieu n'est plus ouverte aux gens du monde et les curieux n'ont plus d'accès dans le sanctuaire. Plus de bavardage avec les oisifs, plus d'ébats de la jeunesse folâtre comme naguère. Les seuls enfants du Christ remplissent désormais ce lieu saint [4].

Si la réforme accomplie par Suger a été célébrée par l'abbé de Clairvaux, elle a eu aussi l'approbation de Pierre le Vénérable qui regrettait de ne pas rencontrer plus souvent celui qu'il appelle « ce cher et mien ami, cet ami qui était le mien avant qu'il fût devenu mon cher abbé de Saint-Denis et qui depuis m'est devenu plus cher encore » [5]. Elle est d'ailleurs de tendances beaucoup plus clunisiennes que cisterciennes. Saint Bernard lui-même constate la place qu'occupent à Saint-Denis la psalmodie et le chant sacré, très en honneur à Cluny. La basilique élevée par Suger souligne encore davantage le caractère de la réforme accomplie par ses soins : elle n'a rien d'une église cistercienne ; elle est conçue suivant la tradition de magnificence clunisienne et l'on pourra

(1) Saint BERNARD, *Apologia*, xi. Cf. E. VACANDARD, *Vie de saint Bernard, abbé de Clairvaux*, t. I, p. 178-180.
(2) Voir le récit de cette élection dans la *Vita Ludovici*, xxvii (édit. H. WAQUET, p. 206 et suiv.).
(3) Le *Liber de rebus in administratione sua gestis* a été édité par A. LECOY DE LA MARCHE, parmi les *Œuvres complètes de Suger*, publiées par la *Société de l'Histoire de France*, Paris, 1867. Le seul livre concernant Suger qui mérite d'être cité est celui de A. CARTELLIERI, *Abt Suger von Saint-Denis, 1081-1156*. Berlin, 1898.
(4) Saint BERNARD, *Epist.* LXXVIII.
(5) PIERRE LE VÉNÉRABLE, *Epist.* IV. 15.

voir par la suite que tous les arts concourent à rehausser l'éclat de la
majesté divine [1]. Suger avait un moment songé à faire venir de Rome
des colonnes de marbre qui eussent accentué la splendeur du monument
et, si les difficultés de transport l'obligèrent à renoncer à ce projet, Saint-
Denis n'en devint pas moins le rendez-vous des sculpteurs, des verriers
et des orfèvres qui en firent le plus somptueux des édifices religieux
de l'Occident chrétien.

C'est là une preuve du rayonnement de la conception monastique
clunisienne qui, au temps de Pierre le Vénérable, n'a cessé de s'affirmer
en face de la conception cistercienne propagée par saint Bernard. Ces
deux personnages, qui ont concentré autour d'eux tant d'énergies chrétiennes, ont disparu à peu près au même moment : saint Bernard est
mort en 1153 [2] ; Pierre le Vénérable s'éteint à son tour le 25 décembre
1156 [3], laissant l'ordre clunisien plus fort qu'il ne l'avait trouvé.

§ 4. — Les Prémontrés [4].

LA FONDATION DE PRÉMONTRÉ   C'est en 1120 que saint Norbert a
fondé, dans la forêt de Coucy, le mo-
nastère de Prémontré où affluèrent très vite de nombreux disciples de
ce prédicateur à l'âme ardente et à l'éloquence persuasive dont Calixte II
avait interrompu l'activité, à la suite des plaintes que son apostolat
avait soulevées de la part de certains évêques allemands [b].

L'IDÉAL DE SAINT NORBERT   Quarante clercs et des laïques plus nombreux encore s'étaient groupés autour de
saint Norbert dans le nouveau monastère. Le but qu'ils poursuivaient
ne paraît pas très nettement défini dès l'origine. Si l'on en croit une
biographie contemporaine, le fondateur de Prémontré, à la suite d'une
vision, adopta la règle de saint Augustin qui régissait alors les chapitres
réguliers [6], mais, tout en mettant en pratique ses dispositions générales,
il imposa à ses moines des habitudes d'ascétisme qu'il paraît avoir empruntées à la règle cistercienne. En réalité, le but que poursuit saint
Norbert est très différent de celui auquel s'attachent les autres ordres.
S'il s'est rallié à la règle de saint Augustin, c'est qu'il ne veut pas que
ses disciples perdent contact avec le siècle qu'ils devront régénérer et
ramener à une observation plus rigoureuse de la discipline chrétienne.
Tandis que Cluny et Cîteaux isolent complètement leurs adeptes d'un

(1) Cf. *infra*, p. 164 et suiv.
(2) Cf. *supra*, p. 110.
(3) *Chronicon Cluniacense* (*Bibliotheca Cluniacensis*, p. 1624).
(4) BIBLIOGRAPHIE. — Aux ouvrages indiqués au t. VIII, p. 460, n. 4, on peut ajouter :
R. van WAEFELGHEM, *Répertoires des sources imprimées et manuscrites relatives à l'histoire et à la
liturgie de l'ordre de Prémontré*, Bruxelles, 1930 ; ID., *Les premiers statuts de l'ordre de Prémontré*,
Louvain, 1913 ; B. GRASLL, *Die Prämonstratenser-orden* dans *Analecta Premonstratensia*, t. X,
1934 ; A. ERENS, art. *Prémontrés* dans *Dictionnaire de théologie catholique*, t. XIII, 1936, col. 2-31.
Voir aussi les quelques pages très suggestives de A. HAUCK, *Kirchengeschichte Deutschlands*, t. IV,
p. 371 et suiv.
(5) Cf. t. VIII, p. 460-461.
(6) *Vita Norberti*, XIII (M. G. H., *S.S.*, t. XII, p. 683).

monde jugé pervers, saint Norbert a déjà la conception qui présidera
un siècle plus tard à la naissance des ordres mendiants : pour lui, le moine
doit dépenser au dehors les trésors de foi et d'amour qu'il a conquis
par la pratique de la pénitence, de l'oraison et des autres vertus inhérentes à son état ; il ramènera le plus d'âmes possible à Dieu et, en conver-
tissant ses frères plus ou moins égarés, il augmentera le nombre des élus.

Avec de telles tendances il était impossible d'introduire à Prémontré
la règle bénédictine. Aussi saint Norbert a-t-il donné à son monastère
les apparences d'une communauté de chanoines réguliers. Toutefois entre
les chapitres obéissant à la règle de saint Augustin et la fondation nouvelle il y a une différence essentielle : les chanoines de Saint-Augustin
vivaient en commun et obéissaient à un supérieur, mais ils ne pratiquaient
qu'un ascétisme mitigé ; les moines de Prémontré s'imposent au contraire les mêmes privations que les Cisterciens ; ils ne mangent jamais
de viande, ils jeûnent la plus grande partie de l'année, et leur unique
repas ne se compose que d'œufs, de poisson et de légumes ; comme les
Cisterciens aussi, ils dorment tout habillés et pratiquent l'office de nuit [1].

Un autre caractère distingue Prémontré des communautés de chanoines réguliers. Celles-ci jouissaient d'une entière autonomie et n'avaient
d'autre lien que l'observation d'une règle commune. La bulle, par laquelle
Honorius II confirme en 1126 la fondation de saint Norbert [2], prévoit
au contraire l'existence de filiales qui, comme celles de Cluny, seront
rattachées à l'abbaye-mère. C'est donc un ordre qui se fonde, un ordre
qui se situe aux frontières de l'Église régulière et de l'Église séculière,
qui travaillera à l'évangélisation des laïques, mais où l'on s'adonnera
à une sévère discipline claustrale.

PREMIÈRES FILIALES DE PRÉMONTRÉ   Avant même que la bulle d'Honorius II eût fixé les traits de la
nouvelle fondation, saint Norbert avait réuni de nouveaux disciples.
En 1121, le comte Godefroy de Namur lui remet l'église de Floreffe où
il organise un monastère à l'image de Prémontré [3]. L'année suivante,
le comte Godefroy de Cappenberg lui abandonne son domaine pour
y créer une abbaye du type Prémontré, bientôt suivie de deux autres
à Varlat et à Ilbenstadt [4]. En 1123 ou 1124, Norbert vient à Anvers où
sévissait l'hérésie de Tanchelin [5] ; il y prêche et ramène un grand nombre
d'âmes à la foi orthodoxe, puis, pour perpétuer les résultats obtenus, il
crée, près de l'église Saint-Michel que les chanoines lui avaient remise,
une abbaye de Prémontrés [6] ; mieux que partout ailleurs apparaît ici
le but qu'il se propose, puisque ses disciples doivent travailler, après
lui, à maintenir les Anversois dans la fidélité à l'orthodoxie catholique.

(1) Ce caractère de Prémontré a été bien indiqué par A. Hauck, *op. cit.*, t. IV, p. 373.
(2) Jaffé-Wattenbach, 7244.
(3) *Vita Norberti*, xii.
(4) *Ibid.*, xv.
(5) Cf. *supra*, p. 92-94.
(6) *Vita Norberti*, xvi.

SAINT NORBERT DEVIENT Ainsi s'affirmait l'utilité pour l'Église
ARCHEVÊQUE DE MAGDEBOURG de l'ordre de Prémontré. Le succès
qu'il rencontrait attira l'attention sur
saint Norbert dont le prestige dans le nord de la France et en Allemagne
ne cessa de s'accroître entre 1120 et 1125. Il n'est donc pas surprenant
que l'on ait songé à lui pour de plus hautes destinées. En juin 1126,
lors de la diète de Spire, le roi Lothaire, cédant aux suggestions des légats
pontificaux, le désigna pour l'archevêché, alors vacant, de Magdebourg [1].
Il allait trouver de nouvelles occasions d'exercer son zèle réformateur
et de jouer, au sein de l'Église allemande, un rôle primordial, mais ce
changement de destinée pouvait être gros de conséquences pour l'ordre
qu'il avait fondé. Pendant une année il continua à diriger Prémontré
tout en exerçant ses fonctions archiépiscopales, puis, en 1128, le monastère reçut un nouvel abbé et il en fut de même pour toutes les filiales [2].
Saint Norbert devait vivre jusqu'en 1134 ; il ne cessa jamais de s'inté-
resser au mouvement qu'il avait déchaîné, mais c'est à son disciple et
successeur Hugues de Fosses que revient le mérite d'avoir donné à l'ordre
de Prémontré sa règle et son organisation.

RÈGLE DE PRÉMONTRÉ On connaît mal les circonstances qui ont pré-
sidé à l'élaboration de la règle primitive dont
on n'a pas conservé la plus ancienne rédaction [3]. Celle-ci ne paraît pas
avoir été rigoureusement conforme à la pensée première de saint Norbert
et il semble que l'ordre, à peine constitué, ait quelque peu modifié sa
physionomie. Saint Norbert, animé d'un vigoureux désir d'apostolat,
avait orienté ses moines vers la prédication qu'il considérait comme leur
forme essentielle d'activité. Or, au début du XIIIe siècle, dans la Règle
telle qu'elle nous est parvenue, il n'est plus question de cette mission
extérieure du Prémontré. Le Prémontré est devenu un chanoine qui vit
en communauté et s'adonne aux diverses pratiques de la vie monastique,
telles que saint Norbert les avait prescrites.

ORGANISATION DE L'ORDRE Quant à l'organisation de l'ordre fondé par
saint Norbert, il semble qu'elle ait été en
grande partie calquée sur celle de l'ordre cistercien. L'unité est assurée
par l'institution d'un chapitre général qui se réunit à Prémontré chaque
année au jour de la saint Denis (9 octobre) ; comme à Cîteaux, c'est à
ce chapitre, où toutes les maisons sont représentées, qu'est dévolue
l'administration de l'ordre et, comme chaque communauté élit son prieur,

(1) A. HAUCK, *op. cit.*, t. IV, p. 127. Cf. *supra*, p. 45.
(2) *Vita Norberti*, XVIII. Cf. A. HAUCK, *op. cit.*, t. IV, p. 375.
(3) La plus ancienne rédaction que nous possédions et qui a été éditée par R. VAN WAEFELGHEM,
Les premiers statuts de l'ordre de Prémontré, date seulement de 1200 ; elle a été précédée de deux
autres dont la plus ancienne, œuvre de Hugues de Fosses, se place sans doute autour de 1131.
Cf. H. HEIJMAN, *Untersuchungen über die prämonstratenser Gewohnheiten*, dans *Analecta Premonstratensia*, t. IV, 1928 et A. ERENS, art. *Prémontré* dans *Dictionnaire de théologie catholique*, t. XIII,
col. 6. A. HAUCK (*op. cit.*, t. IV, p. 375, n. 6) pense que les coutumes de Prémontré n'ont pas été,
au début, couchées par écrit et que la règle, telle que nous la possédons, codifie les « coutumes »
adoptées dès les débuts de l'ordre.

il en résulte que les pouvoirs de l'abbé de Prémontré se réduisent à peu de chose [1]. Il a cependant le droit de visite sur les filiales immédiates ; les abbés de Floreffe, de Cuissy et de Laon exercent la même prérogative par rapport à leurs propres filiales, mais il semble que, de bonne heure, ce contrôle se réduisit à fort peu de chose ; l'ordre de Prémontré est donc encore plus décentralisé que celui de Cîteaux ; chaque maison conserve son autonomie et n'est reliée aux autres que par une discipline commune qui concerne aussi bien la liturgie que la nourriture et le vêtement [2].

A l'origine, il y eut, à côté des monastères attachés à Prémontré, des cloîtres ouverts aux femmes, mais ces couvents doubles, institués du temps de saint Norbert, ont disparu assez vite, car, malgré une séparation complète, cette juxtaposition n'était pas sans inconvénients. Dès 1140, elle fut condamnée par Hugues de Fosses qui obligea les sœurs à s'éloigner du voisinage des moines, en attendant qu'il décrétât que l'ordre serait exclusivement réservé aux hommes [3].

DÉVELOPPEMENT DE L'ORDRE Ainsi constitué, l'ordre de Prémontré prit rapidement une grande extension. Hermann de Tournai, dans son *De miraculis S. Mariae Laudunensis,* s'écrie avec fierté que « depuis les Apôtres on n'a pas vu un apostolat aussi fructueux que celui de Norbert » et il n'hésite pas à accorder au fondateur de Prémontré un rôle supérieur à celui de saint Bernard [4]. Peut-être y a-t-il là quelque exagération. Ce qui demeure certain, c'est que trente ans après sa fondation, l'ordre comptait en Allemagne soixante maisons [5] ; au même moment, il s'était répandu en Lorraine et dans le nord de la France ; il pénétrera en Bohême vers 1140 et essaimera aussi en Angleterre, dans les pays du nord, en Espagne, au Portugal et même en Terre Sainte [6].

INFLUENCE DES PRÉMONTRÉS Cette extension à elle seule est un succès. Elle s'accompagne d'une sérieuse pénétration en profondeur. Les Prémontrés, s'ils ont renoncé au rôle de prédicateurs ambulants que leur avait assigné saint Norbert, n'ont pas perdu pour cela tout contact avec le siècle ; ils ont exercé le ministère pastoral et ont été chargés de paroisses qui avaient pour curé le prieur, assisté d'un certain nombre de jeunes religieux faisant auprès de lui fonction de vicaires [7]. Cette organisation provoqua, comme il devait arriver, des conflits avec le clergé séculier, jaloux de ses prérogatives ;

(1) *Vita Norberti,* xviii. Cf. aussi le texte des *Consuetudines* éditées par R. van Waefelghem.
(2) On lit dans la règle, *Dist.* IV, 10 : *Ut inter abbatias unitas indissolubilis perpetuo perseveret, stabilitum est primo quidem ut ab omnibus regula uno modo intelligatur, uno modo teneatur. Deinde ut iidem libri, quantum dumtaxat ad divinum officium pertinet, idem vestitus, idem victus, iidem denique per omnia mores atque consuetudines inveniantur.*
(3) Cf. A. Erens, *Les sœurs dans l'ordre de Prémontré* dans *Analecta premonstratensia,* t. V, 1929, p. 5 et suiv.
(4) Hermann de Tournai, *De miraculis S. Marie Laudunensis,* III, vii.
(5) A. Hauck, *op. cit.,* t. IV, p. 376-377.
(6) Cf. A. Hauck, *op. cit.,* t. IV, p. 377-378.
(7) H. Heijman, *op. cit.,* p. 367 et suiv. Cf. aussi P. Mandonnet, *Saint Dominique, l'idée, l'homme et l'œuvre,* t. II, p. 190-191.

plusieurs évêques ont essayé d'empêcher les moines de Prémontré de se rendre au chapitre général dont les directives pouvaient contrecarrer les leurs ; ils se firent rappeler à l'ordre par les papes Célestin II et Eugène III qui voyaient dans les disciples de saint Norbert de précieux auxiliaires pour le Saint-Siège [1]. Il en est résulté une christianisation des campagnes et un relèvement du niveau moral qui, malgré la Réforme grégorienne, laissait encore beaucoup à désirer.

Les Prémontrés ne se sont pas bornés à cet apostolat rural. Devenu archevêque de Magdebourg, saint Norbert les a utilisés pour l'évangélisation des populations slaves situées au delà de l'Elbe, à laquelle il s'est adonné pendant les dernières années de sa vie. On verra par la suite l'importance de cette action missionnaire qui s'est doublée d'une action colonisatrice [2]. Un peu partout d'ailleurs, les Prémontrés ont eu un rôle économique, notamment aux Pays-Bas où ils ont contribué à dessécher les marais et à gagner de nouvelles régions à la culture.

Par ces diverses formes d'activité, l'ordre de saint Norbert a joué un rôle important dans l'Église et dans la Chrétienté pendant le second quart du xiie siècle. Bien qu'il ne dédaigne pas la science et que ses premiers animateurs aient eu la constante préoccupation de fonder l'apostolat sur de solides connaissances religieuses, il n'a pas la vitalité intellectuelle de l'ordre clunisien, de même qu'il n'atteint pas les hauts sommets de l'ascétisme cistercien, mais, plus que ces deux grands ordres, il a exercé une influence sur la société et, en proposant une nouvelle conception de la vie monastique, frayé la voie aux ordres mendiants qui le supplanteront au xiiie siècle, tout en s'inspirant pour une large part de ses conceptions et de ses méthodes.

(1) Jaffé-Wattenbach, 8451 et 8718. Cf. A. Hauck, op. cit., t. IV, p. 380.
(2) Cf. infra, p. 182-183.

CHAPITRE V

LA RÉFORME DE L'ÉGLISE SÉCULIÈRE [1]

§ 1. — La législation conciliaire.

APPLICATION DES DÉCRETS DU CONCILE ŒCUMÉNIQUE DE 1123. Le neuvième concile œcuménique, tenu au Latran en mars 1123 [2], a renouvelé et mis au point la législation édictée par la papauté pendant la seconde moitié du XIᵉ siècle et ses décrets constituent en quelque sorte le code de la Réforme grégorienne. Bien que celle-ci eût pénétré, à des degrés divers, dans la plupart des pays chrétiens d'Occident, il restait encore beaucoup à faire pour plier le clergé séculier et les laïques à la discipline longtemps oubliée. L'épuration du clergé séculier, réalisée par le Saint-Siège, a eu pour conséquence de faciliter l'introduction dans l'Église de l'esprit dont s'étaient inspirés les réformateurs. On observe, au temps de saint Bernard, un progrès moral incontestable ; l'esprit monastique rayonne un peu partout et fait monter une sève vivifiante.

CONCILES RÉFORMATEURS Les artisans de ce progrès ont été avant tout les conciles nationaux ou provinciaux tenus sous le pontificat d'Honorius II (1124-1130). Ceux-ci ont été particulièrement nombreux dans le royaume anglo-normand, en France et en Espagne. En Angleterre, trois assemblées, réunies à Londres en 1125, en 1127 et en 1129, ont promulgué toute une législation qui complète celle des conciles du début du règne de Henri Iᵉʳ et vise au relèvement moral du clergé [3] ; dans les provinces continentales, le synode de Rouen, en 1128, a poursuivi un but identique [4]. En France, en la seule année 1125, il y a eu jusqu'à six conciles réunis à Bourges, à Chartres, à Clermont, à Beauvais, à Vienne et à Besançon [5] ; l'effort se prolonge au cours des années suivantes où l'on signale des assemblées d'évêques notamment à Nantes (1127), à Arras (1128), à Châlons-sur-Marne et à Paris (1129),

---

(1) Bibliographie. — On se reportera avant tout aux ouvrages d'ensemble et à ceux qui ont trait à l'histoire des différents pays chrétiens, indiqués soit dans la Bibliographie générale, soit dans les chapitres précédents. Les études particulières seront signalées à propos des différentes questions traitées.

(2) Cf. t. VIII, p. 391 et suiv.

(3) Mansi, t. XXI, col. 327, 353, 383. Cf. Hefele-Leclercq, *Histoire des conciles*, t. V, 1ʳᵉ p., p. 658-660, 667, 674-675.

(4) Mansi, t. XXI, col. 378. Cf. Hefele-Leclercq, *op. cit.*, t. V, 1ʳᵉ p., p. 672-673.

(5) Cf. Hefele-Leclercq, *op. cit.*, t. V, 1ʳᵉ p., p. 647-648. Les actes de ces conciles ne nous sont malheureusement pas parvenus.

à Clermont (1130), à Reims (1131) [1] ; c'est seulement pendant la période correspondant au schisme d'Anaclet que l'on observe un ralentissement sensible de l'activité conciliaire. Il en est de même en Espagne où, sous le pontificat d'Honorius II, d'importants synodes réformateurs s'étaient tenus à Barcelone (1126) et à Palencia (1129) [2]. En Allemagne et en Italie, les évêques semblent s'être concertés moins souvent ; ils s'assemblent surtout pour traiter des questions confinant à la politique ; il n'y a guère que le concile de Pavie (1128) qui ait laissé, en ce qui concerne la Réforme, des canons de quelque intérêt [3].

Les décisions de ces diverses assemblées se groupent autour des questions agitées par le concile du Latran de 1123. Elles visent la réforme morale du clergé, l'indépendance de l'Église vis-à-vis des laïques, la discipline et l'obéissance due à la hiérarchie, les règles canoniques concernant le mariage chrétien et les institutions de paix.

SIMONIE ET NICOLAISME — Comme au temps de Grégoire VII, les conciles contemporains d'Honorius II renouvellent avec insistance les condamnations portées contre la simonie et le nicolaïsme que l'on veut à tout jamais bannir de l'Église.

Les conciles anglais se montrent particulièrement préoccupés d'en finir avec la vénalité des charges ecclésiastiques et le concubinage des clercs. A Londres, en 1125, les évêques prescrivent que nul ne doit être ordonné pour de l'argent (c. 1), qu'il ne faut rien demander pour les divers sacrements, pour les sépultures (c. 2), et aussi pour les consécrations d'évêques, les bénédictions d'abbés et les dédicaces d'églises (c. 3) ; l'assemblée de 1127 édicte des dispositions analogues (c. 2 et 3) et elle condamne, en outre, la forme classique de la simonie, à savoir l'achat et la vente des bénéfices et charges ecclésiastiques (c. 1) [4]. En ce qui concerne le célibat des clercs, le concile de 1125 stipule (c. 13) que les prêtres, diacres et sous-diacres, chanoines doivent s'abstenir, sous peine de déposition, de leurs épouses ou de leurs concubines, qu'ils n'auront dans leur maison d'autre femme que leurs mère, sœur, tante ou, en général, des personnes à l'abri de tout soupçon ; celui de 1127 entre dans plus de précisions et, après avoir renouvelé (c. 5) l'interdiction précédente, ajoute que les archidiacres doivent veiller à son exécution sous peine de sanctions (c. 6), qu'en outre les concubines des clercs doivent être chassées des paroisses (c. 7). De même, le concile de Rouen (1128) rappelle aux clercs des provinces continentales du royaume anglo-normand l'obligation du célibat, en stipulant que « celui qui ne se séparera pas de sa

(1) MANSI, t. XXI, col. 350, 371, 378, 379, 437, 453. Cf. HEFELE-LECLERCQ, *op. cit.*, t. V, 1re p., p. 668, 671-672, 673-674, 687, 694-699. Les deux derniers de ces conciles, ceux de Clermont et de Reims, sont postérieurs à la mort d'Honorius II ; ils ont été présidés par Innocent II, au cours de son voyage en France (cf. *supra*, p. 57 et 60).

(2) MANSI, t. XXI, col. 341 et 386. Cf. HEFELE-LECLERCQ, *op. cit.*, t. V, 1re p., p. 661 et 674.

(3) MANSI, t. XXI, col. 373. Cf. HEFELE-LECLERCQ, *op. cit.*, t. V, 1re p., p. 672.

(4) Plusieurs de ces canons seront encore repris par un nouveau concile, tenu à Westminster en 1138, qui proclame à nouveau la gratuité des sacrements (c. 1) et celle des consécrations épiscopales, bénédictions abbatiales et dédicaces des églises (c. 3-4).

concubine ne recevra aucun revenu ecclésiastique » et qu'« aucun fidèle ne devra assister à sa messe » (c. 1).

Les conciles français ne dédaignent pas, eux non plus, de revenir sur les mesures souvent édictées par le Saint-Siège. La simonie a été condamnée en 1130 à Clermont (c. 1) et en 1131 à Reims (c. 1) en présence du pape Innocent II. Le synode de Clermont a également rappelé (c. 4) que les sous-diacres et tous les clercs des ordres supérieurs qui avaient des épouses ou des concubines devaient être dépouillés de leurs charges et bénéfices ; celui de Reims prescrit la continence (c. 3) et interdit d'assister aux messes des prêtres mariés ou concubinaires (c. 4).

En Espagne, le concile de Tolède (1129) édicte plusieurs canons contre le concubinage des clercs. En Italie, si les synodes sous le pontificat d'Honorius II sont muets sur le célibat ecclésiastique, en revanche, la grande assemblée tenue à Pise en 1135 par Innocent II [1] déclare invalides les mariages conclus par les clercs à partir du sous-diaconat, en même temps qu'elle réprouve la simonie [2], ce qui donne à penser que la péninsule n'était pas exempte des maux qui sévissaient ailleurs.

RÉFORME DES MŒURS CLÉRICALES Ainsi les vices que la Réforme grégorienne avait tenté d'extirper des rangs du clergé n'avaient pas complètement disparu. Cependant la simonie se fait plus rare et le nicolaïsme est moins répandu que pendant la période précédente. D'autres tendances fâcheuses sont dénoncées par les conciles, en particulier le luxe contre lequel saint Bernard s'est élevé avec une âpreté assez justifiée. Le concile de Clermont (1130) rappelle aux évêques et aux clercs qu'ils doivent être habillés modestement (c. 2) ; celui de Reims (1131) leur enjoint de porter le costume ecclésiastique, de se raser et d'avoir les cheveux courts (c. 6). Les séculiers ne sont pas seuls à susciter de telles prescriptions dont les réguliers ont eu aussi leur part ; le canon 12 du concile de Londres (1127) est ainsi conçu : « Aucune abbesse ou chanoinesse ne doit porter de vêtements trop somptueux, mais seulement des fourrures d'agneau ou de chat ». Il ne semble pas que cette règle ait été observée avec beaucoup de scrupule, car, en 1138, un concile tenu à Westminster revient encore sur cette épineuse question du costume des religieuses [3].

Ce luxe coûtait cher. En conséquence, les clercs et même les moines cherchaient à se procurer de l'argent. Ils usaient trop souvent de moyens peu licites, soit en exerçant une autre profession à côté de leur ministère pastoral, soit en pratiquant l'usure. Les conciles cherchèrent à prévenir de telles pratiques, peu compatibles avec la dignité sacerdotale. Le synode de Clermont décide que les moines et chanoines réguliers « ne pourront plus, après avoir pris l'habit et émis leurs vœux, étudier ensuite la jurisprudence et la médecine dans un esprit de lucre, ni exercer les fonctions

(1) Cf. *supra*, p. 64-65.
(2) Voir les actes de cette assemblée, édités par E. Bernheim, dans *Zeitschrift für Kirchenrecht*, t. XVI, 1881, p. 149. Cf. Hefele-Leclercq, *op. cit.*, t. V, 1re p., p. 713.
(3) Mansi, t. XXI, col. 507.

d'avocat ou de médecin » (c. 5). Celui de Londres (1127) condamne formellement les clercs usuriers (c. 14) et celui de Westminster (1138), plus explicite encore, rappelle (c. 9) que non seulement l'usure, mais aussi « le maniement des affaires du siècle » demeure interdit aux clercs. Dans le même ordre d'idées, les conciles de Londres en 1127 (c. 12) et de Rouen en 1128 (c. 2) défendent le cumul des dignités ecclésiastiques, excellent moyen pour les clercs d'augmenter des ressources dont l'abondance exagérée pouvait amener un emploi discutable.

DISCIPLINE ECCLÉSIASTIQUE Pour faciliter l'accomplissement de la réforme morale qu'ils n'ont cessé de poursuivre, les conciles se sont attachés à mettre au point les règles qui présidaient à l'organisation des diocèses et à renforcer la discipline. C'est en Angleterre que l'effort dans ce sens paraît avoir été le plus accentué : les deux conciles de Londres, en 1125 et en 1127, ont édicté une série de dispositions concernant la hiérarchie à l'intérieur du diocèse : le premier décide que « nul ne peut devenir doyen ou prieur, s'il n'est prêtre, ni archidiacre s'il n'est diacre » (c. 7) [1] et plus généralement que « personne ne peut être ordonné sans titre » (c. 8), le second que « nul ne doit être archidiacre dans deux évêchés » (c. 8). On veille aussi au maintien des prérogatives de l'évêque à l'intérieur de son diocèse : le concile de 1125, en particulier, exige son assentiment pour la concession d'un bénéfice par un laïque (c. 4) [2], défend d'expulser un clerc de sa charge sans une sentence épiscopale (c. 9), n'admet pas qu'un évêque puisse ordonner les diocésains d'un de ses confrères (c. 10), prescrit qu'un excommunié « ne doit pas être reçu par un autre évêque que par le sien » (c. 11).

INDÉPENDANCE DE L'ÉGLISE *VIS-A-VIS DES LAIQUES* En même temps qu'elle restaurait la discipline, la Réforme grégorienne avait visé à libérer les églises de la domination laïque. Les principes posés par les conciles au temps de Grégoire VII, d'Urbain II et de Pascal II ont été maintenus après la querelle des investitures. En Angleterre, le concile de Londres, en 1125, admet que l'on peut recevoir un bénéfice d'un laïque, pourvu que l'on ait l'assentiment de l'évêque (c. 4). Sur le continent le concile de Rouen, en 1128, défend aux moines et abbés de recevoir des laïques des églises ou des dîmes et ordonne aux laïques de restituer à l'évêque les biens d'église qu'ils posséderaient injustement, celui-ci ayant la faculté de les remettre aux moines, si telle a été l'intention de l'ancien possesseur (c. 3). Dans un cas comme dans l'autre, c'est à l'évêque qu'appartient la décision en dernier ressort. De même, en 1130, le concile de Clermont enjoint aux laïques, sous peine d'excommunication, de rendre aux évêques les

---

(1) En France, les conciles de Clermont, en 1130 (c. 7), et de Reims, en 1131 (c. 4), ont formulé exactement la même règle.
(2) Le second concile de Londres, en 1127, reprend cette disposition sous une forme plus précise (c. 11) : « Nul ne doit, sans l'assentiment de l'évêque, recevoir ni donner des églises, des dîmes, ni d'autres bénéfices ecclésiastiques ».

églises qu'ils posséderaient (c. 6) et ajoute que nul ne doit, sous prétexte d'héritage, émettre des prétentions sur les églises, prébendes, prévôtés, chapellenies ou autres biens ecclésiastiques (c. 11). De même encore, en 1131, le concile de Reims affirme que « toute église consacrée doit être absolument libre de toute domination laïque » (c. 10).

QUESTIONS MATRIMONIALES Les conciles contemporains d'Honorius II ont également poursuivi l'œuvre d'assainissement de la société laïque commencée sous les pontificats précédents. Ils ont en particulier rappelé l'existence de la législation sur le mariage que les canonistes avaient codifiée dans les dernières années du XIᵉ siècle [1]. En Angleterre, le concile de Londres (1125) décide que « les parents par le sang ou par alliance ne doivent pas se marier entre eux jusqu'au septième degré » (c. 16) et il ajoute que « lorsque des hommes, afin de se séparer de leurs femmes, s'en disent parents, on ne doit pas les écouter » (c. 17). En France, le concile de Nantes (1128) a pris également des mesures contre les mariages incestueux ; celui de Clermont a défendu les mariages entre parents (c. 12) et celui de Reims, à l'instar de l'assemblée anglaise, a rappelé que ces mariages ne pouvaient être inconsidérément rompus sous prétexte d'une prétendue parenté (c. 13 et 14). Le principe de l'indissolubilité du mariage chrétien est donc plus que jamais protégé contre les atteintes des seigneurs volages et libidineux.

INSTITUTIONS DE PAIX Il en a été de même pour les institutions de paix. Le concile de Clermont, tenu en 1130 sous la présidence d'Innocent II, a maintenu tout à la fois la paix de Dieu, à laquelle ont droit en tout temps clercs, moines et pèlerins, et la trêve de Dieu qui reste en vigueur toutes les semaines du mercredi soir au lundi matin, de l'Avent à l'octave de l'Épiphanie, du dimanche de la Quinquagésime à l'octave de la Pentecôte (c. 8). Mêmes prescriptions, en ce qui concerne la trêve, au concile de Reims en 1131 (c. 11 et 12).

L'Église ne renonce donc pas à introduire un peu plus de douceur évangélique dans les mœurs du monde féodal. Le concile de Clermont a pris, à cet égard, une initiative intéressante : ne se contentant pas de dresser des obstacles à la guerre, il a interdit formellement les tournois, parce qu'ils sont souvent homicides, et défendu de donner la sépulture ecclésiastique à ceux qui en auraient été victimes (c. 9). La même assemblée, toujours soucieuse de protéger la vie humaine, excommunie les incendiaires et leurs complices (c. 13). Ainsi s'affirme l'effort social esquissé pendant la période précédente et qui apparaît comme l'indispensable complément de la Réforme grégorienne.

(1) Cf. t. VIII, p. 464-467.

SECOND CONCILE DU LATRAN (1139) Le schisme d'Anaclet a interrompu l'activité conciliaire. Il n'y a pas eu entre 1131 et 1139 d'assemblée qui rappelle, même de loin, celles qui se sont tenues auparavant à Londres, à Clermont et à Reims. Une fois l'unité de l'Église rétablie, Innocent II réunit au Latran un concile œcuménique auquel assistèrent de nombreux prélats [1] et qui, après avoir pris les mesures qui s'imposaient quant à l'extirpation du schisme, promulgua trente canons où se condense, une fois de plus, la législation réformatrice [2].

Celle-ci n'a rien d'original et elle ne fait que réunir les décisions des conciles qui s'étaient tenus depuis 1123, en reprenant, le plus souvent sous la même forme, les canons de Clermont (1130) et de Reims (1131).

On y retrouve d'abord, formulées plus explicitement qu'ailleurs, les condamnations habituelles de la simonie sous ses divers aspects :

1. Celui qui a été ordonné par simonie doit perdre sa charge.
2. Celui qui a obtenu à prix d'argent une prébende, un prieuré, un doyenné ou toute autre charge ecclésiastique ou bien encore un sacrement de l'Église comme le saint chrême, l'huile sainte, la consécration des autels ou des églises, sera privé de cette charge si mal acquise ; le vendeur, l'acheteur et toutes les personnes qui auront pris part à cet acte seront considérés comme infâmes. Tout doit être fait gratuitement [3].

Les canons 6 et 7 renouvellent l'interdiction aux clercs d'avoir auprès d'eux des épouses ou des concubines, avec défense d'assister à la messe d'un clerc engagé dans de tels liens ; le canon 21 éloigne de l'autel les fils des prêtres, à moins qu'ils ne soient moines ou chanoines. Les nonnes ne sont pas oubliées : le canon 8 leur défend de se marier et le canon 26 d'habiter dans des maisons particulières, tandis que le canon 27 leur rappelle qu'elles ne doivent pas venir au chœur avec les moines et les chanoines pour chanter les psaumes.

Le costume des clercs, qui avait suscité des observations de la part des conciles locaux, fait l'objet du canon 4, moins précis que les canons similaires de Clermont et de Reims :

4. Les évêques et tous les clercs doivent être vêtus d'une manière décente et modeste.

Sont reprises aussi l'interdiction faite à Clermont aux moines et chanoines réguliers d'exercer un métier (c. 9) et les décisions des synodes anglais relatives aux usuriers :

13. Nous abhorrons la rapacité si condamnable des usuriers et nous les excluons de toutes les consolations que l'Église peut accorder aux fidèles. Les clercs ne pourront admettre (aux sacrements) les usuriers qu'avec la plus grande circonspection ; ces usuriers seront considérés comme infâmes toute leur vie durant et, s'ils ne s'amendent pas, ils seront privés de la sépulture ecclésiastique.

Le canon 3 rappelle, comme l'ont fait d'autres assemblées, que « celui

(1) Cf. *supra*, p. 70-71.
(2) On trouvera les canons du second concile du Latran dans MANSI, t. XXI, col. 523 et suiv. Cf. le commentaire de HEFELE-LECLERCQ, *op. cit.*, t. V, 1re p., p. 724 et suiv.
(3) Le canon 24 reprend cette prescription sous une forme plus allégée.

qui a été excommunié par son évêque ne doit pas être reçu par un autre sous peine d'excommunication ». C'est la seule des dispositions anglaises relatives au pouvoir épiscopal qui ait été reprise avec celle concernant les nominations d'archidiacres qui est insérée dans un canon plus général où est affirmée aussi l'indépendance de l'Église à l'égard des laïques :

> 10. Les laïques ne doivent posséder aucune des dîmes de l'Église ; s'ils en ont reçu quelqu'une des mains des évêques, des rois ou de toute autre personne, ils doivent les rendre à l'évêque sous peine d'excommunication ; de même les laïques qui possèdent des églises doivent les rendre à l'évêque. Personne ne peut être nommé archidiacre ou doyen, s'il n'est diacre ou prêtre ; celui qui l'est déjà et ne se fera pas ordonner sera déposé. De même on ne doit pas confier ces emplois à des jeunes gens. Les églises ne doivent pas être administrées par des prêtres loués ; toutes celles qui ont des revenus suffisants doivent avoir un prêtre particulier.

Le canon 25 complète et précise ce canon 13 en interdisant toute investiture laïque.

Enfin les prescriptions des conciles locaux relatives aux laïques ne sont pas oubliées : le canon 17 interdit les mariages entre parents, les canons 11 et 12 reprennent les décisions de Reims sur la sécurité des clercs et la trêve de Dieu, tandis que le canon 14 réédite le canon 9 de Clermont sur l'interdiction des tournois.

En résumé, le deuxième concile du Latran n'a pas édicté de lois nouvelles ; il n'a fait qu'ajouter à celles qu'avait promulguées le neuvième concile œcuménique quelques dispositions empruntées aux divers conciles nationaux, attirant ainsi l'attention sur certaines questions actuelles telles que le luxe sacerdotal, la restitution des églises par les laïques, les mariages consanguins et les tournois. Par là, il est l'épilogue des conciles de l'époque grégorienne.

CONCILE DE REIMS (1148)   On peut en dire autant du concile tenu à Reims en 1148 par Eugène III, qui n'est pas un simple concile français, car il réunit aussi plusieurs prélats anglais, allemands et espagnols. Ses canons sont parvenus en deux rédactions différentes qui présentent d'ailleurs quelques traits communs[1]. Il en est beaucoup qui rééditent, à peu de chose près, ceux du concile œcuménique de 1139. Tout au plus la forme est-elle parfois plus détaillée : c'est ainsi que le canon 2, qui vise le costume des clercs, est ainsi rédigé :

> 2. Les ecclésiastiques ne doivent pas blesser les regards des fidèles par des vêtements peu convenables ou par leur tonsure ; ils doivent plutôt, par toute leur manière d'être, manifester leur esprit de chasteté et leur bonne tenue sacerdotale, et cela sous peine de perdre leurs bénéfices. Les évêques qui ne feront pas exécuter ce règlement seront suspendus.

Un autre canon précise l'indépendance de l'Église vis-à-vis des laïques :

> 5. Les laïques ne doivent pas s'ingérer dans les affaires de l'Église. De même les évêques établis ne doivent pas communiquer aux laïques la puissance judiciaire ecclésiastique ni leur laisser le soin de défendre les intérêts des clercs.

---

(1) On trouvera ces canons dans MANSI, t. XXI, col. 711 et suiv. Cf. HEFELE-LECLERCQ, *op. cit.*, t. V, 1re p., p. 823 et suiv.

La seule addition importante opérée par le concile de Reims a trait aux rapports avec les excommuniés. Il est stipulé que les clercs qui communiquent avec les excommuniés perdent, de ce fait, leur rang et leur bénéfice (c. 6), qu'on doit cesser le service divin partout où se trouve un excommunié (c. 7), que quiconque a des relations avec un excommunié doit être regardé comme étant lui-même excommunié (c. 9), qu'on ne doit donner ni le chrême ni l'huile sainte à ceux qui sont excommuniés (c. 15), que les corps des excommuniés ne doivent pas recevoir la sépulture ecclésiastique (c. 16)[1]. Le concile ratifie en somme toutes les mesures qui avaient été proposées dès la fin du pontificat de Grégoire VII[2].

IMPORTANCE DE LA LÉGISLATION CONCILIAIRE Au total, il y a eu, au temps de saint Bernard, une importante activité conciliaire. Si les mesures prescrites soit par les conciles locaux, soit par le concile du Latran de 1139 n'ont rien de bien nouveau, elles prouvent du moins que l'esprit de la Réforme grégorienne n'a cessé d'animer l'Église séculière. L'effort pour purifier l'Église se prolonge et aboutit à des résultats qu'on ne doit pas minimiser. Le strict maintien de la règle s'accompagne d'une action continue pour purifier le clergé aux divers degrés de la hiérarchie.

§ 2. — Evêques, chapitres et paroisses.

LES ÉLECTIONS ÉPISCOPALES On a déjà constaté que, sous le régime qui a fait suite à la querelle des investitures, la valeur morale de l'épiscopat s'était accrue dans les divers royaumes chrétiens[3]. Ce progrès n'a cessé de s'accentuer pendant le second quart du XIIe siècle et il faut en chercher avant tout la cause dans un meilleur recrutement qui tient lui-même à la procédure adoptée dans les élections épiscopales.

INFLUENCE DES MOINES Si celle-ci varie d'un diocèse à l'autre, si la part de l'élément laïque est suivant les cas plus ou moins prépondérante, si en particulier la composition de l'assemblée électorale n'est pas régie par des règles fixes, on doit noter pourtant que dans l'ensemble les préceptes canoniques ont été observés et que ce sont les chanoines qui désignent l'évêque[4]. Ceux-ci toutefois ont subi bon gré mal gré, des influences extérieures, notamment de la part des moines. Saint Bernard est intervenu à plusieurs reprises et généralement à la demande du corps électoral : à Tours, en 1133, après la mort d'Hildebert de Lavardin, c'est lui qui fait triompher l'élu du cha-

---

(1) Ces divers canons ne se trouvent que dans une des deux versions. Cf. HEFELE-LECLERCQ, t. V, 1re p., p. 826-827.
(2) Cf. t. VIII, p. 189-192.
(3) Cf. t. VIII, p. 407.
(4) Nous renvoyons une fois de plus (cf. t. VIII, p. 408-409) à l'ouvrage de P. IMBART DE LA TOUR, *Les élections épiscopales dans l'Église de France du IXe au XIIe siècle*, Paris, 1890, dont le dernier chapitre, intitulé « Les élection[s] passent aux chapitres », groupe (p. 513 et suiv.) une série d'exemples très significatifs.

pitre, Hugues, de son rival, Philippe, qui, proclamé archevêque par une
minorité, avait fait ratifier son élection par l'antipape Anaclet II [1] ; à
Langres, en 1138, c'est encore lui qui impose Geoffroy de la Roche,
après avoir fait écarter le moine de Cluny désigné par le chapitre au
mépris de certaines promesses préalables [2] ; à Reims, la même année,
à Bourges en 1141, à York après la mort de Thurstan (1141), dans d'autres
cas encore, il s'est plus ou moins substitué aux électeurs [3]. Les moines
clunisiens, de leur côté, sont tout puissants dans un bon nombre de
diocèses tels que Limoges, Angoulême, Saintes, Poitiers, Carcassonne,
Albi, Cahors, Nîmes, Clermont, Auxerre, Rouen, Thérouanne [4]. Un mouvement de réaction contre ces ingérences monastiques s'est dessiné de
bonne heure ; on l'a déjà observé dans les dernières années du XIe siècle [5] ;
il s'est amplifié au milieu du XIIe, mais les moines tournèrent alors la
difficulté en pénétrant, avec l'appui de la papauté, dans les chapitres ;
de plus en plus s'institue l'usage de remettre des prébendes aux représentants des abbayes qui désormais pourront participer légalement à
l'élection de l'évêque [6].

DES MOINES DEVIENNENT ÉVÊQUES

Le résultat, c'est que l'épiscopat
se recruta plus d'une fois parmi
les moines. L'exemple le plus connu est, en Allemagne, celui de saint
Norbert : en 1126, le fondateur de Prémontré est devenu archevêque
de Magdebourg [7]. Son cas est loin d'être unique : Anselme, évêque de
Havelberg, comme Norbert, appartenait à l'ordre de Prémontré ; Ursion
de Verdun, lui aussi, était moine avant d'être élevé à la dignité épiscopale
et c'est encore le cas d'Ulric de Constance que l'on a été chercher au
monastère de Saint-Blaise [8]. En France, Renaud et Pierre, qui se succèdent
sur le siège de Lyon, Hugues III, archevêque de Rouen, sont issus de
l'ordre clunisien, tandis que Godefroy de Langres, Bernard de Nantes,
Hugues III d'Auxerre sont des Cisterciens.

VALEUR MORALE DE L'ÉPISCOPAT

L'épiscopat ne pouvait que gagner
à s'enrichir de telles recrues. Dans
l'ensemble, son niveau moral n'a cessé de s'élever. En Allemagne, où
Lothaire a laissé toute liberté aux électeurs [9], il est très supérieur à celui
de la période précédente : Meginher, archevêque de Trèves de 1127 à
1130, a passé sa vie à lutter contre l'incontinence sacerdotale ; les évêques

---

(1) E. VACANDARD, *Vie de saint Bernard*, t. I, p. 345-350. Cf. *supra*, p. 24.
(2) Cf. *supra*, p. 73.
(3) Cf. E. VACANDARD, *op. cit.*, t. II, p. 36-44, 183 et suiv., 314-327 ; P. IMBART DE LA TOUR, *op. cit.*, p. 520.
(4) P. IMBART DE LA TOUR, *op. cit.*, p. 519.
(5) Cf. t. VIII, p. 408.
(6) P. IMBART DE LA TOUR, *op. cit.*, p. 527. Cluny possède une prébende à Chartres, une autre à Orléans, une troisième à Troyes ; de même l'abbaye de Saint-Victor a des prébendes à Paris, Chartres et Sens. « Il n'est pas de monastère important, conclut P. Imbart de la Tour, qui ne compte un de ses moines dans le chapitre ».
(7) Cf. *supra*, p. 129.
(8) A. HAUCK, *Kirchengeschichte Deutschlands*, t. IV, p. 134-135.
(9) Cf. *supra*, p. 45-46.

qui, au temps de Lothaire, occupent les sièges de Ratisbonne, Constance, Munster, Utrecht, sans compter ceux déjà cités de Havelberg et de Verdun, se sont distingués par leur piété en même temps que par leur zèle pour promouvoir la Réforme [1]. En France, il suffit de parcourir la correspondance de saint Bernard pour se convaincre qu'à côté d'évêques qui n'ont pas su se défendre contre certaines habitudes de luxe, il y en a eu d'autres d'une haute valeur morale : l'évêque de Troyes, Atton, lors d'une grave maladie, distribue tous ses biens aux pauvres [2] ; Henri Sanglier, archevêque de Sens, auquel est dédié le *De officio episcoporum*, Renaud, archevêque de Reims, Hildebert, archevêque de Tours, Barthélemy de Vir, évêque de Laon, Geoffroy, évêque de Chartres, Étienne, évêque de Paris, Bouchard, évêque de Meaux, et tant d'autres ont joué un rôle auquel l'abbé de Clairvaux a rendu hommage, apportant par là un démenti à l'appréciation pessimiste qu'il formule un peu hâtivement dans une de ses lettres où il écrit, sous le coup d'une violente indignation : « Un bon évêque est un oiseau rare » [3]. Il suffit enfin de lire la vie de saint Malachie O'Morgair, évêque de Connor, puis archevêque d'Armagh, rédigée par saint Bernard lui-même [4], pour se rendre compte que l'épiscopat a compté, outre de bons évêques, de véritables saints animés de l'ardent désir de mener à bien l'œuvre de réforme dans des pays encore païens.

SAINT MALACHIE   Peut-être le tableau qu'a laissé saint Bernard du diocèse de Connor au moment où saint Malachie en devint évêque est-il poussé trop au noir : impiété, superstition, extraordinaire corruption, ignorance religieuse, s'y seraient donné rendez-vous ; les sacrements, à l'exception du baptême, n'y étaient plus jamais administrés et les prêtres y étaient tout à fait rares. Saint Malachie se mit courageusement à l'œuvre ; par sa tenace prédication, il ramena peu à peu ses ouailles à la pratique du christianisme et réussit même à réintroduire parmi elles les usages de l'Église romaine. A peine la situation commençait-elle à s'améliorer que, pour obéir à la suprême volonté de l'archevêque d'Armagh, Celse, qui venait de mourir, l'évêque de Connor dut aller recueillir sa succession ; pendant six ans, il lutta à nouveau contre les abus, après quoi, ayant trouvé un successeur en la personne du moine Gélase (1137), il se retira à Dower, chef-lieu d'un diocèse reconstitué qui avait longtemps dépendu de celui de Connor et qu'il administra tout en ne cessant de veiller sur l'ensemble de l'Église d'Irlande. En 1139, il se rendit à Rome et c'est au cours de ce voyage qu'il s'arrêta à Clairvaux où il vit saint Bernard. Il aurait rêvé de finir ses jours dans la solitude, mais Innocent II ne l'autorisa pas à se retirer de la vie active ; il retourna dans la grande île où il multiplia les monastères cisterciens qui devinrent autant de foyers réformateurs. Au cours d'un nouveau voyage à Rome, en 1148, il mourut à Clairvaux, laissant

(1) A. HAUCK, *op. cit.*, t. IV, p. 134.
(2) Saint BERNARD, *Epist.* XXIII et c.
(3) Saint BERNARD, *Epist.* CCXLIX et CCCLXXII. Cf. sur les évêques contemporains de saint Bernard : E. VACANDARD, *op. cit.*, t. I, p. 214-215.
(4) On trouvera la *Malachiae vita* dans *P. L.*, CLXXII, 1073-1114.

la réputation d'un apôtre et d'un saint que la Vie rédigée par saint Bernard a immortalisé [1].

LUXE DE CERTAINS ÉVÊQUES   Saint Malachie a eu la chance de trouver un tel biographe. Il n'est certainement pas une exception ; il y a eu un peu partout des évêques réformateurs et missionnaires qui lui ressemblaient. Dans le *De officio episcoporum*, saint Bernard estime que celui qui est investi de la fonction pastorale doit se distinguer par trois vertus indispensables qui sont la chasteté, l'humilité et la charité [2]. Bien des prélats de son temps ont répondu à cet idéal, mais il en est évidemment d'autres qui ont versé dans « l'amour déréglé de leurs propres excellences » [3]. On a vu comment l'abbé de Clairvaux avait combattu autour de lui l'ambition et l'orgueil [4], mais quelle était la proportion de ces pasteurs égoïstes et vaniteux ? Il est difficile de l'indiquer avec précision. Quelques années après avoir dédié à Henri Sanglier le *De officio episcoporum*, saint Bernard, dans un sermon sur le Cantique des Cantiques, rééditait un portrait peu flatteur de l'épiscopat de son temps :

Un poison infect circule aujourd'hui dans tout le corps de l'Église, d'autant plus désespérant qu'il est plus étendu, d'autant plus dangereux qu'il est plus profond. Si c'était un hérétique qui se levât ouvertement contre l'Église, elle le mettrait dehors et il se dessécherait ; si c'était un ennemi violent, elle pourrait lui échapper en se cachant. Mais maintenant qui rejettera-t-elle ? A qui se dérobera-t-elle ? Tous sont ses amis et cependant tous sont ses ennemis ; tous sont de la maison et pas un n'est pacifique ; tous sont ses proches et tous recherchent leur propre intérêt. Ils sont les ministres du Christ et ils servent l'antéchrist. Ils marchent dans les honneurs, enrichis des biens du Seigneur, mais sans rendre au Seigneur l'honneur qu'ils lui doivent. De là cet éclat de courtisane, que nous avons tous les jours sous les yeux, ces costumes d'histrions, cet apparat de roi. De là cet or aux selles, aux mors et aux éperons, ceux-ci étant plus brillants que les autels. De là ces tables avec des plats et des coupes splendides ; de là ces repas et ces ivresses, et les cithares et les lyres et les flûtes, et ces ases qui débordent, et ces bassins qui regorgent, et ces tonneaux de vins fi..s, et ces bourses toujours pleines [5].

Dans un autre sermon sur le Cantique des Cantiques, saint Bernard s'écrie : « Combien me donnez-vous de prélats qui ne soient pas plus occupés à vider la bourse qu'à déraciner les vices de leurs subordonnés ? Et ce que je dis là n'est encore que le moindre mal » [6]. Il ne paraît pas que ces prélats aient été tellement nombreux, car, comme on l'a très justement remarqué [7], si l'on cherche, dans la correspondance de saint Bernard, à faire le relevé exact des évêques méritant le reproche

---

(1) Sur saint Malachie, voir le chapitre de E. VACANDARD, *op. cit.*, t. II, p. 359-388. On a prêté à saint Malachie une prophétie sur les papes dont il aurait fixé par avance les devises fixant la physionomie de chaque pontificat. Il n'y a pas lieu d'insister sur cette pseudo-prophétie qui est en réalité un faux confectionné à la fin du xvie siècle ; elle est en effet absolument inconnue jusqu'en 1595, époque à laquelle elle fut publiée sans indication de source ni de manuscrit par un moine bénédictin de Douai, dom Arnold Wion, qui l'inséra dans son ouvrage *Lignum vitae, ornamentum et decus ecclesiae*, Venise, 1595.

(2) Saint BERNARD, *De moribus et officio episcoporum*, III.

(3) *Ibid.*, v.

(4) Cf. *supra*, p. 28-30.

(5) *In Cant. sermo* XXXIII, 15.

(6) *In Cant. sermo* LXXVII, 1 et 2.

(7) E. VACANDARD, *op. cit.*, t. I, p. 215-216.

de vie exagérément somptueuse, on ne trouve guère que Simon, évêque de Noyon, qui a tenu à garder l'évêché de Tournai en raison des revenus qui y étaient attachés, et Henri, évêque de Verdun, simoniaque avéré, qui dut abandonner sa charge lors du concile de Châlons, en 1129. L'abbé de Clairvaux ne cite pas d'autres exemples, si bien qu'il est permis de se demander s'il n'a pas cherché surtout, par ses ardentes invectives, à prévenir l'extension du mal qu'il redoutait et à introduire dans l'épiscopat l'esprit de renoncement, seul moyen à ses yeux de faire circuler parmi tous les membres de l'Église la sève monastique.

LA RÉFORME DES CHAPITRES Saint Bernard a adressé des reproches de même ordre aux chapitres ; il a notamment dénoncé les doyens et les archidiacres qui cumulaient les bénéfices ecclésiastiques. Sans doute ses critiques ne sont-elles pas injustifiées et l'on peut les illustrer d'un certain nombre d'exemples probants : le frère de Louis VII, Henri, qui devait finir ses jours sous le froc cistercien, a été, dès le sous-diaconat, archidiacre d'Orléans, abbé de Notre-Dame d'Étampes, de Notre-Dame de Corbeil, de Notre-Dame de Melun, de Saint-Mellon de Pontoise et de plusieurs autres monastères ; Guillaume, fils du comte Thibaut de Champagne, a cumulé un nombre non moins appréciable de dignités canoniales, ce qui lui attira d'assez vives réflexions de saint Bernard dont il sollicitait l'intervention pour acquérir de nouvelles dignités [1].

Le mal venait de ce que les chapitres séculiers n'étaient pas assez à l'abri des influences du dehors. Aussi le meilleur moyen pour le prévenir paraissait-il de poursuivre le mouvement de régularisation des chapitres, commencé depuis plus d'un siècle. Saint Bernard a été l'apôtre de la règle de saint Augustin qui permettrait d'introduire parmi eux l'esprit monastique, source de vie religieuse. En 1125, il contribue à la transformation du chapitre de Saint-Étienne de Dijon, puis, en 1127, à celle de Saint-Martin d'Épernay qui, l'un et l'autre, se régularisèrent [2]. Il s'intéresse à toutes les communautés déjà existantes et entretient une correspondance suivie avec Saint-Victor de Paris et avec Arrouaise [3]. Aussi bien, à côté de Prémontré où s'est en quelque sorte fixée la règle de saint Augustin, continuent à se fonder et à prospérer des communautés analogues à celles du siècle précédent.

Le mouvement ne s'est pas limité à la France. Il a été au moins aussi intense en Allemagne, grâce à quelques évêques comme Adalbert de Mayence, Otton de Bamberg, Reinhard d'Halberstadt, Conrad de Salzbourg ; le dernier, plus encore que tous les autres, a été l'apôtre de la règle de saint Augustin qu'il a introduite au chapitre de sa cathédrale [4].

(1) E. VACANDARD, *op. cit.*, t. l, p. 217-218.
(2) *Ibid.*, p. 193-194.
(3) *Ibid.*, p. 197-198.
(4) A. HAUCK, *Kirchengeschichte Deutschlands*, t. IV, p. 361 et suiv. On y trouvera la liste des communautés de chanoines réguliers fondées en Allemagne pendant la première moitié du XIIᵉ siècle.

Celle-ci a trouvé un ardent défenseur en Geroch de Reichersberg qui estime que tous les clercs devraient se régulariser et que la propriété individuelle, pour eux, est une forme de simonie [1]. Cette conception mérite d'être soulignée : elle indique le progrès des idées réformatrices pendant la période qui a suivi la querelle des investitures.

LES ÉGLISES PAROISSIALES   La Réforme s'est étendue jusqu'aux paroisses que les décrets grégoriens ont touchées plus tardivement. On a vu comment, dès le début du XIIe siècle, en France, certaines églises ont été affranchies de la tutelle laïque [2]. Cette libération s'est continuée par la suite : les deux conciles du Latran, en 1123 et en 1139, se sont occupés tout spécialement des églises paroissiales, en stipulant, l'un que « le soin des âmes et la dispensation des choses ecclésiastiques doivent rester soumis au jugement et à la puissance de l'évêque » (c. 4), l'autre que « les laïques ne doivent posséder aucune des dîmes de l'église » et que ceux d'entre eux « qui possèdent des églises doivent les rendre à l'évêque » (c. 10) [3].

Dans quelle mesure cette législation des conciles œcuméniques a-t-elle été appliquée ? Il est assez difficile de le dire avec exactitude. En Allemagne notamment, il semble bien que les seigneurs ne se soient pas entièrement dessaisis des églises. Du moins ont-ils respecté les droits de l'évêque qui sortent fortifiés de la querelle des investitures [4]. Un régime nouveau s'est créé, qui tient compte tout à la fois des intérêts du pouvoir laïque et du pouvoir religieux en même temps que de ceux de la paroisse elle-même. Le choix du curé résulte de l'accord établi entre les trois éléments qui composent la paroisse : le seigneur propose un candidat, puis sollicite l'assentiment des paroissiens, après quoi l'évêque confère au nouveau curé les pouvoirs canoniques et le fait installer par le doyen [5]. Sans doute les choses ne se passent-elles pas toujours aussi simplement et y a-t-il eu bien des conflits : les paroissiens n'acceptent pas toujours le candidat du seigneur, patron de la paroisse, et il arrive que l'évêque refuse de l'instituer, mais ce seul fait est significatif du progrès de la Réforme : l'église n'est plus assimilée au moulin ou au pressoir ; le seigneur n'en dispose plus à son gré et doit respecter les valeurs spirituelles qui y sont attachées. C'est une transformation du régime féodal qui s'opère peu à peu : en même temps que les biens d'église sont restitués, les personnes ecclésiastiques s'affranchissent de la tutelle laïque et les prérogatives du sacerdoce sont mieux observées.

---

(1) Geroch de Reichersberg, *De edificatione Dei*, XIII (*Libelli de lite*, t. III, p. 142). Dans le *De investigatione Antichristi*, I, XLII (*ibid.*, t. III, p. 349), il qualifie les chapitres séculiers de « synagogues de Satan ».
(2) Cf. t. VIII, p. 411-413.
(3) Cf. *supra*, p. 137-138.
(4) Cf. A. Hauck, *op. cit.*, t. IV, p. 35 et suiv.
(5) *Ibid.*, p. 38-39.

MULTIPLICATION DES PAROISSES Cette évolution est d'autant plus importante que les paroisses se multiplient. Dans certaines régions, où les progrès économiques ont été notables, où la forêt a été remplacée par des terres cultivées au milieu desquelles se constituent des villages, on voit apparaître de nouvelles églises rurales [1]. De plus, à côté de ces paroisses rurales se créent des paroisses urbaines. La renaissance économique, qui n'a cessé de s'accentuer depuis le début du xie siècle, a eu pour conséquence une extension des villes ; de nouveaux quartiers se sont formés, où afflue une population, souvent nombreuse, de commerçants et d'artisans ; c'est le cas notamment des cités échelonnées le long des fleuves, comme le Rhin, la Meuse, l'Escaut, dont l'activité ne cesse de s'accroître. Aussi la cathédrale ne peut-elle plus suffire aux besoins religieux ; il faut édifier, en dehors des remparts, d'autres églises où l'on célèbre le service divin et où l'on distribue les sacrements [2]. Ces églises sont desservies de façon très diverse : tantôt elles appartiennent, comme les paroisses rurales, à un seigneur qui exerce un droit de présentation ; tantôt elles relèvent du chapitre ou d'un monastère qui a les mêmes prérogatives. Quel que soit le régime, ce sont de nouveaux foyers de vie religieuse qui s'allument de la sorte et facilitent la pénétration de la morale chrétienne dans les âmes.

§ 3. — La curie romaine.

CRITIQUES A L'ÉGARD DE L'ADMINISTRATION ROMAINE Au moment où les idées réformatrices pénétraient peu à peu l'ensemble de l'Église d'Occident, la curie romaine, d'où était partie l'impulsion au temps de Nicolas II, de Grégoire VII et d'Urbain II, devenait elle-même la proie d'une crise d'un nouveau genre dont les conséquences pouvaient devenir rapidement redoutables. Dans son *De consideratione*, saint Bernard a dénoncé les abus nés de l'extension du pouvoir et de l'influence du Siège apostolique [3]. Luxe des personnages ecclésiastiques qui composent la cour pontificale, encombrement résultant du nombre excessif des appels pour des questions secondaires que la juridiction de l'ordinaire aurait pu facilement résoudre, prédominance des soucis purement administratifs sur les préoccupations d'ordre spirituel, tels étaient, suivant l'abbé de Clairvaux, les maux auxquels il importait de remédier dans un proche avenir.

Saint Bernard n'est pas seul à formuler de telles critiques. Il note lui-même qu'il se fait l'écho des murmures qui se sont élevés un peu partout en France, en Allemagne et en Italie [4]. Wibald de Stavelot n'est

---

(1) On trouvera des exemples dans A. HAUCK, *op. cit.*, t. IV, p. 22-23.
(2) Cf. A. HAUCK, *op. cit.*, t. IV, p. 28 et suiv.
(3) Cf. *supra*, p. 37-38.
(4) Saint BERNARD, *De consideratione*, III, vi. Cf. A. HAUCK, *op. cit.*, t. IV, p. 180-183.

pas plus optimiste : à l'en croire, l'Église romaine détruit ses propres lois, en cédant aux mauvaises influences qui s'exercent sur elle[1].

INSUFFISANCE DU PERSONNEL ADMINISTRATIF

Il ne semble pas que ces critiques aient produit beaucoup d'effet. Si l'on en croit les mêmes auteurs, le recrutement du personnel administratif qui constituait la cour romaine avait laissé à désirer depuis la paix de l'Église. Saint Bernard a flétri la mollesse et la mondanité des clercs qui composaient l'entourage du pape[2], dénonçant par là-même la cause essentielle de la dévorante cupidité qui sévissait à la curie, véritable « caverne de voleurs », rendez-vous des ambitieux, des avares, des simoniaques et des sacrilèges[3]. Le Sacré Collège lui-même ne paraît pas avoir été à l'abri de tout reproche : il s'y était glissé des clercs trop jeunes, intrigants et beaux parleurs, plus préoccupés des questions de préséance que des intérêts dont ils avaient la charge[4]. Or c'est parmi les cardinaux que se recrutaient le plus souvent les légats pontificaux qui n'ont pas toujours été à la hauteur de leur mission. Saint Bernard ne les a pas épargnés : il a durement flétri ceux qui, traversant le midi de la France, sacrifiaient, dit-il, le salut du peuple à l'or de l'Espagne[5] ou encore le cardinal Jordan qui, écrit-il encore, des Alpes à Rouen rançonne les églises et sème le désordre partout où il passe[6]. Et comment ne pas rappeler cette rude exclamation arrachée à l'abbé de Clairvaux par un légat d'une rare intégrité, le cardinal Martin, qui, au cours de sa mission en Dacie, ne voulut jamais rien accepter : « Qu'un légat ait ainsi traversé le pays de l'or sans en rien rapporter, c'est là une vertu d'un autre âge »[7].

LA RÉFORME DE L'ÉGLISE ROMAINE

Saint Bernard ne s'est pas borné à critiquer. L'intérêt positif du *De consideratione* réside dans tout un programme de réformes précises que le pape cistercien paraissait susceptible de réaliser et qui est en harmonie avec la tendance générale à laquelle obéit l'abbé de Clairvaux. C'est à une régénération morale de la curie romaine qu'il aspire ; là aussi il veut implanter l'esprit monastique, source de toute vertu et de tout progrès dans l'Église.

Ce que saint Bernard rappelle avant tout au pape, c'est la vocation surnaturelle de cette Église romaine qu'il a charge de diriger. Par suite de la multiplication des appels en cour de Rome, il se laisse constamment absorber par les causes futiles qui sont portées devant son tribunal et n'a plus le temps de s'occuper des grands intérêts spirituels dont il a la charge. Et voici sa conclusion :

(1) WIBALD DE STAVELOT, *Epist.* CCXXXVIII.
(2) Cf. *supra*, p. 37.
(3) Saint BERNARD, *De consideratione*, I, x et iv.
(4) *Ibid.*, IV, v.
(5) *De consideratione*, III, i.
(6) Saint BERNARD, *Epist.* CCXC. Cf. E. VACANDARD, *op. cit.*, t. II, p. 464-465.
(7) *De consideratione*, IV, v.

Quoi de plus servile, quoi de plus indigne, surtout pour un souverain pontife, que de peiner ainsi, je ne dis pas tous les jours, mais presqu'à toute heure pour de telles affaires et pour de tels hommes ! Et alors quand prions-nous ? Quand enseignons-nous les peuples ? Quand édifions-nous l'Église ? Quand méditons-nous sur la loi ? Le palais retentit chaque jour des lois de Justinien et non de celles du Seigneur. Est-ce juste [1] ?

Il y a dans ces brèves interrogations des directives de gouvernement en harmonie avec le plus pur idéal grégorien. « Le devoir de notre charge, écrivait Grégoire VII au début de son pontificat, est d'évangéliser les hommes. Malheur à nous, si nous n'évangélisons pas ! [2] » Le chapitre I du livre III du *De consideratione*, qui renferme le conseil fameux *Praesis ut prosis, non ut imperes*, n'est que le développement de la formule pontificale. Saint Bernard y montre, avec une chaleureuse émotion, que, si le pape a reçu tout pouvoir sur la terre, c'est pour la nourrir et non pour la dominer :

Vous êtes le débiteur des Infidèles, des Juifs, des Grecs, des Gentils. Vous devez vous attacher à ramener les incrédules à la foi, à empêcher ceux qui y sont revenus de s'en écarter, à redresser les pervers, à convaincre par des arguments victorieux ceux qui sont dans l'erreur, afin que, si possible, ils s'amendent ou que tout au moins ils perdent, avec l'autorité, le pouvoir de persuader les autres [3].

Telle est la grande mission qui incombe au titulaire de la dignité apostolique et, pour permettre au pape de s'y adonner tout entier avec le souci exclusif du gouvernement de toutes les âmes dont il a la charge, saint Bernard ne dédaigne pas d'entrer dans des détails pratiques qui révèlent, une fois de plus, chez lui une extraordinaire faculté d'observation jointe à une véritable divination.

La réforme qu'il préconise concerne avant tout le régime des appels en cour de Rome qui entravent tout particulièrement l'exercice de l'autorité apostolique. Un bon nombre d'entre eux échappe à la compétence du Saint-Siège, car le pape n'a pas été institué pour déclarer nuls tous les mariages illicites ni pour réprimer le vol et le sacrilège, encore moins pour mettre d'accord les hommes qui plaident pour la possession d'un héritage ou pour décider de questions de propriété. « Les affaires de la terre ont leurs juges, les rois et les princes de la terre. Pourquoi, demande saint Bernard à Eugène III, envahiriez-vous un territoire étranger et porteriez-vous votre faulx sur la moisson d'autrui ? Ce n'est pas que vous en soyez indigne, mais il est indigne que vous vous arrêtiez à de telles questions, alors que d'autres, plus importantes, vous sollicitent » [4]. Par suite, tout en convenant que le nombre des appels qui viennent du monde entier est un témoignage éclatant en l'honneur de la primauté romaine, l'abbé de Clairvaux veut supprimer tous ceux qui ne relèvent pas de la juridiction pontificale et les restituer à leurs juges naturels, évêques ou princes temporels. A cette fin, il requiert une sanction contre ceux qui les auraient formulés sans raison : « J'estime, dit-il, qu'il faut

---

(1) *De consideratione*, III, iv.
(2) GRÉGOIRE VII, *Registrum*, I, 53.
(3) *De consideratione*, III, i.
(4) *Ibid.*, I, vi.

frapper celui qui a fait appel sans cause. La divine et immuable équité et aussi, si je ne me trompe, la loi même qui régit les appels exigent que l'appel illicite ne profite pas à l'appelant et ne fasse pas tort à l'appelé... L'appel n'est pas un subterfuge, mais un refuge ». Comment admettre par exemple, ajoute saint Bernard, que, comme il est arrivé à Paris, la cérémonie d'un mariage soit brusquement interrompue parce qu'il a pris fantaisie à un assistant de lancer une opposition et d'interjeter appel à Rome, en prétendant que l'épousée qu'il convoitait lui avait été livrée et devait lui appartenir. La juridiction de l'ordinaire suffit pour trancher des cas de ce genre qu'il y a tout intérêt pour le Saint-Siège à lui restituer [1].

La limitation du nombre des appels, sous peine de sérieuses sanctions, est la première réforme que préconise saint Bernard. La seconde concerne la curie romaine, pourrie par l'argent. Le pape doit s'attacher à la peupler de vrais serviteurs de Dieu, humbles et désintéressés, qui donneront gratuitement ce qu'ils auront reçu gratuitement et qui, terreur des riches et providence des pauvres, ne courront plus après l'or, mais ne songeront qu'à faire régner la loi du Christ et à soulager la misère. Et saint Bernard de suggérer les moyens de découvrir ces clercs selon le cœur de Dieu et de saint Pierre. Choisissez, conseille-t-il à Eugène III, « des hommes qui aient fait leurs preuves et non pas des jeunes gens qui aspirent à les faire », des « vieillards tant par l'âge que par les mœurs ». Il continue : « Ne prenez pas ceux qui recherchent les fonctions et courent après elles, mais ceux qui hésitent à les accepter ou les refusent. Pour ceux-là, usez de contrainte et forcez-les à entrer ». Puis, à ces conseils généraux il en ajoute un autre beaucoup plus original. Il veut qu'au lieu de composer son entourage à l'aide de jeunes clercs romains bouclés et frisés, plus verbeux que sages, très versés dans la flatterie et dans l'intrigue, le pape élargisse le recrutement de la curie. « Pourquoi, dit-il en conclusion, ne pas choisir dans tout l'univers ceux qui doivent juger l'univers entier [2] ? » L'idée était tellement hardie que saint Bernard se contente de cette insinuation sans insister davantage, mais elle était lancée et elle fera son chemin.

RÉFORMES D'EUGÈNE III Dans quelle mesure Eugène III a-t-il suivi les conseils de saint Bernard ? Il est difficile de le dire exactement. Le pontificat a été trop court pour qu'une réforme de large envergure ait pu être réalisée et tout au plus peut-on enregistrer chez le pontife, formé à la discipline de Clairvaux, une évidente bonne volonté pour remettre un peu d'ordre à la cour romaine. Pénétré de l'esprit monastique, Eugène III « n'estimait pas plus l'argent qu'un brin de paille » [3]. Il s'est efforcé, de l'avis même de saint Bernard, de limiter l'afflux de l'or dans la capitale chrétienne et d'introduire dans le Sacré Collège, à chacune des vacances qui s'y produisirent, des hommes plus désintéressés. Il a songé aussi à assainir les finances pontificales en dres-

(1) *De consideratione*, III, ii.
(2) *Ibid.*, IV, iv.
(3) *Ibid.*, II, xiv.

sant la liste exacte des revenus de l'Église romaine. Préludant au travail que devait accomplir en 1192 le camérier Cencius, il fit rédiger un *Liber censuum* dont on ne peut reconstituer la physionomie exacte, mais qui donnait, semble-t-il, l'état des « cens » de l'Église romaine [1]. C'était là un excellent moyen de connaître les ressources exactes dont pouvait disposer la papauté, ce qui permettrait ensuite de limiter ou de réprimer les taxes abusives.

Ces réalisations, malgré tout, demeurent peu de chose par rapport au vaste programme indiqué par saint Bernard. La réforme de la curie romaine n'est même pas ébauchée et les abus, loin de disparaître, reprendront sous les pontificats suivants. La papauté, qui, au temps de Grégoire VII et d'Urbain II, a régénéré l'Église, risque, par suite de la centralisation et des rouages administratifs qui en résultent, de compromettre, au milieu du XIIe siècle, la grande œuvre dont elle a été l'initiatrice ; le chef est, au moment où disparaissent saint Bernard et Eugène III, peut-être plus éprouvé que les membres par cette maladie, si souvent dénoncée par l'abbé de Clairvaux, le luxe.

(1) Sur le Livre censier d'Eugène III, voir : P. Fabre, *Étude sur le* Liber censuum *de l'Églis-romaine*, Paris, 1892, p. 16.

CHAPITRE VI

LA VIE RELIGIEUSE

§ 1. — L'essor de la piété [1].

INFLUENCE DE SAINT BERNARD L'Église, pendant le second quart du XIIe siècle, ne s'est pas seulement réformée conformément aux directions grégoriennes. Libérée des graves soucis qui résultaient pour elle de la lutte avec les princes temporels, elle se donne tout entière à sa mission qui est d'orienter les âmes dans les voies du salut et de les rapprocher de Dieu en leur infusant une vie spirituelle plus intense.

Ici plus que partout ailleurs le rôle de saint Bernard a été décisif. Si l'on a pu dire très justement que la spiritualité de l'abbé de Clairvaux « ne se fait pas remarquer par des idées bien nouvelles » [2], elle a eu du moins une force extraordinaire de diffusion et les fréquents contacts que l'ascète cistercien a eus avec le siècle lui ont permis de donner à la piété médiévale une vigoureuse impulsion.

Saint Bernard a eu des émules dans les cloîtres. Sainte Hildegarde de Bingen, qui sera pendant la période suivante une des plus curieuses incarnations de la mystique chrétienne, a, après ses premières visions qui datent de 1141, échangé une correspondance avec lui et reçu, en même temps que des encouragements, des leçons de prudence et d'humilité qui ont certainement contribué à maintenir la « prophétesse » dans un sage équilibre [3]. Toutefois l'action du grand apôtre s'est exercée bien davantage encore sur l'ensemble des clercs et des fidèles qu'il a entraînés à sa suite vers une vie plus chrétienne, animée d'un réel amour de Dieu, où les pratiques religieuses s'affirment et se multiplient.

LA DÉVOTION AU CHRIST Pour parvenir à la pure contemplation, saint Bernard a tout d'abord médité sur le mystère du Verbe fait chair et c'est par le Christ qu'il a cherché à atteindre Dieu. Ses sermons gravitent autour de la Nativité, de la Passion, de la Résurrection, de l'Ascension du Sauveur et rattachent à ces épisodes

---

(1) BIBLIOGRAPHIE. — Outre les ouvrages généraux de G. SCHNUERER, A. HAUCK et autres précédemment cités, on consultera : P. POURRAT, *La spiritualité chrétienne*, t. II, *Le moyen âge*, Paris, 1928 ; E. MALE, *L'art religieux du XIIe siècle en France*, Paris, 1923 ; G. PARIS et U. ROBERT, *Miracles de Notre-Dame*, t. I-VIII, Paris, 1876-1893 ; S. BEISSEL, *Geschichte der Verehrung Marias in Deutschland während des Mittelalters*, Fribourg-en-Br., 1909 ; K. YOUNG, *The drama of the medieval Church*, Oxford, 1933 ; J. KLAPPER, *Der Ursprung der lateinischen Osterfeiern* dans *Zeitschrift für deutsche Philologie*, t. L, 1926 ; M. BOEHME, *Das lateinische Weihnachtspiel*, Leipzig, 1917.
(2) P. POURRAT, *La spiritualité chrétienne*, t. II, p. 29.
(3) Voir en particulier l'*Epist.* CCCLXVI de saint Bernard. Cf. E. VACANDARD, *Vie de saint Bernard*, t. II, p. 327-337.

de la vie terrestre du Fils de Dieu de pressantes invitations à suivre les préceptes évangéliques. On ne saurait donc être surpris de la place, chaque jour plus importante, que tient dans la piété des hommes du XIIᵉ siècle le culte rendu à la personne du Christ.

LES PORTAILS ROMANS   C'est aux portails des églises romanes, contemporaines de saint Bernard, que se manifeste le mieux, gravée en quelque sorte dans la pierre, la physionomie de ce culte. A Moissac et à Chartres, le Christ apparaît dans une gloire, tenant dans une main le livre de la Loi, entouré des animaux symboliques qui figurent les évangélistes, enseignant et bénissant tout à la fois, rappelant aux hommes qu'il est l'alpha et l'oméga, que seul il ouvre les voies du salut, que l'observation de ses commandements est le plus sûr gage de l'avenir éternel promis aux fils d'Adam. A Cahors, à Saint-Sernin de Toulouse, dans un autre portail de Chartres, c'est l'Ascension que les sculpteurs proposent à la méditation des fidèles, afin de les persuader que le Maître, montant au ciel, a préparé l'accès à la béatitude céleste, but de leurs efforts en ce monde. A Beaulieu, à Conques, à Saint-Denis, à Autun, le Christ préside au Jugement dernier ; la signification de cette scène pouvait être facilement saisie par les foules, invitées une fois de plus à se prosterner devant le Dieu incarné et à implorer sa miséricorde en même temps que son appui dans la lutte menée contre le démon [1].

LE DRAME LITURGIQUE   Le drame liturgique prolonge et complète l'enseignement des portails romans : l'Évangile y est mis en action sous une forme vivante et rendu accessible à tous.

De bonne heure, on avait pris l'habitude de dialoguer les textes sacrés lors des grandes fêtes chrétiennes. Le dimanche des Rameaux, la Passion était lue par plusieurs diacres : l'un se faisait l'interprète des paroles du Christ, un autre personnifiait les différents acteurs du drame, tandis que par moments retentissaient les imprécations de la foule assemblée au prétoire ou au pied de la croix. C'est de là qu'est né le drame liturgique. Il semble que les essais les plus anciens remontent au Xᵉ siècle [2]. Au cours du XIᵉ siècle, les cérémonies religieuses s'enrichissent peu à peu de dialogues. Au milieu du XIIᵉ, chacune des grandes solennités chrétiennes, Noël, l'Épiphanie, la Passion, la Résurrection, donne lieu à de touchantes mises en scène du récit évangélique.

Naturellement on prend avec celui-ci certaines libertés ; on brode sur le texte sacré en développant des épisodes à peine indiqués. Un sermon attribué à saint Augustin, qu'on lisait parfois aux matines de Noël et où les prophètes, pris à partie, sont en quelque sorte sommés de produire leur témoignage sur le Christ, a donné naissance au drame des prophètes

---

(1) Sur ces diverses représentations du Christ dans l'art du milieu du XIIᵉ siècle, voir les saisissantes pages de E. MALE, L'art religieux du XIIᵉ siècle en France, p. 377-419.
(2) Cf. E. MALE, op. cit., p. 126. La plus ancienne allusion à un drame liturgique relatif à la Résurrection paraît bien se trouver dans la Regularis concordia anglicae nationis monachorum sanctimonialiumque de saint DUNSTAN (P. L., CXXXVII, 495-496).

qui, à Saint-Martial de Limoges par exemple, inaugurait le cycle de Noël [1]. De même, l'adoration des Mages fut souvent représentée ; pour chaque personnage on eut soin de définir les attitudes qu'il devait observer, les gestes qu'il esquisserait, aussi bien que les détails du costume qu'il porterait. La Résurrection inspira davantage encore les dramaturges ; la liturgie du matin de Pâques fut illustrée d'une série de tableaux, adaptés au récit évangélique et destinés à satisfaire la naïve curiosité des fidèles : on vit les saintes femmes se rendre chez le marchand d'aromates avant d'aller embaumer le corps du maître, les pèlerins d'Emmaüs converser avec le Christ, saint Thomas manifester tour à tour son incrédulité et sa foi [2].

Le drame liturgique devait par la suite donner naissance aux mystères. Il a, dès les origines, contribué à alimenter la piété des fidèles envers le Christ en mettant à leur portée les dogmes de l'Incarnation et de la Rédemption, en les aidant à méditer sur les joies de Bethléem, les souffrances du Calvaire et le triomphe de la Résurrection, en les préparant à une pratique plus raisonnée des sacrements, aliment de leur foi et source des vertus nécessaires au salut.

LA MÉDITATION DE LA VIE DU CHRIST SOURCE DE VIE CHRÉTIENNE

Saint Bernard, dans un bon nombre de sermons, s'applique à tirer les leçons qui se dégagent des épisodes de la vie terrestre du Christ. Chacun d'eux est pour lui une occasion d'élever les âmes de ses auditeurs : au jour de Noël, il exhorte les fidèles à considérer l'infinie bonté de Dieu et à l'imiter eux-mêmes [3], ou encore, s'apitoyant sur le dénuement de l'Enfant Jésus dans sa crèche, il en tire une exhortation à la pénitence :

Fuis le plaisir, fais pénitence, c'est ce que te prêche l'étable, ce que te crie la crèche, ce que te disent clairement les petits membres de l'enfant, ce que t'enseignent ses larmes et ses vagissements... O Seigneur, faites que, de même que le Verbe a pris notre chair, ainsi mon cœur devienne un cœur de chair et s'attendrisse [4].

De même la méditation des souffrances du Calvaire se traduit par une invitation à marcher « dans la voie royale de la Croix », sûr moyen d'apaiser le « Souverain Juge du Monde » [5], tandis que la Résurrection et l'Ascension, en proclamant la souveraineté du Seigneur sur tout l'univers, commandent au chrétien *de rechercher les choses d'En Haut où le Christ demeure assis à la droite de Dieu (Coloss. III, 1)* [6].

Les sermons de saint Bernard n'ont pas été réservés à quelques moines d'élite ; ils ont été traduits en langue vulgaire [7] et, par là, ils ont

---

(1) E. MALE, *op. cit.*, p. 141-144.
(2) E. MALE, *op. cit.*, p. 132-139.
(3) Saint BERNARD, *In Nativitate Domini, sermo* I, 2.
(4) *Ibid., sermo* IV, 1.
(5) Saint BERNARD, *In Cantica. sermo* XLIII, 3-4. C'est dans le même sermon que se trouve la phrase déjà citée (*supra*, p. 14) « La philosophie la plus élevée, c'est de connaître Jésus et Jésus crucifié ».
(6) Saint BERNARD, *In ascensione Domini, sermo* II, 2.
(7) Cf. E. VACANDARD, *Vie de saint Bernard*, t. I, p. 460.

contribué au développement de la vie chrétienne. La constante méditation des mystères de la vie et de la mort du Christ a suscité des élans de piété, car celui qui se plaît à voir l'Homme-Dieu « naître, grandir, enseigner, mourir, ressusciter et monter au ciel » est naturellement porté à la prière, en même temps que « ces images allument nécessairement dans son cœur l'amour de la vertu et apaisent les désirs mauvais »[1].

C'est sans doute au milieu du XIIe siècle qu'il faut placer les plus lointaines origines de la dévotion au Sacré-Cœur. S'il est difficile d'en attribuer l'initiative à saint Bernard lui-même[2], du moins certains de ses disciples ont-ils incité les fidèles à « entrer jusqu'au cœur de Jésus, siège assuré de la miséricorde », suivant la formule employée dans ses *Meditativae orationes* par Guillaume de Saint-Thierry[3]. Guerric d'Igny s'apitoie lui aussi sur la plaie ouverte par la lance au côté du Christ et, dans un sermon pour le dimanche des Rameaux, arrive à cette conclusion :

Bon et plein de pitié, il a ouvert son côté pour que le sang de sa blessure te vivifie, pour que la chaleur de son corps te réchauffe, *pour que le souffle de son cœur t'aspire, pour ainsi parler,* en te livrant libre passage[4].

On ne saurait toutefois tirer de ce passage des conclusions trop formelles : il ne saurait encore être question d'un culte rendu au Sacré-Cœur de Jésus ; c'est seulement une dévotion qui s'esquisse et par laquelle on essaie de vivifier l'amour de l'homme pour le Fils de Dieu[5].

LE CULTE EUCHARISTIQUE   En réalité, la forme essentielle de la piété envers le Christ est, au XIIe siècle, le culte de l'Eucharistie. C'est à ce moment que l'on a commencé en France à élever l'hostie aussitôt après la consécration, pour la présenter à la vénération des fidèles[6]. Il semble toutefois que cette dévotion ait été surtout extérieure et que la pratique de la communion quotidienne, prônée au siècle précédent par saint Pierre Damien et par Grégoire VII[7], ait eu de la peine à s'implanter au moins parmi les fidèles. Robert Palleyn établit une différence entre les prêtres qui, à ses yeux, doivent communier fréquemment et les laïques pour lesquels une communion annuelle paraît suffisante[8]. De même, saint Otton de Bamberg, tout en admettant que la communion fréquente est une chose excellente, la redoute pour les nouveaux convertis auxquels il n'impose l'obligation de recevoir le corps

(1) Saint BERNARD, *Sermo* I, 9-11.
(2) Dans *In Cant. sermo* LXI, saint Bernard s'exprime ainsi : « Le fer a transpercé son âme ; il a eu accès à son cœur, pour qu'il sache désormais compatir à nos infirmités ». Ces termes demeurent vagues et n'autorisent aucune conclusion formelle.
(3) *Meditativae orationes,* VI dans *P. L.,* CLXXX, 225-226. Cf. aussi, du même GUILLAUME DE SAINT-THIERRY, *De contemplando Deo,* I, IV (*P. L.,* CLXXXIV, 368).
(4) On trouvera ce texte dans *P. L.,* CLXXXV, 140.
(5) Voir l'article de J. BAINVEL, dans *Dictionnaire de théologie catholique,* t. III, 1908, col. 305-306.
(6) Cf. P. POURRAT, *op. cit.,* t. II, p. 508 ; E. DUMOUTET, *Le désir de voir l'Hostie et les origines de la dévotion au Saint-Sacrement,* Paris, 1926.
(7) PIERRE DAMIEN dans l'opusc. XLVII, intitulé *De castitate et mediis eam tuendi* (*P. L.,* CXLV, 710-715), recommande la communion quotidienne comme le meilleur moyen de se fortifier dans la pratique de la chasteté. GRÉGOIRE VII (*Reg.* I, 47) la conseille également à la comtesse Mathilde. Cf. t. VIII, p. 59.
(8) *Sententiae,* VIII, VII (*P. L.,* CLXXXVI, 968).

du Sauveur que trois ou quatre fois par an [1]. La plupart des conciles de la fin du XIe et du début du XIIe siècle se sont d'ailleurs rangés à cette manière de voir et ont ordonné aux fidèles de communier à Noël, à Pâques et à la Pentecôte [2]. En 1215, le quatrième concile du Latran prescrira seulement la confession et la communion annuelles [3].

Cette limitation s'explique par la crainte du sacrilège qui a hanté les âmes pieuses. Sainte Hildegarde de Bingen, tandis qu'elle assiste à la messe et qu'elle voit le ciel s'ouvrir pour laisser passage à « un globe de feu d'une clarté inexprimable, descendant sur l'oblation », aperçoit aussi les communiants qui s'approchent du prêtre pour recevoir les sacrements et elle est épouvantée : sans doute les uns ont-ils « des corps brillants de pureté et des âmes de feu », mais d'autres lui paraissent être « dans des corps jaunâtres et dans des âmes enténébrées », d'autres « traînent des corps hideux et des âmes souillées d'innombrables impuretés », d'autres ont « l'âme dévorée par la lèpre », d'autres enfin ont des âmes qui « exhalent une odeur fétide comme des cadavres en putréfaction ». Et pourtant, ajoute-t-elle, tous reçoivent le même sacrement qui conduit les uns dans une resplendissante lumière, les autres dans d'épaisses ténèbres [4]. Nul doute que ce sentiment n'ait été communément partagé au milieu du XIIe siècle. Il faudra attendre l'*Imitation de Jésus-Christ* pour que la confiance dans la vertu du sacrement, véritable viatique contre le péché, se substitue à la crainte respectueuse qui éloigna longtemps de la table sainte ceux dont la conscience n'était pas resplendissante d'une absolue pureté.

PRATIQUE DE LA PÉNITENCE   Pour lutter contre le péché, on pratique davantage le sacrement de pénitence, qui est une autre forme de la dévotion au Christ. La pénitence ne réconcilie-t-elle pas avec Dieu la créature qui a succombé à la tentation et qui est devenue la proie du démon ? A travers les pénitentiels on peut saisir l'importance du travail qui s'est accompli au cours du XIIe siècle. L'aveu des fautes au prêtre joue un rôle primordial ; Gratien considère que « sans la confession faite de vive voix par le coupable les péchés ne sont pas remis » [5] et Pierre Lombard, à son tour, fait de cette pratique la condition essentielle du salut [6]. Comme l'indique un autre traité contemporain, que citent d'ailleurs Gratien et Pierre Lombard, la confession est la manifestation extérieure du repentir sans lequel les péchés ne sauraient être pardonnés [7]. Les pénitentiels insistent sur l'importance de

---

(1) Saint Otton de Bamberg, *Sermo ad Pomeranos* (P. L., CLXXIII, 1358).
(2) Cf. t. VIII, p. 424 et *supra*, p. 132 et suiv. Voir notamment le canon du synode de Gran, en 1124 (Mansi, t. XXI, col. 100).
(3) C. 21 (*Corpus juris canonici, Décrétales Greg.* IX, lib. V, tit. XXXVIII, *De paenitentia et remissionibus*, cap. 12). Cf. Hefele-Leclercq, *op. cit.*, t. V, 2e p., p. 1349-1351.
(4) *Scivias*, II, VI (P. L., CXCVII, 50).
(5) Gratien, *Decretum*, part. II, *De paenitentia*, dist. I. Gratien écrit également : « Confessez donc vos péchés devant Dieu, avouez vos fautes au vrai juge non de bouche, mais de cœur, et vous pourrez alors compter sur sa miséricorde ». On ne peut dire qu'il se soit déjugé par cette phrase où il insiste surtout sur la nécessité de la contrition qui n'exclut pas la confession à un prêtre.
(6) Pierre Lombard, *Sententiae*, l. IV, dist. XVII, 4.
(7) *De vera et falsa penitentia* (P. L., XL, 1113-1150).

l'examen de conscience qui doit précéder la confession, afin que celle-ci
soit sincère, tienne compte des circonstances qui aggravent ou atténuent
la faute, et que le prêtre, éclairé par un aveu sincère, puisse remplir son
rôle de direction en provoquant un repentir vraiment efficace. Ce repentir
doit s'accompagner d'une pénitence, proportionnée à la gravité du péché,
souvent assez dure : jeûne, aumône, pèlerinage sont ses formes ordinaires ; parfois le pénitent est astreint à la flagellation qu'il s'administre
généralement lui-même. L'absolution n'est acquise qu'à ce prix[1].

LA CRAINTE DU DÉMON　　De telles pratiques de la vie chrétienne sont
　　　　　　　　　　　　significatives de l'état d'âme des hommes
du xiiᵉ siècle. Elles attestent une foi profonde, le désir de vivre en parfait
accord avec Dieu, mais aussi la crainte du démon qui cherche à détourner
les âmes des voies du salut pour les entraîner à lui. Il suffit de parcourir
le *De miraculis* de Pierre le Vénérable[2] pour se rendre compte de tout
ce que l'imagination des hommes du xiiᵉ siècle était capable d'enfanter
sur les ravages exercés par l'Esprit malin. Toujours prêt à semer sur la
route parcourue par la malheureuse humanité les tentations de tout
genre, tentations de la chair et tentations de l'esprit, tentations des sens
et tentations du cœur, il s'attaque plus spécialement aux âmes d'élite,
s'acharne à pervertir celles qui, au prix de luttes héroïques, s'entraînent
à fuir ses séductions et, tandis qu'elles s'efforcent d'échapper à son étreinte,
il surgit sur leurs pas sous des formes multiples, alléchantes ou terrifiantes,
et bien osé serait celui, si saint qu'il fût, qui pourrait se vanter qu'il ne
succombera jamais. C'est dans les monastères qu'il rôde tout particulièrement, affirme Pierre le Vénérable qui s'étend avec complaisance
sur les ravages causés à Cluny par ses incursions ; tour à tour il revêt
la forme humaine et la forme animale, apparaît sous les traits hideux
d'un monstre ou sous les apparences enjôleuses de la femme, n'hésite
pas au besoin, au prix de quel sacrilège, à se draper de la robe monastique
et, grâce à cette supercherie, réussit parfois à précipiter le moine sur la
pente vertigineuse du vice, à le faire glisser sûrement vers l'abîme infernal.

Les chapiteaux de Vézelay, d'Autun, de Saulieu illustrent curieusement
le traité de Pierre le Vénérable. « Jamais, note M. Emile Mâle, l'image du
démon n'eut autant de puissance que dans l'art monastique du xiiᵉ siècle »[3]. A Satan la femme est constamment associée : dès l'origine du monde
elle a été l'instrument dont il s'est servi pour consommer la perte de
l'humanité et, à travers les siècles, il n'a pas changé de tactique. « Vivre
avec une femme sans danger, a écrit saint Bernard, est plus difficile que
de ressusciter un mort »[4]. En représentant ces courtisanes provocantes
et somptueusement parées qui se débattent sous la morsure d'un serpent,
devant les regards épouvantés d'un jeune homme que saisit le démon[5],

---

(1) Nous empruntons ces détails à E. AMANN, art. *Pénitence* dans *Dictionnaire de théologie
catholique*, t. XII, 1933, col. 918-931.
(2) *De miraculis*, I, ɪ et suiv. (P. L., CLXXXIX, 851 et suiv.). Cf. aussi les très belles pages
de E. MALE, *L'art religieux du XIIᵉ siècle en France*, p. 365 et suiv.
(3) E. MALE, *op. cit.*, p. 372.
(4) Saint BERNARD, *In Cantica, sermo* LXV, 4.
(5) E. MALE, *op. cit.*, p. 374-376.

les sculpteurs romans ont voulu mettre en garde contre la luxure qui, malgré l'amélioration résultant de la Réforme grégorienne, exerce encore bien des ravages au temps de saint Bernard.

LA PIÉTÉ MARIALE   Pour arracher les âmes au démon et les orienter vers le Christ rédempteur, les écrivains religieux du xiie siècle indiquent, comme un sûr moyen de salut, le recours à l'intercession des saints et plus spécialement de la mère de Dieu, la Vierge Marie.

On a vu la place que la piété mariale tenait dans l'œuvre de saint Bernard [1]. Dante a choisi l'abbé de Clairvaux pour être, au ciel, son introducteur auprès du trône de Marie, tellement il était sûr que « l'angélique reine » accueillerait bien « son fidèle Bernard ». De fait, le développement du culte de la Vierge, à partir de la seconde moitié du xiie siècle, doit beaucoup à saint Bernard qui n'a cessé de recommander à ses correspondants aussi bien qu'à ses auditeurs la dévotion à la mère de Dieu. On lit dans une lettre aux chanoines de Lyon :

Honorez le plus possible la virginité de la Mère du Seigneur et la sainteté de sa vie. Admirez dans cette Vierge la fécondité et vénérez son Enfant-Dieu. Exaltez celle qui a conçu sans connaître la concupiscence et qui a enfanté sans douleur. Louez celle que révèrent les anges, qu'ont désirée les gentils, qu'ont annoncée les patriarches et les prophètes, qui a été choisie entre toutes les créatures et qui est supérieure à toutes. Glorifiez l'inventrice de la grâce, la médiatrice de notre salut, la restauratrice du monde. Célébrez enfin celle qui a été élevée au-dessus des chœurs des anges dans le ciel [2].

C'est que la Vierge est « l'échelle des pécheurs » ou encore « la mère de miséricorde » [3] à laquelle son divin Fils ne peut refuser la grâce de celui qui, ayant cédé à la tentation, implore sa puissante intercession. Elle est aussi le secours des pécheurs et il suffit de s'adresser à elle pour ne pas succomber :

Si le vent des tentations s'élève, si vous êtes précipités sur les écueils des épreuves, regardez l'étoile, appelez Marie. Si vous êtes secoués par les flots de l'orgueil, de l'ambition, de la médisance ou de l'envie, regardez l'étoile, appelez Marie. Si la colère, l'avarice ou les appâts de la chair soulèvent violemment la nacelle de votre âme, regardez Marie. Si, épouvantés par l'énormité de vos crimes, honteux de la laideur de votre conscience, effrayés des terreurs du jugement, vous commencez à être engloutis dans le gouffre de la tristesse, dans l'abîme du désespoir, pensez à Marie. Dans les périls, dans les angoisses, dans les perplexités, pensez à Marie, invoquez Marie. Qu'elle soit toujours sur vos lèvres, toujours dans votre cœur et, pour obtenir le suffrage de sa prière, ne manquez pas de suivre l'exemple de sa vie [4].

L'appel de saint Bernard a été largement entendu. Quelques années après la mort du grand Cistercien, l'évêque de Paris, Maurice de Sully, posait la première pierre de la cathédrale Notre-Dame dont on a pu dire qu'elle était l'église de la Vierge. Celle-ci, au portail de Sainte-Anne, y apparaît avec la majesté solennelle qui convient à la mère de Dieu, confor-

(1) Cf. *supra*, p. 39-40.
(2) Saint Bernard, *Epist.* clxxiv.
(3) Saint Bernard, *In dominica prima post epiphaniam, sermo* ii.
(4) Saint Bernard, *Super missus est, homil* ii, 17.

mément à la tradition romane qui l'a souvent représentée sous cet aspect, tandis qu'au portail du Jugement, elle intercède auprès de son fils en faveur de l'humanité pécheresse et qu'au portail qui lui est spécialement consacré, elle reçoit humblement la couronne réservée à la plus pure des créatures. Pendant toute la seconde moitié du XIIe siècle, les sculpteurs, interprètes fidèles des sentiments du peuple chrétien, reprendront ces thèmes et ne sépareront jamais le culte de la Vierge du culte du Christ. Il en est de même dans le drame liturgique où, qu'il s'agisse du mystère de Noël, de l'Épiphanie ou de Pâques, Marie tient toujours la première place auprès de son Fils. Ainsi s'atteste le caractère populaire de cette piété mariale dont les manifestations ne cesseront de s'amplifier jusqu'à la fin du moyen âge.

LE CULTE DES SAINTS   Avec la Vierge les saints jouissent de la naïve confiance des foules. Sans doute ce n'est qu'au XIIIe siècle que la Légende dorée de Jacques de Voragine réunira les pieuses légendes que l'on proposait à la méditation des âmes pieuses, mais beaucoup d'entre elles étaient déjà constituées au temps de saint Bernard. On en trouve notamment l'écho dans le *Speculum ecclesiae* d'Honorius d'Autun aussi bien que dans un bon nombre de chapiteaux historiés et de linteaux où apparaît cet aspect de la dévotion du XIIe siècle. C'est par la littérature et par l'art que l'on peut voir quels étaient les saints que l'on vénérait plus particulièrement.

Or, comme on l'a remarqué, les saints récents, comme les grands abbés clunisiens, ne sont jamais représentés et cet oubli ne saurait surprendre, si l'on se souvient de l'extraordinaire humilité de ces moines. Ce sont les saints d'un autre âge dont on commémore la vie et les miracles : saint Martin est resté l'un des plus populaires et l'on se plaisait à rappeler l'épisode du manteau, invitation à la charité chrétienne, ou les prodiges qui avaient accompagné la conversion des païens ; saint Benoît, père de la vie monastique, a été lui aussi très honoré en Italie et en France où l'église de Fleury-sur-Loire s'enorgueillissait d'avoir, grâce à un pieux larcin, recueilli ses restes mortels. Dans la plupart des diocèses, on vénère les évêques fondateurs dont les légendes, vieilles d'un siècle, qui font remonter certains d'entre eux aux temps apostoliques [1], n'ont cessé de s'enrichir de détails destinés à satisfaire l'ardente curiosité des foules. A côté des saints occidentaux, quelques saints orientaux sont l'objet d'une dévotion particulière : telle sainte Marie l'Égyptienne, la fameuse courtisane d'Alexandrie, qui, touchée par la grâce, s'enfuit dans le désert où elle vécut quarante-sept ans en multipliant les pénitences, telle encore sainte Eugénie, cette fille d'un gouverneur d'Égypte qui, chrétienne, réussit à pénétrer dans un monastère où l'on ignora son sexe jusqu'au jour où une femme l'accusa de l'avoir outrageusement violée.

Les légendes de ces saints étonnent aujourd'hui par la naïve crédulité dont elles témoignent, mais, comme l'a observé M. Émile Mâle, « si ces

(1) Cf. t. VII, p. 181-186.

récits ne nous apprennent rien sur les saints qu'ils veulent glorifier, ils
nous apprennent beaucoup sur le moyen âge lui-même : il nous apparaît
là avec son profond idéalisme, son ascétisme, son dédain du réel, son
inébranlable conviction que la foi est la plus grande force de ce monde » [1].
Cette foi elle-même, tout en étant la source d'aspirations spirituelles et
morales indéniables, se traduit par des manifestations qui confinent
parfois à la superstition. Elle attache une importance capitale à la vertu
des reliques que l'on se procure à tout prix et que l'on va vénérer de
fort loin. Certains monastères ont fait une véritable chasse aux corps
saints, sans se montrer toujours très difficiles sur l'authenticité de ce que
l'on offrait à la vénération des fidèles : les moines de Vézelay prétendaient
depuis le milieu du XIe siècle conserver la dépouille de sainte Madeleine
qu'un des leurs aurait été chercher en Provence où la grande pécheresse
avait, disait-on, terminé sa vie dans la pénitence ; Autun montrait autour
de 1150 le tombeau de saint Lazare et Tarascon, un peu plus tard, celui
de sainte Marthe [2]. Ce ne sont là que des exemples entre tant d'autres,
mais qui permettent de mesurer toute l'importance qui s'attachait aux
reliques des saints, source et aliment de la piété des fidèles.

LES PÈLERINAGES   Les reliques sont encore à l'origine des pèlerinages
qui, au milieu du XIIe siècle, se multiplient et entraînent un nombre de plus en plus grand de chrétiens vers des sanctuaires
devenus fameux [3]. Les pèlerinages sont une des manifestations les plus
touchantes de la piété médiévale et, s'ils ont une origine assez ancienne [4],
c'est au XIIe siècle qu'ils ont revêtu leur physionomie définitive. A cette
date, ils n'apparaissent pas seulement comme une forme de pénitence,
un moyen de racheter les fautes graves et de rentrer en grâce auprès de
Dieu ; on les entreprend par simple dévotion, par un fervent désir d'acquérir des mérites et aussi en vertu de l'attrait exercé sur l'imagination
des fidèles par quelques sanctuaires fameux.

Trois pèlerinages ont joui d'une faveur particulière : celui d'Italie,
celui de Terre sainte et celui de Saint-Jacques de Compostelle. Pour s'y
rendre, on suivait invariablement les mêmes routes jalonnées par une
série de basiliques où l'on se plaisait à s'arrêter pour vénérer tel ou tel
saint dont le patronage semblait particulièrement précieux en vue du salut.

ROME ET LES SANCTUAIRES ITALIENS   De très bonne heure, les chrétiens ont pris l'habitude de se
rendre à Rome pour y vénérer le tombeau des apôtres, près duquel ils

---

(1) E. Male, *op. cit.*, p. 188.
(2) Sur le développement de ces légendes, voir avant tout : L. Duchesne. *Fastes épiscopaux de l'ancienne Gaule*, t. I, p. 310 et suiv.
(3) Sur les pèlerinages du XIIe siècle, voir avant tout : E. Male, *L'art religieux du XIIe siècle en France*, chap. VII et VIII, p. 245 et suiv., et J. Bédier, *Les légendes épiques, Recherches sur la formation des Chansons de geste*, 2e édit., Paris, 1914-1921, 4 vol. Cf. aussi J. Schmitz, *Sühnewahlfarten im Mittelalter*, Diss. Bonn, 1910. On devra également consulter : *Le guide du pèlerin de Saint-Jacques de Compostelle*, édité et traduit par J. Vieillard, Mâcon, 1938.
(4) Bien avant les croisades, et plus spécialement au XIe siècle, de nombreux pèlerins se sont dirigés vers la Terre Sainte. Cf. L. Bréhier, *L'Église et l'Orient au moyen âge. Les croisades*, p. 42 et suiv.

aimaient à revivre les heures douloureuses qui avaient accompagné les débuts de l'Église. Non loin, ils pouvaient contempler les traits du Sauveur imprimés sur le voile de Véronique, cette relique précieuse entre toutes qu'abritait aussi la basilique Saint-Pierre. A Saint-Jean de Latran, on montrait la piscine où Constantin avait été baptisé et, en sortant du vénérable baptistère, les pèlerins se plaisaient à contempler la statue équestre du saint empereur, que l'art du xiie siècle a fréquemment reproduite [1]. D'autres églises, riches en souvenirs et en reliques, provoquaient chez ceux qui les visitaient ces émotions religieuses auxquelles les contemporains de saint Bernard trouvaient une incomparable douceur.

JÉRUSALEM ET LA TERRE SAINTE   Avec Rome, Jérusalem est la ville sainte entre toutes. Pendant longtemps l'accès en avait été périlleux, mais les dangers de la route n'avaient pas réussi à briser les élans de la foi. Après la première croisade, qui avait rendu aux chrétiens la possession de la terre bénie où le Christ avait vécu, pleuré et souffert avant d'entrer dans sa gloire, l'afflux des pèlerins ne cessa d'augmenter. C'est à ce moment que la physionomie du Saint-Sépulcre s'est complètement transformée : l'église édifiée par Constantin sur le tombeau où avait reposé le corps du Sauveur, reconstruite après son incendie par les Perses en 614, avait été détruite en 1009 par Hakem et à peine restaurée par les Byzantins ; entre 1130 et 1149, l'œuvre mal ébauchée fut reprise de fond en comble et une splendide basilique, d'allure tout occidentale, put désormais contenir la foule des pèlerins avides de se recueillir en un lieu plus cher qu'aucun autre à la piété chrétienne [2].

Les pèlerins gagnaient Jérusalem en traversant l'Italie et, avant de s'embarquer à Brindes, ils ne manquaient pas d'aller prier saint Michel au mont Gargano où l'archange, disait-on, avait, en 492, apparu à des bergers [3]. De là ils gagnaient les ports de Syrie et, avant ou après leur séjour dans la Ville sainte, ils visitaient Bethléem, puis les divers lieux qui avaient été témoins de la prédication ou des miracles du Christ, et certaines villes qui, comme Antioche, étaient chargées de souvenirs se rapportant au temps des Apôtres.

SAINT-JACQUES DE COMPOSTELLE ET LES ROUTES D'ESPAGNE   Un troisième pèlerinage a eu beaucoup de vogue au milieu du xiie siècle : c'est celui de Saint-Jacques de Compostelle. Une légende, qui apparaît au milieu du ixe siècle, rapportait que les reliques de l'Apôtre avaient été transportées de Jérusalem en Galice où leur présence s'était révélée par de nombreux miracles. Dès le xe siècle, on avait commencé à s'acheminer vers le tombeau du disciple du Seigneur et, lorsque la croisade eut amené en Espagne, à

(1) E. Male, *op. cit.*, p. 246-248.
(2) Sur Jérusalem au xiie siècle, voir surtout : P. Vincent et Abel, *Jérusalem*, Paris, 1912, 2 vol. On lira avec fruit les quelques pages très prenantes de Ch. Diehl, *Jérusalem* (coll. *Memoranda*), Paris, 1921.
(3) Cf. E. Male, *op. cit.*, p. 257-260.

partir de 1063, les chevaliers français, le nombre des pèlerins alla en croissant. En 1078, on commença à édifier une église en rapport avec l'importance que prenait le pèlerinage ; les travaux traînèrent jusqu'en 1120,
mais, à partir de cette date, ils furent plus activement poussés et bientôt
le monastère put offrir à ses hôtes un sanctuaire qui comptait parmi les
plus beaux du monde occidental [1].

Au même moment, a été rédigé à l'usage des pèlerins le *Liber sancti
Jacobi*, véritable guide dont le plus ancien manuscrit connu est postérieur
à 1139 [2]. On y trouve une description précise et vivante de la ville de
Compostelle et de son église, mais aussi des quatre routes qui y conduisent
et des sanctuaires, eux-mêmes lieux de pèlerinage, qui les jalonnent.
Parmi eux, on peut citer Saint-Gilles, dont la renommée atteint son point
culminant au milieu du xiie siècle, Saint-Guilhem le Désert, où l'on
retrouvait le souvenir du pieux compagnon de Charlemagne, Notre-
Dame du Puy, Sainte-Foy de Conques, Saint-Pierre de Moissac, Saint-
Martin de Tours, Saint-Hilaire de Poitiers.

LES PÈLERINAGES FRANÇAIS   La simple énumération des sanctuaires
                               échelonnés sur la route de Saint-Jacques
de Compostelle indique qu'en France il y avait aussi une foule de pèlerinages où les fidèles aimaient à venir chercher une puissante intercession.
Parmi eux figurent en tête ceux de Chartres et du Puy où l'on allait
prier la Vierge. A Chartres, depuis le ixe siècle, on vénérait une statue
de la Vierge Mère qui, suivant la tradition, aurait été sculptée avant
la naissance même du Christ par ordre d'un prince du pays chartrain et
non loin de laquelle existait un puits dont l'eau avait, disait-on, une
vertu miraculeuse ; une basilique édifiée par le pieux évêque Fulbert
et consacrée le 17 octobre 1037 [3] abritait la tunique que portait la Vierge
au jour de l'Annonciation, relique précieuse entre toutes qui aurait été
envoyée à Charlemagne par l'empereur Constantin. Dans le centre de
la France, un autre sanctuaire de la Vierge, celui du Puy, était, au milieu
du xiie siècle, non moins fréquenté : « Pendant la semaine de l'Assomption les pèlerins y affluaient ; les rudes montagnes du Velay, les routes
difficiles et peu sûres ne les arrêtaient pas. Dans la foule on distinguait
les troubadours célèbres et les chevaliers illustres du Midi. Les poètes
chantaient la Vierge, les chevaliers donnaient des tournois, et le roi de
la fête portait un faucon sur le poing. « Porter le faucon du Puy » était
dans le Midi un proverbe » [4].

En dehors des pèlerinages de la Vierge, il y en avait d'autres non moins

---

(1) Sur l'origine de la légende de saint Jacques, voir l'article de L. Duchesne, *Saint Jacques
en Galice*, dans *Annales du Midi*, t. XII, 1900, p. 145-179.
(2) C'est d'après ce manuscrit et un autre, copié sur lui en 1173, qu'a été établie l'édition critique
de Mlle J. Vieillard citée p. 158, n. 3.
(3) Sur cette cathédrale de Fulbert et, en général, sur les divers édifices élevés à l'emplacement
de la cathédrale actuelle, voir : R. Merlet, *La cathédrale de Chartres* (Petites monographies des
grands édifices de la France), Paris, s. d. Sur le pèlerinage, cf. M. Jusselin, *Les traditions de l'église
de Chartres*, Chartres, 1914, et E. Male, *op. cit.*, p. 282-285.
(4) E. Male, *op. cit.*, p. 287.

fréquentés, comme celui de Saint-Martin de Tours où le tombeau de l'apôtre des Gaules n'a jamais cessé d'être visité par des foules innombrables aussi bien que par des personnages haut placés. Plusieurs ont un caractère local plus accentué et il n'est pas de diocèse où le tombeau d'un évêque fondateur ou d'un personnage des premiers siècles chrétiens, dont le sang avait coulé pour la foi, ne soit l'objet d'un culte pieux. On verra par la suite le rôle que ces pèlerinages ont joué dans l'évolution de l'art roman [1] ; il suffit de retenir pour le moment qu'ils sont une des formes les plus touchantes de la foi et de la piété des hommes du XIIe siècle.

PROGRÈS MORAUX   Il faudrait pouvoir déterminer dans quelle mesure les diverses manifestations de cette foi et de cette piété ont été, au temps de saint Bernard, la source d'un progrès moral. C'est là un problème difficile à résoudre, faute de documents probants et de travaux ayant trait à cette délicate question. A peine çà et là peut-on relever certains indices qui indiquent quelques progrès dans la christianisation de la société occidentale.

ÉVOLUTION DE LA CHEVALERIE   La chevalerie a pris au XIIe siècle un caractère religieux. Jean de Tours raconte comment, en 1129, a été « hadoubé » Geoffroy Plantagenet, comte d'Angers : on l'envoie à Rouen, où se trouvait le roi Henri Ier Beauclerc, dont il devait épouser la fille ; il commence par prendre un bain, puis, en présence du roi, on lui remet une chemise de lin, une robe de pourpre et des souliers, après quoi on lui apporte et on lui ajuste ses armes [2]. Sans doute il n'est pas encore question de veillée pieuse précédant la cérémonie ni de bénédiction du prêtre, mais un sens symbolique s'attache déjà à ces diverses manifestations : le bain est une purification et aura bientôt la valeur d'un second baptême ; la chemise de lin, par sa couleur blanche, signifie que la pureté s'impose au nouveau chevalier, tandis que la robe de pourpre lui rappelle qu'il doit être prêt à verser son sang pour la défense de la foi. Il contracte donc, au jour de son hadoubement, des obligations morales que l'Église sanctionnera de plus en plus : il n'est plus seulement un guerrier, mais un homme d'honneur et de devoir qui protège les faibles et incarne les vertus chrétiennes. Par la suite, la littérature courtoise aura des effets fâcheux pour la morale chevaleresque, mais, pour le moment, celle-ci repose sur des principes chrétiens [3].

LES CLASSES LABORIEUSES   Il est plus difficile encore de déterminer quelle a été la vie morale des classes laborieuses. C'est du milieu du XIIe siècle que datent les premiers fabliaux et ils laissent une impression plutôt défavorable : les paysans s'y révèlent

(1) Cf. *infra*, p. 165, n. 3.
(2) *Historiae Gaufredi ducis Normannorum et comitis Andegavorum* (H. F., t. XII, p. 521).
(3) Sur cette évolution de la chevalerie, voir : L. GAUTIER, *La chevalerie*, 2e édit., Paris, 1890, qui, malheureusement, ne tient pas toujours compte de la chronologie ; J. FLACH, *Les origines de l'ancienne France*, t. II, Paris, 1893 ; G. SCHNÜRER, *L'Église et la civilisation au moyen âge*, t. II, p. 392 et suiv. ; M. BLOCH, *La Société féodale*, t. II, Paris, 1940, p. 46 et suiv.

âpres au gain, dépourvus de tout sentiment généreux, quand ils ne sont pas voleurs et menteurs ; leurs femmes ne sont pas des modèles de vertu et ne reculent devant aucun stratagème pour tromper leurs maris. Mais dans quelle mesure ce tableau de la classe rurale est-il sincère ? On ne saurait être affirmatif à cet égard. Il y aurait plutôt lieu de conclure que ces contes populaires, destinés à une bourgeoisie réaliste et railleuse, indiquent chez celle-ci des goûts fâcheux et que le seul fait que des anecdotes grivoises, parfois même obscènes, sont dédiées à des dames témoigne d'une réelle dépravation[1]. La lecture des moralistes n'est pas beaucoup plus rassurante : le *Livre des manières* d'Étienne de Fougères, qui, avant de devenir évêque de Rennes en 1168, était duc de la cour de Henri II, critique indistinctement les puissants de la terre et les humbles ; les marchands, en particulier, sont l'objet des plus amères réflexions : ils réalisent des bénéfices illicites, trompent sur la marchandise et pratiquent immodérément l'usure[2]. On ne saurait oublier toutefois que les moralistes, pour atteindre leur but, ont tendance à exagérer les ravages causés par les vices qu'ils combattent. Il n'en reste pas moins que, malgré l'essor de la vie religieuse précédemment constaté, le niveau moral de la société du milieu du XIIe siècle n'a pas été particulièrement élevé et que, comme en tout temps, le christianisme a éprouvé de la peine à vaincre les mauvais instincts de la nature humaine. A côté d'une élite religieuse, qui a donné les plus beaux exemples de fidélité à son idéal, la masse des fidèles, autant qu'on peut s'en rendre compte dans l'état actuel de nos connaissances, n'a pas su toujours mettre sa vie en harmonie avec ses croyances.

§ 2. — L'art chrétien[3].

LA RENAISSANCE DE L'ART RELIGIEUX La plus touchante manifestation du sentiment religieux au milieu du XIIe siècle doit être cherchée dans les monuments qui ont, à cette époque, parsemé le sol de l'Occident chrétien. Après les tâtonnements

(1) Sur les fabliaux, cf. J. Bédier, *Les fabliaux*, Paris, 1893.
(2) Voir les pages consacrées à ce traité par Ch. V. Langlois, *La vie en France au moyen âge d'après quelques moralistes du temps*, Paris, 1908, p. 1-29.
(3) Bibliographie. — Il ne saurait être question de dresser une bibliographie complète de tous les ouvrages concernant l'art roman et les débuts de l'art gothique. Nous nous bornerons à indiquer ici les livres généraux et, incidemment par la suite, telle ou telle monographie particulière. On consultera d'abord : *Histoire de l'art depuis les premiers temps chrétiens jusqu'à nos jours*, publiée sous la direction de A. Michel, t. I, 2e p., Paris, 1905 ; *Histoire universelle de l'art* publiée sous la direction de M. Aubert, t. I, Paris, 1932 ; R. Hamann, *Geschichte der Kunst*, Berlin, 1933 ; L. Réau, *Histoire universelle des arts*, t. II, Paris, 1934 ; H. Focillon, *Les mouvements artistiques*, t. VIII de l'*Histoire générale. Histoire du moyen âge* sous la direction de G. Glotz, Paris, 1935 ; L. Réau et G. Cohen, *L'art du moyen âge, arts plastiques, art littéraire et la civilisation française* (Coll. *L'évolution de l'humanité*, dirigée par H. Berr, vol. 40), Paris, 1935. — Sur l'architecture : A. Choisy, *Histoire de l'architecture*, Paris, 1899, 2 vol. ; J. Brutails, *Précis d'archéologie du moyen âge*, Paris, 2e édit., 1924 ; F. Benoit, *L'architecture. L'Occident médiéval*, Paris, 1934 ; Viollet le Duc, *Dictionnaire raisonné de l'architecture française du XIe au XVIe siècle*, Paris, 1854-1868 ; C. Enlart, *Manuel d'archéologie française*, 2e édit., Paris, 1933, 6 vol. ; R. de Lasteyrie, *L'architecture religieuse en France à l'époque romane*, 2e édit. revue par M. Aubert, Paris, 1929, et *L'architecture religieuse en France à l'époque gothique*, Paris, 1929 ; J. Brutails, *Pour comprendre les monuments de la France*, Paris, 1918 ; M. Aubert, *Notre-Dame de Paris. Sa place dans l'architecture du XIIe au XIVe siècle*, Paris, 1920 ; G. Dehio, *Geschichte der deutschen Kunst*,

laborieux du XIe siècle, au cours duquel les architectes ont essayé de résoudre le problème de la voûte pendant que les sculpteurs retrouvaient au prix de rudes efforts la notion du relief [1], c'est une véritable renaissance artistique que l'on observe pendant la première moitié du XIIe. La phrase célèbre de Raoul Glaber s'appliquerait à cette période avec au moins autant d'exactitude qu'aux premières années du XIe siècle : « Ce fut une émulation générale à qui élèverait les églises les plus belles et les plus riches ; on eût dit que le monde chrétien d'un commun accord avait dépouillé ses antiques haillons pour se couvrir d'une robe blanche d'églises » [2]. La basilique de Cluny, édifiée sous l'abbatiat de saint Hugues, s'achève pendant celui de Pierre le Vénérable ; partout dans les monastères affiliés à la puissante congrégation, à Moissac et à Saint-Gilles, à Vézelay et à Saint-Benoît-sur-Loire, s'élèvent des églises spacieuses, dont les tympans sculptés et les chapiteaux historiés apparaissent comme l'expression simple, grandiose et émouvante de la foi des moines, de leur crainte du jugement, de leur effort patient et tenace pour atteindre, malgré les assauts du démon, les plus hauts sommets de la vertu et de l'amour. A côté des églises clunisiennes, les églises cisterciennes en imposent par leur aspect sévère, par l'impressionnante nudité de leurs lignes architecturales, saisissante illustration des traités et sermons de saint Bernard. Bientôt les séculiers voudront rivaliser avec les réguliers : à Maguelone et à Autun, des évêques bâtisseurs édifient des cathédrales romanes, tandis qu'à Sens, à Noyon, à Laon s'esquissent les premiers traits de l'art gothique à ses débuts.

DIFFICULTÉS CHRONOLOGIQUES   Malheureusement la chronologie exacte de ces divers édifices est difficile à fixer. Il faut trop souvent se résoudre à ignorer à quelle date précise ont été bâties les églises romanes du XIIe siècle. Les textes sont rares et, par ailleurs, les édifices auxquels ils s'appliquent ont subi, parfois aussitôt après leur achèvement, de tels remaniements qu'il est impossible de préciser si ces textes se rapportent au monument tel que nous l'avons aujourd'hui sous les yeux. Aussi bien les opinions les plus opposées ont-elles pu se faire jour. Pendant longtemps on a considéré les écoles d'Auvergne et de Provence comme antérieures à toutes les autres [3] ; tous les archéologues sont aujourd'hui d'accord pour les considérer comme tar-

Berlin, 1921 ; P. TOESCA, *Storia dell'Arte italiano. Il Medio evo*, Turin, 1927 ; E. BERTAUX, *L'art dans l'Italie méridionale de la fin de l'Empire romain à la conquête de Charles d'Anjou*, Paris, 1902. — Sur l'iconographie : E. MALE, *L'art religieux du XIIe siècle en France*, Paris, 1923 ; L. BRÉHIER, *L'art chrétien. Son développement iconographique des origines à nos jours*, Paris, 1928 ; G. MILLET, *Recherches sur l'iconographie de l'Évangile*, Paris, 1916 ; K. KÜNSTLE, *Ikonographie der christlichen Kunst*, Fribourg, 1928, 2 vol. — Sur la sculpture : P. DESCHAMPS, *La sculpture française à l'époque romane*, Paris, 1930 ; H. FOCILLON, *L'art des sculpteurs romans*, Paris, 1930 ; M. AUBERT, *La sculpture française au début de l'art gothique*, Paris, 1929 ; Louise LEFRANÇOIS-PILLION, *Les sculpteurs français du XIIe siècle*, 2e édit., Paris, 1931 ; R. REY, *La sculpture romane languedocienne*, Toulouse-Paris, 1936.

(1) Cf. t. VII, p. 530-536.
(2) RAOUL GLABER, *Historiarum libri quinque*, III, IV.
(3) Cf. notamment W. VOEGE, *Die Anfänge des monumentalen Stiles im Mittelalter*, Strasbourg, 1894, pour qui le portail de Saint-Trophime d'Arles serait le prototype de toutes les œuvres du même genre aussi bien dans le nord que dans le midi de la France et aurait notamment inspiré le

dives. De même, pour les origines de la sculpture, la thèse des archéologues français, suivant laquelle il faudrait chercher dans la région toulousaine les premières manifestations de la sculpture monumentale avec les portails de Saint-Sernin de Toulouse, de Saint-Pierre de Moissac, de Cahors et de Beaulieu, a été combattue il y a une vingtaine d'années par un archéologue américain, Kingsley Porter, qui, reprochant aux archéologues français d'avoir cédé à un amour trop exclusif de leur pays, a placé la résurrection de la statuaire en Espagne, à Saint-Jacques de Compostelle et à Silos, d'où elle se serait étendue ensuite à la France aquitaine ; naturellement la riposte n'a pas tardé à venir et les discussions très serrées qui se sont produites au cours des dernières années paraissent avoir tourné en faveur de l'antériorité des portails français [1]. Ces divergences invitent toutefois à une extrême prudence en matière de chronologie. Il suffira ici de signaler leur existence, sans entrer dans les discussions de détail, et de constater qu'après le XIe siècle, au cours duquel se sont peu à peu dégagés les éléments constitutifs de l'architecture et de la sculpture romanes [2], la première moitié du XIIe est une période de magnifique épanouissement où les pays d'Occident rivalisent d'une noble émulation dans la construction et la décoration des églises.

INFLUENCE DE CLUNY   La congrégation clunisienne a été la principale animatrice de ce mouvement. Si l'on a abandonné depuis longtemps l'idée d'une architecture clunisienne obéissant à un mot d'ordre et à certaines formules imposées par l'abbaye mère à ses filiales, on ne saurait oublier cependant que Cluny voit dans l'art l'auxiliaire de la liturgie au service de laquelle il doit mettre toutes ses ressources. Comme on l'a dit très justement [3], « les moines de cet institut forment une société de prières et leur but primordial, leur principale raison d'être est le soin de la perfection recherchée dans le culte public qu'ils rendent à Dieu ; ainsi s'explique la place faite dans leur existence journalière aux offices et aux cérémonies religieuses ». Aussi bien, architecture, sculpture, enluminure des manuscrits, orfèvrerie, contribuent-elles à des titres divers

portail royal de Chartres, alors qu'aujourd'hui on le considère comme étant l'un des derniers parmi les portails romans. Pour l'Auvergne, cf. H. CHARDON DU RANQUET, *Cours d'art roman auvergnat*, Clermont, 1900.

(1) On trouvera l'exposé des théories de KINGSLEY PORTER dans *American Journal of archaeology, second series. Journal of the archaeological Institute of America*, vol. XXVI, 1922, nº 1. *Pilgrinage sculpture*, p. 1-53. Une critique décisive des théories de l'archéologue américain a été faite par P. DESCHAMPS, *Notes sur la sculpture romane en Languedoc et dans le nord de l'Espagne*, dans *Bulletin monumental*, t. LXXXII, 1923, p. 305-351. M. Deschamps a fixé avec beaucoup de précision les dates de construction de l'église de Saint-Jacques de Compostelle sur laquelle on a la rare fortune d'avoir des indications probantes ; il a prouvé que cette église était postérieure à Sainte-Foy de Conques et à Saint-Sernin de Toulouse, que le portail des Orfèvres en particulier n'était pas achevé au moment où, au plus tard en 1118, fut terminée, à Saint-Sernin de Toulouse, la porte Miégeville qui offre avec lui des ressemblances évidentes ; quant au cloître de Silos, l'épitaphe de l'abbé Dominique (1041-1073), gravée sur le tailloir d'un chapiteau, qui était le grand argument de Kingsley Porter pour dater les sculptures de la fin du XIe siècle, offre tous les caractères épigraphiques de la seconde moitié du XIIe siècle et elle a été manifestement ajoutée à ce moment.

(2) Sur ce premier art roman, cf. t. VII, p. 532-533, et aussi les deux volumes de J. PUIG I CADAFALCH, *Le premier art roman. L'architecture en Catalogne et dans l'Occident méditerranéen aux Xe et XIe siècles*, Paris, 1928, et *La géographie et les origines du premier art roman*, Paris, 1935.

(3) G. DE VALOUS, *Le monachisme clunisien des origines au XVe siècle. Vie intérieure des monastères et organisation de l'ordre*, Paris, 1935, t. I, p. 326.

à rehausser la splendeur du culte divin. Pour le Clunisien la prière est d'autant plus efficace que le cadre où elle s'élève est un pur reflet de la beauté qui en Dieu s'unit à la toute-puissance et à l'infinie bonté. Construire des temples propices à la prière liturgique, où les cérémonies religieuses puissent revêtir une impressionnante solennité, rappeler sur les chapiteaux des colonnes et aux tympans des portails les grandes vérités qui s'imposent à la méditation de tout chrétien et plus spécialement du moine, tel est un des buts essentiels de l'activité clunisienne. L'on s'explique dès lors que dans la plupart des filiales de Cluny s'élèvent, au moment où l'ordre atteint sa plus grande extension, des basiliques qui comptent parmi les plus sublimes créations artistiques de l'Occident chrétien.

Cluny n'est pas seul à donner l'impulsion. A son image, les abbayes bénédictines qui ne lui sont pas affiliées rivalisent d'ardeur. On a vu comment l'abbé du Mont-Cassin, Didier, avant de devenir le pape Victor III, avait réussi à faire du monastère, où l'on conservait pieusement le souvenir et la règle de saint Benoît, un centre artistique également unique au monde [1]. Partout la vie monastique s'imprègne de beauté et la civilisation occidentale n'a pu qu'y gagner.

L'ARCHITECTURE ROMANE.
LE PROBLÈME DE LA VOUTE
On a donc édifié beaucoup d'églises pendant la première moitié du XIIe siècle et, malgré leur diversité, toutes présentent quelques caractères communs qui permettent de les englober sous la même dénomination d'églises romanes.

Le trait distinctif de cette architecture, c'est l'adaptation de la voûte à des églises de plan basilical, réalisée pour la première fois en Lombardie au début du XIe siècle, puis en Catalogne et un peu partout dans l'Europe occidentale [2]. Cette innovation, qui avait l'avantage de diminuer les chances d'incendie inhérentes à l'emploi de la charpente en bois, se révéla bientôt d'une application difficile : la voûte, dite en berceau, exerçait sur les murs latéraux une poussée qui tendait à les faire écarter et provoquait parfois leur écroulement. Pour lutter contre cette poussée, il fallut fortifier les murailles, supprimer les ouvertures qui affaiblissaient la résistance des parois, et, par là, diminuer l'éclairage. Comment concilier éclairage et solidité, tel est le problème que se sont posé les architectes romans.

Ils ne l'ont pas résolu tous de la même façon et de là résulte la diversité de ce que l'on appelle les écoles romanes [3]. En Normandie, à Saint-Étienne

(1) Cf. t. VIII, p. 167.
(2) Cf. t. VII, p. 532-533.
(3) La classification de ces écoles est très délicate à faire. Après les avoir considérées longtemps comme fortement individualisées, on est frappé davantage aujourd'hui des relations qui ont favorisé leur pénétration réciproque : Saint-Benoît-sur-Loire, au seuil de l'Orléanais, présente des dispositions considérées comme l'apanage de l'école auvergnate, tandis que la cathédrale de Valence offre des particularités propres surtout aux églises poitevines. La diffusion de certains types, parfois très loin de leur foyer d'origine, s'explique avant tout par les pèlerinages. C'est ainsi que le long d'une des routes qui conduisent à Saint-Jacques de Compostelle s'échelonnent des basiliques sœurs dont il faut peut-être chercher le prototype à Saint-Martin de Tours (cf. E. MALE, *op. cit.*, p. 298-301). En outre, à l'intérieur d'une même région, en Bourgogne par exemple, on peut dis-

et à la Trinité de Caen, à Saint-Georges de Bocherville, à la cathédrale de Bayeux, on est resté fidèle à la charpente en bois que l'on remplacera plus tard par des voûtes sur croisée d'ogives, ce qui permet de multiplier les ouvertures et d'avoir des églises très lumineuses. En Bourgogne, on a généralement fait preuve de hardiesse : la basilique de Cluny, édifiée au temps de saint Hugues [1], était voûtée, mais de multiples baies avaient affaibli la résistance, si bien qu'en 1125 la nef s'effondra ; elle fut aussitôt reconstruite et l'on peut se demander si ce n'est pas là que, pour la première fois, afin de diminuer la poussée, on substitua à l'arc en plein cintre l'arc brisé qui se retrouve dans les églises apparentées à Cluny, comme celles de Paray-le-Monial, Beaune, Autun, Langres, et qui, de bonne heure, semble avoir été importé en Provence ; à Vézelay, le problème a été résolu par l'emploi de la voûte d'arêtes, composée de matériaux plus légers ; à Saint-Philibert de Tournus, on a adopté une autre formule, très ingénieuse, qui consiste à couvrir les travées de la nef d'une série de berceaux transversaux, se relayant et se contrebutant les uns les autres. En Languedoc toulousain et en Auvergne [2], à Saint-Sernin de Toulouse et à Sainte-Foy de Conques, à Notre-Dame-du-Port de Clermont, à Saint-Nectaire, à Saint-Paul d'Issoire, on a surmonté les collatéraux de tribunes voûtées en quart de cercle qui transmettent à de puissants contreforts la poussée de la voûte de la nef principale ; l'éclairage est ici sacrifié à la solidité. En Poitou, en Saintonge, à Notre-Dame la Grande de Poitiers, à Saint-Savin-sur-Gartempe, à Chauvigny, à Aulnay, on a imaginé encore une autre solution du problème : pour contrebuter la voûte de la nef principale, on a élevé les collatéraux jusqu'à la même hauteur que le vaisseau central, tandis que, dans la région toute voisine du Périgord, du Quercy et de l'Angoumois, on a supprimé les collatéraux et couvert l'unique nef, comme le chœur et le transept, d'une série de coupoles s'adaptant au plan en croix grecque [3]. Ailleurs, on est resté fidèle au berceau en plein cintre : c'est le cas notamment des écoles

tinguer des sous-écoles souvent très divergentes les unes des autres : l'église de Vézelay, avec ses voûtes d'arêtes et ses deux étages en élévation, ne ressemble en rien à celles de Paray-le-Monial et de Beaune, qui, avec leur berceau brisé et leur faux triforium, se rapprochent de la basilique de Cluny, ou encore à Saint-Philibert de Tournus dont la nef est couverte d'une série de berceaux transversaux qui se contrebutent les uns les autres. Aussi faut-il éviter d'être trop absolu lorsque l'on veut classer les églises romanes en écoles distinctes et doit-on éviter une localisation géographique trop accentuée.

(1) Cf. t. VIII, p. 441-442.

(2) Ces deux régions paraissent bien avoir été solidaires l'une de l'autre : Saint-Sernin de Toulouse ayant été consacré par Urbain II en 1096, c'est de cet édifice que dérivent les églises auvergnates, construites sensiblement plus tard. Quelques-unes de celles-ci offrent une particularité : l'absence de chapelle absidale dans l'axe de la nef et, à la place, un chevet rectangulaire. Il y a d'ailleurs en Auvergne, notamment dans le Cantal, en Forez et en Livradois, des églises très différentes de celles que l'on considère comme typiques, à savoir Notre-Dame-du-Port de Clermont, Saint-Paul d'Issoire, Saint-Nectaire, Notre-Dame d'Orcival.

(3) La plus caractéristique de ces églises est la cathédrale Saint-Front à Périgueux. L'origine des coupoles est très controversée : on l'a cherchée tantôt dans l'Empire byzantin, tantôt dans la région elle-même. Cf. R. Rey, *La cathédrale de Cahors et les origines de l'architecture à coupoles d'Aquitaine*, Paris, 1925. Nous croyons avec C. Enlart, *Les églises à coupoles d'Aquitaine et de Chypre*, dans *Gazette des Beaux Arts*, mars 1926, que l'évêque de Cahors, Géraud III de Cardaillac, a été séduit par cette manière de voûter les églises, lors de son passage à Chypre au cours d'un voyage en Terre Sainte (1109-1112), et qu'il l'a fait utiliser à la cathédrale de Cahors, prototype des églises à coupoles.

germanique et lombarde qui ont semé le long du Rhin et dans la plaine du Pô une série de cathédrales aux vastes dimensions.

Si les églises romanes se différencient avant tout par la voûte, la variété que l'on observe en plan comme en élévation se traduit encore sous d'autres formes.

A quelques exceptions près, toutes les églises romanes ont un plan basilical et cruciforme, mais celui-ci affecte des formes plus ou moins compliquées. Dans le cas le plus simple, l'église reproduit la forme de la croix avec, à l'intersection du chœur et de la nef, un transept plus ou moins saillant que surmonte un clocher, mais, si dans les plus anciens édifices de l'école provençale la nef est parfois unique, en général il y a triple nef avec une nef centrale plus élevée [1] ; cette nef centrale est généralement précédée d'un porche ou d'un narthex qui, en Bourgogne et dans la vallée de la Loire, constitue à lui seul une véritable avant-église. Le chœur, qui était réservé aux moines, s'arrondit en forme d'abside semi-circulaire flanquée d'absidioles qui, en Poitou, en Normandie, en Provence, s'ouvrent directement sur le chœur ou sur le transept, tandis que, dans les autres régions, elles sont isolées du chœur par un couloir de circulation, appelé déambulatoire ; sauf dans certaines églises auvergnates, ces absidioles sont en nombre impair. Les cathédrales rhénanes, celles de Mayence et de Worms par exemple, offrent deux absides principales situées aux extrémités opposées de la nef.

En élévation, les églises romanes ont tantôt deux, tantôt trois étages ; dans ce dernier cas, les parties hautes sont séparées des parties basses soit par des tribunes, comme en Auvergne et dans certains édifices normands, soit par un faux triforium, comme cela se produit dans les églises apparentées à Cluny. Extérieurement, on note la présence de clochers plus ou moins nombreux et très diversement situés. Le plus souvent, au-dessus de la croisée du transept se dresse un clocher tantôt rectangulaire, tantôt octogonal qui, en Normandie, affecte la physionomie de tour lanterne. Il y a souvent, à la façade, une ou deux tours surmontant le porche ; dans l'école normande, il y a parfois des clochers accolés au transept ou au chœur. La basilique de Cluny se distinguait par une extraordinaire profusion de clochers [2].

L'ORNEMENTATION DES ÉGLISES ROMANES La physionomie de l'église romane achève de se caractériser par sa décoration, composée de deux éléments : l'ornementation proprement dite qui affecte les arcades, voussures, corniches, chapiteaux, et la statuaire qui s'est logée à la fois dans les chapiteaux et aux portails.

Ce qui distingue avant tout l'ornementation, c'est qu'elle est très stylisée. Les artistes romans ne se soucient nullement, comme le feront plus tard les artistes gothiques, de reproduire la nature et l'on chercherait en vain dans les églises décorées par eux l'image des plantes des régions

(1) En Poitou (cf. p. 166), les trois nefs sont de même hauteur. Dans les églises provençales à trois nefs, comme Saint-Trophime d'Arles, les collatéraux sont également très élevés.
(2) Cf. t. VIII, p. 442.

où ils travaillaient. Ils s'attachent d'abord à reproduire des motifs plus ou moins géométriques, inspirés de l'antiquité, grecques, méandres, denticules, oves, perles. Ils ont aussi traité le feuillage, mais c'est un feuillage conventionnel qui dérive des types employés dans l'art gallo-romain : feuilles de laurier et feuilles d'acanthe, plus ou moins déformées, se combinent de multiples façons ; palmettes, feuilles de refend aux bords déchiquetés et aux découpures profondes, rosaces riches et variées, rinceaux aux tiges onduleuses décorent les parois ou les arcades ; quant aux chapiteaux, ils dérivent plus ou moins du chapiteau corinthien, mais, si certains d'entre eux, notamment en Bourgogne et en Provence, offrent des feuilles d'acanthe très classiques, le plus souvent on a pris beaucoup de liberté avec le feuillage traditionnel ; les motifs sont variés et agrémentés de figures animales ou humaines qui émergent de la corbeille, elles-mêmes plus ou moins déformées sous l'influence des souvenirs de lointains voyages. La faune orientale, vraie ou légendaire, tient une grande place dans la décoration romane où l'éléphant et le chameau voisinent avec le basilic, coq terminé en serpent, avec l'aspic, dragon bas sur pattes, avec le griffon, quadrupède ailé à tête d'aigle, et avec tant d'autres animaux fantastiques décrits par les pèlerins à l'imagination féconde qui avaient visité la Terre sainte et les régions avoisinantes.

LE RENOUVEAU SCULPTURAL   Avec l'adaptation de la voûte au plan basilical, la grande nouveauté apportée par l'art roman pendant la première moitié du XIIe siècle, c'est la résurrection de la statuaire : chapiteaux historiés, tympans et linteaux sculptés sont autant de créations originales et fortes où un puissant effort plastique est mis au service d'une pensée monastique particulièrement riche et tourmentée. Au XIe siècle, les sculptures, en s'inspirant des œuvres d'orfèvrerie et des *antipendia* en stuc, avaient peu à peu retrouvé la notion du relief [1], mais l'inspiration demeurait pauvre et l'exécution maladroite : les linteaux de Saint-Genis des Fontaines et de Saint-André de Sorède (Pyrénées-Orientales), exécutés le premier en 1020-1021, comme en témoigne une curieuse inscription, et le second à une date toute voisine, représentent le Christ en majesté, entouré des quatre animaux symboliques, avec des anges et des apôtres d'une facture encore assez gauche. Pendant la première moitié du XIIe siècle, surgissent des œuvres grandioses et émouvantes qui, quoiqu'encore assez archaïques d'aspect, comptent parmi les plus saisissantes créations qu'ait jamais produites l'art religieux.

C'est dans la région de Toulouse que se situent les premières manifestations de cette renaissance sculpturale, avec les grands bas-reliefs encastrés au pourtour du chœur de Saint-Sernin, sans doute contemporains

---

(1) L'influence de l'orfèvrerie a été bien mise en lumière par P. DESCHAMPS, *Étude sur la renaissance de la sculpture en France à l'époque romane*, dans *Bulletin monumental*, t. LXXXIV, 1925, p. 35 et suiv. Sur les *antipendia* catalans, cf. J. PUIG I CADAFALCH, *Géographie et origines du premier art roman*, p. 381 et suiv.

de la consécration de la basilique par le pape **Urbain II, en 1096**[1], où
un Christ de gloire trône, entouré des quatre animaux symboliques avec,
de chaque côté, deux anges et deux apôtres. Par la suite, plusieurs ateliers
se succédèrent dans le pays toulousain, auxquels on doit la porte Miégeville de Saint-Sernin, les portails de Moissac, de Cahors, de Beaulieu,
les statues et les chapiteaux qui ornaient les églises et les cloîtres, dont
une bonne partie se trouve aujourd'hui au musée des Augustins à Toulouse[2].

Presqu'au même moment, la Bourgogne est le foyer d'un renouveau
identique. Les plus étonnantes productions se situent à Vézelay et à
Autun. En 1132, le pape Innocent II, au cours de son voyage en France,
consacre le narthex de Vézelay que l'on venait de réédifier, à la suite
de la destruction par le feu, en 1120, de l'église dédiée en 1104 par l'abbé
Artaud ; le 30 décembre de la même année, il procède à la même cérémonie
pour la cathédrale d'Autun. Les tympans de ces deux églises n'étaient
peut-être pas achevés ; ils le furent sans doute autour de 1140, mais
peu importe la date ; il suffit de retenir que la Pentecôte de Vézelay
et le Jugement dernier d'Autun sont peut-être ce que l'art roman a produit
de plus émouvant.

De ces deux écoles, celle du Sud-Ouest a eu un rayonnement plus
intense que l'autre. En 1137, l'abbé de Saint-Denis, Suger, a accompagné
en Aquitaine le jeune fils de Louis le Gros, qui l'année même allait devenir
le roi Louis VII et qui venait d'être fiancé à Aliénor, fille du duc Guillaume X. Ce voyage a établi un contact entre le domaine royal et le
Midi aquitain alors en pleine renaissance sculpturale. L'illustre abbé,
préoccupé à cette date de la reconstruction de l'abbaye de Saint-Denis,
a vu les portails sculptés dont l'apparition constituait une véritable
révolution ; à sa demande, l'atelier de Beaulieu s'est transporté à Saint-
Denis où les sculpteurs aquitains vinrent reproduire le Jugement dernier
qui ornait le tympan de l'église du monastère[3]. Ainsi la statuaire du
Sud-Ouest pénétra dans l'Ile de France où, dans la seconde moitié du
XIIe siècle, elle devait engendrer le portail royal de Chartres et tant d'autres où se retrouvent les mêmes influences.

Celles-ci ne se limiteront pas au domaine royal. Elles s'étendront à
la France entière et à l'Espagne où Saint-Jacques de Compostelle et
Silos dérivent des ateliers aquitains. L'École provençale, qui créera à
la fin du XIIe siècle les façades de Saint-Gilles et de Saint-Trophime
d'Arles, procède de la même source, ce qui n'a pas lieu de surprendre,
puisque la même autorité féodale s'exerçait des rives de la Garonne à
celles du Rhône. La Bourgogne elle-même a cédé à l'attrait toulousain,
comme l'Auvergne, le Poitou et la Saintonge : le grand portail de Cluny

(1) Cf. *supra*, p. 166, n. 2.
(2) Pour la chronologie de ces divers ateliers, voir l'ouvrage cité déjà de R. REY, *La sculpture
romane languedocienne.*
(3) Il y a dans le *Liber de rebus in administratione sua gestis*, écrit par Suger à partir de 1144,
quelques indications précises d'où il ressort que les travaux d'agrandissement de Saint-Denis ont
commencé vers 1137 et que, dès 1140, les travées ajoutées à la nef de la nouvelle façade étaient
achevées ; c'est peu après cette date que les sculptures ont été vraisemblablement mises en place,
soit entre 1140 et 1150.

a été sans doute l'œuvre d'artistes aquitains dont on retrouve la trace à La Charité-sur-Loire, à Notre-Dame-du-Port de Clermont, à Notre-Dame-la-Grande de Poitiers et dans les chapiteaux historiés qui ornent les églises auvergnates.

ICONOGRAPHIE ET SOURCES D'INSPIRATION   Quelle que soit la filiation des œuvres, toutes procèdent des mêmes sources d'inspiration. Si l'orfèvrerie a permis aux sculpteurs de retrouver la notion du relief, les miniatures qui ornaient les manuscrits ont fourni les sujets. Suivant l'heureuse formule de M. Émile Mâle qui a révélé cette filiation, « le bas-relief n'a guère été, à l'origine, qu'une transposition de la miniature » [1]. La comparaison révèle bien des traits communs. Le tympan du portail de Moissac, où se reflète, étrange et grandiose, la vision apocalyptique, est une ingénieuse transposition de la miniature qui ornait un manuscrit du commentaire de Beatus sur l'Apocalypse ; le tympan de Vézelay, que pendant longtemps les archéologues n'ont pas réussi à expliquer, devient limpide si on le rapproche d'un lectionnaire de Cluny, aujourd'hui à la Bibliothèque nationale, où est traitée aussi l'annonce par le Christ à ses disciples de la venue prochaine de l'Esprit Saint [2] ; le trumeau de Souillac, où s'empilent en une étrange mêlée oiseaux, quadrupèdes, êtres humains, a pour source une bible de Saint-Martial de Limoges qui laisse apercevoir le même combat gigantesque. On pourrait multiplier les exemples. C'est par la miniature que s'expliquent les thèmes adoptés par la sculpture romane et aussi certaines particularités techniques telles que ces plis chiffonnés, ces complications et ces bouillonnements dans les formes dont on ne s'affranchira que le jour où la reproduction des enluminures de manuscrits fera place à l'étude du modèle vivant.

Si l'iconographie romane dérive ainsi de la miniature carolingienne, qui lui a transmis les thèmes hellénistiques et syriens, on ne peut faire abstraction toutefois du milieu dans lequel elle a évolué. Les églises romanes appartiennent, pour la plupart, à des abbayes et l'on ne saurait être étonné d'y retrouver à tout moment l'empreinte des idées monastiques. Détachés de la matière, conscients des grandes responsabilités morales qui pesaient sur eux, pénétrés de leur mission éducatrice, les sculpteurs romans ont cherché à frayer aux moines et aux fidèles les voies de la béatitude en provoquant des réflexions salutaires et des méditations sur les vérités de l'au-delà. « L'art du XIIe siècle, a encore écrit M. Mâle, porte profondément l'empreinte du génie monastique » [3]. Nulle part on ne saurait trouver une meilleure illustration à cette vérité que dans la basilique de Vézelay. Sur les chapiteaux qui se succèdent le long de la nef principale et des collatéraux, se trouvent gravées avec le plus saisissant réalisme les pensées qui animent la littérature monastique et qui se résument en un seul précepte, à savoir l'obligation pour le moine de lutter

(1) E. Mâle, *L'art religieux du XIIe siècle en France*, p. 4.
(2) E. Mâle, *op. cit.*, p. 36-37 et 326-327.
(3) E. Mâle, *op. cit.*, p. 365.

contre le démon. Les assauts de l'esprit malin ont été décrits par les imagiers de Vézelay avec une étonnante fécondité d'imagination : la figure du démon, représenté sous la forme d'un nain à la poitrine saillante et à la tête énorme, avec des cheveux hérissés et une mâchoire qu'anime un rire violent et sarcastique, apparaît dans bon nombre de chapiteaux et est associée à la représentation de certains vices, comme la calomnie, l'idolâtrie, surtout la luxure incarnée par une courtisane nue, à la coiffure soigneusement échafaudée, qui se débat sous la morsure du serpent qui la ronge. Les tympans complètent l'enseignement des chapiteaux : la vision apocalyptique de Moissac, les Jugements derniers d'Autun, de Conques, de Beaulieu, de Saint-Denis devaient éveiller chez les moines et chez les fidèles la pensée du Souverain Juge auquel nul ne pourra se dérober et auquel tous devront un jour rendre compte non seulement de leurs actes, mais même de leurs plus intimes inclinations.

Aussi bien la sculpture du XIIᵉ siècle a-t-elle la valeur d'un enseignement. Peu importe à l'artiste l'imperfection technique contre laquelle il lutte de son mieux ; peu importe que les personnages soient démesurément allongés ou se figent dans une immuable raideur avec des gestes gauches ou factices. L'essentiel pour lui est de faire pénétrer dans les âmes de ceux qui s'arrêteront devant son œuvre les impressions fortes, les sentiments de crainte et d'espérance qui peuvent l'inciter à fuir le vice et à pratiquer la vertu, source de son salut.

LA PEINTURE ROMANE   La peinture reflète les mêmes tendances. De très bonne heure, l'Église l'a envisagée « comme une sorte de prédication muette »[1]. Dès l'époque mérovingienne, les basiliques chrétiennes y ont eu recours et cette tradition s'est perpétuée à l'époque carolingienne qui l'a transmise à son tour à l'époque romane. Malheureusement la plupart des fresques qui couvraient les églises des XIᵉ et XIIᵉ siècles sont aujourd'hui perdues, mais le peu qui reste laisse percevoir un art de grande allure[2].

En France, c'est à Saint-Savin-sur-Gartempe, en Poitou, qu'il faut chercher l'ensemble le plus complet et le plus caractéristique de la peinture romane. Les deux étages de la tour du clocher, les voûtes de la nef, la principale crypte ont reçu une décoration de fresques dont les sujets sont étroitement apparentés à ceux que traite la sculpture : la vision apocalyptique y voisine avec une série de scènes empruntées à l'Ancien et au Nouveau Testament, depuis la création de l'homme jusqu'à la résurrection du Christ, et aussi avec les légendes des premiers apôtres du pays poitevin, saint Savin et saint Cyprien. Depuis la découverte de ces peintures par Mérimée en 1836, plusieurs églises romanes de

(1) L'expression est de E. MALE dans *Histoire de l'art depuis les premiers temps chrétiens jusqu'à nos jours* publiée sous la direction de A. MICHEL, t. I, 2ᵉ p., p. 758.
(2) Sur la peinture romane, on verra, outre les chapitres de E. MALE et de E. BERTAUX dans *l'Histoire de l'art* sous la direction de A. MICHEL, t. I, 2ᵉ p., p. 756 et suiv., P. MÉRIMÉE, *Notice sur les peintures de l'église de Saint-Savin-sur-Gartempe*, Paris, 1845 ; GÉLIS-DIDOT et H. LAFFILLÉE, *La peinture murale en France*, Paris, 1889 ; F. MERCIER, *Les primitifs français. La peinture clunysienne*, Paris, 1932 ; H. FOCILLON, *Peintures romanes des églises de France*, Paris, 1938.

France ont révélé des vestiges moins importants, mais qui permettent de conclure qu'il y a eu des écoles de peinture, comme il y avait des écoles de sculpture, et que celles-ci se distinguent les unes des autres par certaines particularités techniques : la Bourgogne clunisienne, où malheureusement le grand Christ de majesté qui décorait le fond de l'abside de la basilique de Cluny a disparu ainsi que les autres fresques éparses dans le monastère, et l'Auvergne se rattachent à la tradition hellénique avec prédominance des fonds sombres, tandis que le Poitou, la Touraine, le Berry préfèrent les fonds clairs. Dans l'ensemble, la peinture française de l'époque romane est apparentée à la sculpture et, comme elle, dérive des miniatures carolingiennes, mais elle a plus de souplesse : elle dessine mieux les draperies qui moulent le corps et a une science du nu qui manque à la statuaire, en même temps qu'elle subit davantage l'influence de l'Orient byzantin.

Cette influence orientale est encore plus accusée en Italie où l'abbé du Mont-Cassin, Didier, avait créé, au milieu du XIe siècle, un foyer d'art byzantin tempéré par la tradition latine très vivace. On peut se faire une idée de cet art par les fresques de l'église San-Angelo de Formis, près de Capoue, où les artistes qui ont exécuté le Christ en gloire et un impressionnant saint Michel trahissent leur origine grecque, tandis que l'iconographie du Jugement dernier se rattache davantage aux compositions des premières basiliques chrétiennes. C'est autour de cette école du Mont-Cassin que gravite toute la peinture italienne de la fin du XIe et du début du XIIe siècle ; plus encore que les peintres, les miniaturistes ont conquis une grande renommée, due en particulier à l'illustration des rouleaux d'*Exsultet* que décorent des figurines traitées elles aussi dans le style byzantin.

LES ARTS MINEURS — Les arts mineurs ont connu un très grand essor à la fin du XIe et au début du XIIe siècle. Beaucoup des pièces qui garnissent aujourd'hui les trésors des cathédrales datent de cette période qui, quoique féconde, n'est pas très originale et reste fidèle à la tradition carolingienne [1].

L'orfèvrerie a eu pour principal centre l'abbaye de Saint-Denis où Suger a attiré des artistes étrangers, accourus d'un peu partout. Il y a fait venir notamment un orfèvre wallon de Huy, du nom de Godefroy de Claire, qu'il chargea de sculpter une grande croix d'or, haute de sept mètres, destinée à marquer l'emplacement où avaient été ensevelis Denis, Rustique et Éleuthère. Cette croix, malheureusement disparue, était supportée par un haut pilier carré décoré de dix-sept émaux où la vie du Christ était mise en parallèle avec les scènes de l'Ancien Testament [2]. Ce Godefroy de Claire, dont l'œuvre paraît avoir été immense [3], n'est

---

(1) On consultera avant tout, sur cette évolution des arts mineurs, le chapitre de E. MOLINIER dans *Histoire de l'art* sous la direction de A. MICHEL, t. I, 2e p., p. 815 et suiv. et l'on trouvera, dans la bibliographie qui l'accompagne, l'indication des travaux de détail.

(2) Cf. E. MALE, *L'art religieux du XIIe siècle en France*, p. 152 et suiv.

(3) Sur cette œuvre, voir : O. VON FALKE et H. FRAUBERGER, *Deutsche Schmelzarbeiten des Mittelalters*, Francfort-sur-Mein, 1904.

pas le seul orfèvre qui ait travaillé à Saint-Denis ; Suger mentionne la
présence à ses côtés de plusieurs artistes de l'ancien royaume de Lorraine
qui semble bien avoir été la source de l'orfèvrerie allemande et française
au début du XIIᵉ siècle. L'influence germanique s'est, en cette branche,
très largement exercée à Saint-Denis et dans les pays avoisinants, comme
la Champagne. L'émaillerie limousine prend elle aussi son essor à la fin
du XIᵉ siècle et au début du XIIᵉ. Elle a également son origine sur les
bords du Rhin et de la Meuse, où l'on imitait depuis longtemps les modèles
byzantins. On lui doit notamment la plaque funéraire de Geoffroy Plantagenet, qui fut longtemps conservée à l'église Saint-Julien du Mans,
et le monument de l'évêque d'Angers, Ulger, exécuté entre 1139 et 1154,
où apparaît encore, dans les vêtements sinon dans les visages, le système
byzantin de l'émaillerie cloisonnée [1].

Quant aux ivoires sculptés, ils semblent avoir été relativement peu
nombreux pendant la première moitié du XIIᵉ siècle. On éprouve d'ailleurs une certaine peine à fixer leur chronologie exacte.

LA RÉACTION CISTERCIENNE On peut mesurer, grâce aux indications
qui précèdent, l'incomparable richesse des
églises clunisiennes : tous les arts ont été appelés à rehausser la splendeur
du culte pour la plus grande gloire de Dieu. Cette conception n'a pas été
sans susciter des critiques, parfois mordantes et acerbes. Saint Bernard,
qui se faisait une toute autre idée de ce que devait être la pauvreté monastique, a condamné le luxe des églises clunisiennes avec la plus intran-
sigeante sévérité.

Dans son *Apologie* [2], où il oppose son propre programme monastique
à celui des Clunisiens, l'abbé de Clairvaux a condensé les indignations
que suscitait en lui la somptuosité des églises de son temps. Il reproche
à la basilique édifiée par saint Hugues dans l'abbaye mère « sa hauteur,
sa longueur exagérée, ses somptueux ornements, ses riches peintures
qui attirent le regard des fidèles, dissipent leur dévotion et rappellent
les cérémonies judaïques ». Il s'en prend surtout aux motifs ornementaux
semés à profusion et aux objets d'orfèvrerie.

Dites-moi, pauvres, si tant est que vous soyez des pauvres, que fait l'or dans
un sanctuaire ?... Pour qui, je vous le demande, tout cet étalage ?... Les reli-
quaires sont tout couverts d'or ; les yeux se repaissent de cette vue... On expose
les images des saints ; plus elles sont parées, plus elles semblent vénérables.
Le peuple court les baiser et se retire, plus frappé de la beauté du travail que
de la sainteté de l'objet. On suspend dans l'église je ne dis pas des couronnes,
mais de grandes roues garnies de lumières, étincelantes de pierres précieuses.
En guise de candélabres, on dresse des arbres gigantesques d'airain massif,
ciselés avec un art infini, où les cierges jettent moins d'éclat que les pierreries.
Que se promet-on de tout cela ? La componction des visiteurs ou leur admiration [3] ?

Ce luxe, à en croire saint Bernard, ne serait pas désintéressé et n'aurait
d'autre but que de « délier les bourses », car une image de saint ou de

(1) Pour l'émaillerie de Limoges, voir E. RUPIN, *L'œuvre de Limoges*, Paris, 1900.
(2) *Apologia ad Guillelmum* (*P. L.*, CLXXXII, 895-916). Cf. *supra*, p. 120-121.
(3) *Apologia*, XII.

sainte paraîtra « d'autant plus sacrée qu'elle est plus riche en couleurs »
et le peuple, après l'avoir baisée, se sentira mieux disposé à faire son
offrande.

O vanité des vanités ! O folie plus encore que vanité ! L'Église resplendit
dans ses murailles et manque de tout dans ses pauvres. Elle revêt d'or ses
pierres et laisse ses enfants nus. Avec l'argent des indigents on charme le regard
des riches ! Les curieux trouvent de quoi satisfaire leurs passions et les malheureux n'ont pas de quoi vivre [1] !

Non content de critiquer les tendances de l'art clunisien, saint Bernard
s'est efforcé de réagir contre elles. L'art cistercien, docile à ses impulsions,
aura des caractères tout opposés. Les filiales de Cîteaux construiront des
églises sévères et nues, où aucune ornementation superflue ne viendra
distraire les yeux ni détourner de la prière. Comme le demandait l'abbé
de Clairvaux, on en bannira non seulement les « monstres ridicules, singes
immondes, lions farouches, centaures monstrueux, êtres demi humains »
qui décoraient les églises clunisiennes, mais même les tympans sculptés
et les chapiteaux historiés. L'église de Cîteaux et celle de Clairvaux
ont malheureusement disparu, mais celles des deux filiales de Fontenay
et de Pontigny existent encore et répondent pleinement à la pensée de
saint Bernard.

Celle-ci ne sera pas indéfiniment respectée : les églises cisterciennes
d'Espagne et du Portugal, en particulier, ne se conforment pas en tout
point à la loi de pauvreté qu'a observée l'architecture cistercienne à
ses débuts, mais il demeure certain que saint Bernard a eu sur l'évolution
de l'art médiéval une influence évidente en le ramenant à plus de simplicité. L'art gothique bannira des temples du Seigneur les animaux
plus ou moins fantastiques, que l'imagination des sculpteurs avait tirés
de souvenirs déformés de visions orientales, pour revenir à l'imitation
plus stricte de la nature occidentale dont les plantes, reproduites avec
exactitude, garniront les nefs et les chapiteaux des piliers.

FORMATION DE L'ART GOTHIQUE   Les nouvelles formules d'art s'annon-
cent d'ailleurs dès le milieu du XIIe siè-
cle. C'est au temps de saint Bernard que l'architecture commence à
se transformer et qu'apparaissent, timides et incertaines, les premières
croisées d'ogives. Ce qui caractérise cette voûte, si différente des voûtes
romanes, c'est l'emploi de deux nervures qui se croisent en diagonale
au-dessus d'une travée de la nef ou du chœur, délimitée par deux arcs-
doubleaux. Ces « arcs ogifs » se rencontrent à la clef, si bien que la voûte
est divisée par eux en quatre voûtains [2]. La voûte étant appareillée sur
ces arcs ogifs, la poussée se trouve reportée sur quatre points qu'il suffira
de fortifier par de puissants contreforts pour maintenir l'équilibre [3].

---

(1) *Apologia*, xii. Cf. E. VACANDARD, *Vie de saint Bernard*, t. I, p. 121 et suiv.
(2) Dans les plus anciennes cathédrales gothiques la croisée d'ogives recouvre souvent non pas
une, mais deux travées de la nef, ce qui donne six voûtains au lieu de quatre, d'où le nom de « voûte
sexpartite ».
(3) On a beaucoup discuté, au cours de ces dernières années, sur la valeur de la croisée d'ogives.
La théorie énoncée par Viollet le Duc dans son *Dictionnaire d'architecture*, adoptée par la plupart

Sans doute, ce n'est que dans la seconde moitié du XIIᵉ siècle que l'on arrivera à réaliser tous les avantages du nouveau système qui fait son apparition autour de 1130, d'abord dans des églises de modestes dimensions au nord de Paris, celle de Morienval par exemple, puis dans d'autres plus importantes, édifiées entre 1140 et 1160, telles que Saint-Denis, Saint-Germain-des-Prés et Saint-Martin-des-Champs à Paris, les cathédrales de Noyon et de Sens.

Simultanément la sculpture évolue vers le naturalisme. Ici encore la transition est lente et timide : à Sens, par exemple, les chapiteaux stylisés alternent avec d'autres où se devine l'imitation des formes végétales de la région, tandis que les animaux fantastiques font place à ceux que les artistes avaient sous les yeux, la perdrix par exemple. La statuaire s'affranchit plus lentement de la tradition romane et c'est seulement dans les premières années du XIIIᵉ siècle qu'à son tour elle parviendra à imiter de plus près la forme humaine, en même temps que se constituera une iconographie plus encyclopédique que celle de l'époque précédente.

PERSISTANCE DE L'ART ROMAN — Toutefois, si le milieu du XIIᵉ siècle a vu l'éclosion de l'art gothique, l'art roman a persisté dans certains pays, notamment dans la région méditerranéenne, où longtemps encore on restera fidèle sinon à la tradition architecturale, du moins aux formules décoratives d'autrefois. Dans la région rhodanienne, la façade de Saint-Gilles et le portail de Saint-Trophime d'Arles n'ont été sans doute terminés que dans les premières années du XIIIᵉ siècle, alors qu'au même moment, dans le nord de la France, à Chartres et à Paris, s'épanouissait une sculpture beaucoup plus évoluée.

§ 3. — Les écoles et l'enseignement [1].

RAYONNEMENT INTELLECTUEL DE L'ÉGLISE — L'influence de l'Église pendant la première moitié du XIIᵉ siècle ne s'affirme pas seulement dans le domaine de la piété. Son

des archéologues français, tels que A. CHOISY, C. ENLART, R. DE LASTEYRIE, E. LEFÈVRE-PONTALIS, suivant laquelle l'emploi de la croisée d'ogives aurait apporté une solution définitive au problème de la poussée, a été récemment combattue par V. SABOURET, dans deux articles du *Génie civil* (*Les voûtes nervurées* ; *rôle simplement décoratif des nervures*, 1928 ; et *L'évolution de la voûte*, 1934), et P. ABRAHAM, *Viollet le Duc et le rationalisme médiéval* dans *Bulletin monumental*, t. XCIII, 1934, p. 69-88. Suivant eux, les arcs ogifs ne portent en aucune façon la voûte comme l'avait cru Viollet le Duc et n'ont qu'une valeur décorative. La thèse traditionnelle a été défendue, avec quelques atténuations, par M. AUBERT, *Les plus anciennes croisées d'ogives, leur rôle dans la construction*, dans *Bulletin monumental*, t. XCIII, 1934, p. 5-67 et 137-237, qui, tout en concédant que « les ogives ne portent pas seules tout le poids de la voûte », maintient que la croisée d'ogives a des avantages incontestables ; il faut noter en particulier sa très juste remarque au sujet de l'emploi de cette forme de voûte par les Cisterciens qui n'y auraient certainement pas eu recours si elle était, comme le veulent Sabouret et Abraham, un simple motif ornemental, puisque toute idée d'ornementation a été condamnée par saint Bernard et ses disciples. Sur ces controverses, voir les pages pleines de modération et de sens critique de L. RÉAU, *op. cit.*, p. 75 et suiv.

(1) BIBLIOGRAPHIE. — Le meilleur exposé d'ensemble se trouve dans : G. PARÉ, A. BRUNET, P. TREMBLAY, *La Renaissance du XIIᵉ siècle. Les écoles et l'enseignement* (*Publications de l'Institut d'Études médiévales d'Ottawa*, fasc. 3), Paris-Ottawa, 1933. Voir aussi : CH. H. HASKINS, *The Renaissance of the twelfth century*, Cambridge, 1927 ; S. D'IRSAY, *Histoire des universités françaises et étrangères des origines à nos jours*, t. I, *Moyen âge et Renaissance*, Paris, 1933, sans oublier l'ouvrage déjà cité de G. SCHNUERER, où figurent quelques indications très générales. Certaines monographies seront, en outre, signalées, à propos des différentes questions traitées dans les pages qui suivent.

rayonnement intellectuel est plus intense que jamais et c'est en elle qu'il faut chercher les sources de ce que l'on a parfois appelé la « renaissance du XIIᵉ siècle ». Cette vie intellectuelle n'est pas seulement l'apanage d'une élite de théologiens et de philosophes [1], ni même de ces moines qui, depuis la fin de l'Empire romain, conservaient et entretenaient les traditions de la culture antique ; ce qui la caractérise, au temps de saint Bernard, c'est au contraire sa large diffusion en dehors des cloîtres, au sein des agglomérations urbaines régénérées et transformées par le renouveau économique et social qui s'est manifesté depuis la fin du XIᵉ siècle.

DÉCADENCE DES ÉCOLES MONASTIQUES C'est en partie par les écoles installées auprès des monastères que s'étaient propagées, à l'époque carolingienne, les lettres antiques [2]. Cluny, sans rompre ouvertement avec cette tradition, avait davantage porté son effort vers la liturgie. « L'ordre ne fit jamais profession de science et de haute culture intellectuelle. Ses diverses coutumes semblent, au contraire, s'être toujours défendues de consacrer un chapitre spécial au travail intellectuel » [3]. On continua cependant à instruire les enfants oblats que l'on accueillait dans certains monastères, mais cette forme d'activité est considérée comme accessoire et on n'y attache qu'une médiocre importance.

A Cîteaux, on alla plus loin encore dans la voie de la régression. La règle n'admet d'enseignement que pour les seuls moines, ce qui exclut toute idée d'école. « Que l'on n'enseigne les lettres à aucun enfant à l'intérieur ou dans les dépendances du monastère », lit-on dans les *Consuetudines* [4]. Saint Bernard n'a pas caché son hostilité à l'égard de ceux « qui veulent savoir uniquement pour savoir » et auxquels il reproche une « honteuse curiosité », une « honteuse vanité », tandis qu'il flétrit le « honteux trafic » de ceux « qui veulent savoir, afin de vendre leur science, soit pour de l'argent, soit pour des honneurs » [5].

Dans ces conditions les écoles monastiques ne pouvaient contribuer à la renaissance intellectuelle de la première moitié du XIIᵉ siècle. C'est dans l'Église séculière qu'il faut en chercher la source.

LES ÉCOLES ÉPISCOPALES Dès le VIᵉ siècle il y a eu des écoles épiscopales qui se sont multipliées à l'époque carolingienne et ont revêtu alors le caractère d' « écoles publiques de science tant divine qu'humaine » [6]. Certaines d'entre elles, celles de Reims, de Chartres, de Paris entre autres, étaient florissantes dès le Xᵉ siècle [7].

---

(1) L'étude des œuvres théologiques et philosophiques sera faite seulement au tome XIII.
(2) Cf. t. VI, p. 104-106 et 303-314.
(3) G. DE VALOUS, *Le monachisme clunisien des origines au XVᵉ siècle*, t. I, p. 312. Cf. *supra*, p. 120-123.
(4) *Consuetudines*, LXXVIII (PH. GUIGNARD, *Les monuments primitifs de la règle cistercienne*, Dijon, 1878, p. 272).
(5) *In Cantic. sermo* XXXVI. Cf. *supra*, p. 17-18.
(6) C'est l'expression dont se sert, en 859, le concile de Savonnières, c. 10 (MANSI, t. XV, col. 539).
(7) Sur les premières écoles épiscopales, cf. S. D'IRSAY, *Histoire des universités françaises et étrangères des origines à nos jours*, t. I, p. 39 et suiv.

Toutefois, dans son *De vita mea*, Guibert de Nogent constate qu'au moment où il commençait ses études, il n'y avait de maîtres de grammaire que dans les grandes villes et il se plaint, par surcroît, de ce que leur science fût mince [1]. Au début du XIIe siècle, tout est changé, le même Guibert, dans la préface de ses *Gesta Dei per Francos*, note que « la grammaire fleurit de tous côtés », et il se félicite de ce que de nombreuses écoles la mettent à la portée des pauvres [2]. Tout en faisant la part de l'exagération, il paraît probable qu'il y avait, au moment où Guibert écrivait, un nombre appréciable d'écoles placées sous la direction des chapitres cathédraux. Certaines d'entre elles avaient conquis une réelle célébrité : en France, Laon a été, jusqu'à la mort de maître Anselme (1117), le centre le plus important d'études théologiques qu'il y eût en Occident, puis ce fut le tour de Paris, grâce au prestige dont ont joui successivement Guillaume de Champeaux et Abélard, et aussi d'Angers, de Bourges, d'Orléans, dans le midi de Montpellier ; en Angleterre, on fréquentait surtout Cantorbéry et Durham, en Espagne Tolède où l'on venait s'initier à la science et à la philosophie des Arabes ; en Allemagne et en Italie, le mouvement est plus lent, par suite des luttes politiques longtemps ardentes, mais l'école de Bologne, après celle de Ravenne, commence à devenir célèbre en Occident, parce que l'on y enseigne le droit romain [3].

L'organisation de ces écoles n'a pas été la même partout. Comme elle dépendait avant tout de l'évêque, chacune d'elles a eu sa physionomie propre. Cependant, au sein de cette diversité, émergent quelques traits communs.

Tout d'abord, les écoles épiscopales ne sont en général fréquentées que par des clercs et les maîtres appartiennent eux aussi au clergé [4]. Aussi l'Église garde-t-elle toute juridiction et, si le roi ou le seigneur prétend intervenir au nom d'un droit de patronage plus ou moins bien défini, c'est l'évêque qui est chargé de maintenir la discipline, en même temps qu'il exerce un contrôle doctrinal. Parfois le pouvoir épiscopal est contrarié par le Saint-Siège dont les premières immixtions dans le domaine scolaire se placent au second quart du XIIe siècle [5], mais c'est là quelque chose d'exceptionnel et l'on peut dire que, dans l'ensemble, rien ne vient atténuer l'autorité de l'évêque qui nomme et révoque les maîtres [6], surveille leur orthodoxie et leur moralité, réprime toutes infractions à la règle.

Comme l'évêque ne peut toujours être présent, il délègue un représentant pris parmi le chapitre, le *scholasticus* ou *écolâtre*. Ce personnage a

---

(1) GUIBERT DE NOGENT, *De vita mea*, l, IV.
(2) GUIBERT DE NOGENT, *Gesta Dei per Francos, praefatio*. Cf. G. PARÉ, A. BRUNET et P. TREMBLAY, *La Renaissance du XIIe siècle. Les écoles et l'enseignement*, p. 22.
(3) G. PARÉ, A. BRUNET et P. TREMBLAY, *op. cit.*, p. 22 et suiv.
(4) Cf. *ibid.*, p. 57 et suiv.
(5) Innocent II est ainsi intervenu, en 1134, à Paris où il a soutenu Galon et les chanoines de Sainte-Geneviève contre l'évêque, Étienne de Senlis, qui avait mis en interdit l'école de Sainte-Geneviève et suspendu Galon, parce que celui-ci avait outragé le chancelier Algrin. Cf. A. LUCHAIRE, *Louis VI, Annales de sa vie et de son règne*, no 540.
(6) Il ne semble pas que l'évêque confère déjà, à ce moment, la *licentia docendi*, dont il n'est guère question avant le pontificat d'Alexandre III. Cf. G. PARÉ, A. BRUNET et P. TREMBLAY, *op. cit.*, p. 66-69.

la direction de l'école cathédrale et veille au maintien de l'ordre aussi bien que des traditions. Il eut parfois fort à faire, car la vie scolaire ne fut pas sans incidents pendant la première moitié du XIIe siècle.

MAITRES ET ÉTUDIANTS   Le développement même des études suscita de graves problèmes. Les écoles du XIe siècle ne réunissaient qu'un public peu nombreux de clercs que l'écolâtre instruisait sans leur demander aucune redevance ; l'enseignement devait être gratuit comme la cléricature et le maître qui eût exigé la moindre rétribution eût paru suspect de simonie au même titre que l'évêque qui vendait l'ordination.

Au XIIe siècle, on ne maintient pas ces rigides principes. L'écolâtre, devant le nombre croissant des élèves, est obligé de se faire seconder par d'autres maîtres et, si ceux-ci doivent apporter un concours gratuit, il leur faut cependant trouver le moyen de vivre ; ils acceptent des cadeaux, puis de l'argent [1]. Très vite, il y eut des abus, qui suscitèrent les violentes invectives de saint Bernard [2].

Avec la vénalité des maîtres, l'indiscipline des écoliers causa de graves soucis à ceux qui avaient la responsabilité de l'enseignement. Il y eut dans quelques écoles, notamment à Paris au temps d'Abélard, un tel afflux que la surveillance devint difficile. Le bon ordre souffrit de la venue d'éléments douteux et incapables de se plier aux habitudes claustrales qui étaient de tradition dans les écoles épiscopales. Dans son *De conversione ad clericos* qui eut pour auditeurs les écoliers de Paris, saint Bernard dénonce l'avarice, l'ambition, l'orgueil, plus encore la luxure de certains étudiants qui, habitués à la fornication, à l'adultère et même à l'inceste, ne reculent devant aucune ignominie ni aucune turpitude ; et il conclut :

> Et ils entrent avec cette tache dans le tabernacle du Dieu vivant, et ils demeurent dans le temple avec cette tache, profanant le sanctuaire du Seigneur et se préparant un jugement rigoureux. Plût au ciel que ceux qui n'ont pas le courage de rester chastes ne se fussent jamais engagés témérairement dans la profession religieuse et n'eussent jamais osé s'enrôler dans le célibat ! Ne valait-il pas mieux pour eux se marier que de brûler intérieurement et se sauver dans les rangs les plus humbles du peuple fidèle que de vivre honteusement dans les sublimes dignités de la cléricature, où ils seront sévèrement jugés ! Tous ne sont pas dans ce cas sans doute, mais sûrement il y en a beaucoup qui paraissent avoir abusé de la liberté de leur vocation pour favoriser la chair et qui, négligeant le remède du mariage, sont tombés en toutes sortes de péchés [3].

La littérature des Goliards, qui vit le jour au même moment, confirme que les étudiants du milieu du XIIe siècle aimaient les propos épicés et

---

(1) G. PARÉ, A. BRUNET et P. TREMBLAY, *op. cit.*, p. 75 et suiv.
(2) Saint BERNARD, *In Canticum sermo* XXXVI. Certaines correspondances d'étudiants, qui se plaignent à leurs parents de la dure nécessité de payer grassement leurs professeurs et sollicitent des subsides à cet effet, s'accordent avec le témoignage de l'abbé de Clairvaux. Cf. CH. H. HASKINS, *The life of mediaeval students as illustrated by their letters* dans *Studies in mediaeval culture*, Oxford, 1929, p. 1-35 ; A. LUCHAIRE, *Les recueils épistolaires de l'abbaye de Saint-Victor* dans *Études sur quelques manuscrits de Rome et de Paris*, Paris, 1899, p. 68 et suiv. Il n'est pas impossible que, pour obtenir des subsides plus importants, les auteurs de ces lettres aient exagéré les exigences de leurs maîtres.
(3) Saint BERNARD, *De conversione ad clericos*, XX.

ne reculaient pas devant les hardiesses de toutes sortes [1]. Il ne semble
pas que les maîtres aient beaucoup réagi contre le courant d'immoralité
qui affectait les écoles épiscopales ; il faut du moins constater que ces
mœurs fâcheuses n'ont pas nui aux études autant qu'on aurait pu le
craindre et que l'enseignement n'a pas trop souffert d'un état d'âme
en soi peu propice à la culture de l'esprit.

L'ENSEIGNEMENT   L'enseignement reste fidèle aux divisions tradi-
tionnelles. Il se partage toujours, comme au temps
d'Alcuin, en *trivium* (grammaire, dialectique, rhétorique) et *quadrivium*
(arithmétique, géométrie, astronomie, musique) [2]. Toutefois ces divisions
ont surtout un caractère théorique. Si l'on parcourt les traités où sont
énoncés les programmes d'études, comme le *Didascalion* de Hugues de
Saint-Victor, le *Metalogicon* de Jean de Salisbury, l'*Eptateucon* de Thierry
de Chartres [3], on note un effort très marqué pour éviter les catégories
artificielles, de plus en plus périmées, et pour envisager l'ensemble des
connaissances à acquérir avec un souci marqué de donner à l'esprit une
formation plus philosophique qu'érudite. Comme on l'a fort bien écrit,
« la fermentation des idées, le progrès des sciences, la distinction des
objets du savoir disloquent peu à peu les classifications reçues » [4], ainsi
qu'en fait foi ce passage de l'*Eptateucon* :

> Pour philosopher, il faut deux instruments (*organa*) : l'esprit et son expression ;
> l'esprit s'illumine par le *quadrivium* ; son expression, élégante, raisonneuse,
> ornée, est fournie par le *trivium*. Il est donc manifeste que l'*Eptateucon* [5] est
> l'instrument propre et unique de toute philosophie. Or la philosophie est l'amour
> de la sagesse ; la sagesse est l'entière compréhension de la vérité des choses
> qui sont, compréhension que l'on ne peut obtenir qu'à condition d'aimer. Nul
> n'est donc sage, s'il n'est philosophe [6].

Cette tendance est tout à fait significative : c'est l'ensemble du savoir
humain que l'on se propose de saisir. De là le prestige de la dialectique et
le succès de ceux qui l'enseignent, comme Abélard. Les sciences du *trivium*
et du *quadrivium* doivent seulement concourir à cette formation philosophique et il n'est pas nécessaire d'avoir d'elles toutes une connaissance
égale. L'enseignement tend, du même coup, à se spécialiser et chaque
maître se cantonne dans une branche qui lui est plus familière : Bernard
de Chartres enseignait la grammaire, tandis que Thierry était davantage
cantonné dans la dialectique [7] et l'on ira d'une école à l'autre pour suivre

(1) Sur la littérature goliardique, voir surtout : K. BREUL, *The Cambridge songs ; a goliard's
song-book of the eleventh century*, Cambridge, 1915.
(2) Cf. t. VI, p. 98-99.
(3) On trouvera le *Didascalion* dans *P. L.*, CLXXVI, 739-809 et le *Metalogicon, ibid.*, CXCIX,
823-946. Pour ce dernier traité, il vaudra mieux recourir à l'édition plus récente et plus critique
de C. C. I. WEBB, *Joannis Seresberiensis episcopi Carnotensis Metalogicon*, Oxford, 1929. L'*Eptateucon* est encore inédit, mais on en trouvera une analyse assez précise dans A. CLERVAL, *Les
écoles de Chartres au moyen âge*, Chartres, 1895, p. 220 et suiv.
(4) G. PARÉ, A. BRUNET et P. TREMBLAY, *op. cit.*, p. 94.
(5) C'est l'expression dont se servaient les Grecs pour désigner les sept arts libéraux.
(6) On trouvera ce passage dans A. CLERVAL, *op. cit.*, p. 221, et dans G. PARÉ, A. BRUNET et
P. TREMBLAY, *op. cit.*, p. 97.
(7) Cf. G. PARÉ, A. BRUNET et P. TREMBLAY, *op. cit.*, p. 107.

les leçons de tel ou tel maître qui s'est acquis une particulière réputation
en sa matière.

Les écoles elles-mêmes se spécialisent à leur tour. A Paris, l'école cathédrale est devenue, dans la première moitié du XIIᵉ siècle, un centre d'études
théologiques, tandis que l'école de Sainte-Geneviève s'est, au temps
d'Abélard, illustrée par un enseignement dialectique qui y attira une
foule d'élèves. Bologne est, au contraire, un foyer d'études juridiques,
tandis que Salerne et bientôt Montpellier groupent ceux qui veulent
s'adonner à la médecine. Ces écoles ne tarderont pas à devenir des Universités dont le prestige ira toujours en grandissant [1].

LES MÉTHODES   En même temps qu'un rajeunissement des programmes,
                   on observe un perfectionnement des méthodes. A tra-
vers les traités de Jean de Salisbury et de Thierry de Chartres, on arrive
à saisir les moyens par lesquels on initiait les étudiants aux diverses
sciences qui faisaient l'objet de l'enseignement et ceux-ci ne sont pas
tellement éloignés de ceux qu'utilise la pédagogie moderne.

Le point de départ était la *lectio*, c'est-à-dire en somme le contact
direct avec les auteurs anciens qui forment la base de l'enseignement.
« Si nous ouvrons l'*Eptateucon* de Thierry de Chartres, le manuel encyclopédique si représentatif, on y trouve « disposés avec soin et ordre, en
un seul corps », les traités des anciens qui servaient de matière directe à
l'enseignement : en grammaire, Donat et Priscien ; en rhétorique, le
De inventione de Cicéron et la *Rhétorique à Herennius* ; en dialectique,
Porphyre, Aristote, Boèce ; en arithmétique, Boèce et Capella ; en astronomie, Hygin, le vieil Hygin, enfin méprisé, et remplacé par Ptolémée,
arrivant de chez les Arabes... En théologie, c'est sur un texte qu'on travaille, la Bible elle-même, et la lecture de la Bible restera la fonction
propre du maître en théologie, même lorsque la pullulation des *Quaes-
tiones* aura submergé l'exégèse textuelle » [2].

La *lectio* était accompagnée de ce que Jean de Salisbury appelle la
declinatio, c'est-à-dire le commentaire du professeur qui fournissait des
indications sur l'auteur du texte, sur les circonstances qui l'avaient amené
à écrire, sur certaines particularités grammaticales ou autres. Aussitôt
après intervenaient les « questions » suivies de « réponses » qui alimentaient
la *disputatio*. Quoique cet exercice fût enfermé dans des limites assez
étroites et qu'il n'eût rien d'une discussion spontanée et vivante, il n'en
est pas moins vrai qu'il tendait à éveiller la curiosité des auditeurs et
que, pratiqué par des maîtres d'un talent éprouvé, il pouvait donner
d'heureux résultats. Malheureusement, il n'en était pas toujours ainsi
et beaucoup de rhéteurs, au lieu de dégager l'idée, s'attachaient trop
scrupuleusement aux mots sur lesquels ils échafaudaient des développements pénibles et sans portée [3].

---

(1) Sur ces diverses écoles et les origines des Universités, cf. S. D'IRSAY, *op. cit.*, t. I, p. 53 et suiv
(2) G. PARÉ, A. BRUNET et P. TREMBLAY, *op. cit.*, p. 111.
(3) Sur la *lectio* et les exercices qui l'accompagnent, cf. *ibid.*, p. 109 et suiv.

INTENSITÉ DE LA VIE INTELLECTUELLE AU MILIEU DU XII° SIÈCLE — Il n'en est pas moins vrai que, dans son ensemble, le second quart du XIIᵉ siècle a été une période d'incomparable renouveau intellectuel, à tel point que l'on a pu appliquer à cette période le terme de « Renaissance », longtemps réservé avec un exclusivisme excessif au mouvement des XVᵉ et XVIᵉ siècles [1]. Des écoles épiscopales et bientôt des Universités va sortir, comme on a pu le dire, « une révolution dans l'art de penser » [2]. Naissance d'une philosophie, épanouissement du droit romain et du droit canonique, retour de plus en plus accentué à la tradition intellectuelle de l'antiquité, essor d'un véritable humanisme chrétien, tel a été le fruit de l'enseignement donné par l'Église à cette époque et dont les effets, comme on le verra par la suite, se feront sentir à travers tout le moyen âge.

(1) C'est le terme dont se sert H. HASKINS, comme titre de son livre *The Renaissance of the twelfth century*, Cambridge, 1927.

(2) E. GILSON, *L'humanisme médiéval* dans *Les idées et les lettres*, Paris, 1932, p. 190. Les caractères généraux du mouvement, dont l'étude détaillée sera faite au tome XIII, ont été bien dessinés par G. PARÉ, A. BRUNET et P. TREMBLAY, *op. cit.*, p. 138 et suiv.

CHAPITRE VII

LA RECONQUÊTE CHRÉTIENNE

§ 1. — L'évangélisation des Slaves [1].

CONVERSION DE LA POMÉRANIE — Au moment où se terminait la querelle des investitures et où le concile œcuménique du Latran (1123) rendait définitive la législation grégorienne, le travail d'évangélisation avait repris aux frontières nord-est de la Chrétienté. Il avait été actif surtout en Poméranie, sans que toutefois la mission d'Otton de Bamberg (1124-1125) eût donné des résultats définitifs ; après une éphémère conversion, Stettin et Wolin avaient fait retour au paganisme, en sorte qu'un nouvel effort s'imposait [2].

SECONDE MISSION D'OTTON DE BAMBERG (1128) — Il fut tenté en 1128 par le même Otton de Bamberg, mais dans des conditions assez différentes. Tandis que jusque-là l'évangélisation de la Poméranie était partie de la Pologne, c'est l'Église allemande, encouragée et appuyée par la royauté, qui va prendre en mains la direction du mouvement.

Deux faits expliquent cette transformation : l'avènement de Lothaire comme roi de Germanie et l'ascension de saint Norbert sur le siège de Magdebourg [3]. L'un et l'autre tournent leurs regards vers l'Est, vers ce pays slave sur lequel le souverain, beaucoup plus détaché que ses prédécesseurs des choses d'Italie, souhaite étendre l'influence allemande et que l'archevêque considère comme le domaine de l'Église saxonne, traditionnellement chargée de veiller à l'extension chrétienne de ce côté. Aussi bien, lorsqu'Otton de Bamberg songea à reprendre son œuvre interrompue et, semblait-il, quelque peu compromise, il alla, au préalable, trouver Lothaire à Mersebourg et reçut de lui des encouragements avec promesse d'une escorte que dirigerait le prince liutice de Havelberg, Witukind (22 avril 1128). De Mersebourg Otton gagna Magdebourg où

(1) BIBLIOGRAPHIE. — I. SOURCES. — Les sources relatives à Otton de Bamberg et à l'évangélisation de la Poméranie ont été indiquées au tome VIII, p. 479, n. 2. Pour la conversion des Obotrites et Liutices, la source essentielle est HELMOLD, *Chronicon Slavorum* (M. G. H., *S.S.*, t. XXI, p. 1-99). C'est par le même HELMOLD, *Versus de Vicelino*, que l'on connaît également l'activité de Vicelin et de l'église de Hambourg. Pour celle d'Albert l'Ours, on aura recours aux diverses annales saxonnes, notamment aux *Annales Magdeburgenses* (M. G. H., *S.S.*, t. XVI, p. 105-196), *Annales Palidenses* (*Ibid.*, t. XVI, p. 48-96).

II. TRAVAUX. — On devra se reporter avant tout à A. HAUCK, *Kirchengeschichte Deutschlands*, 3e-4e édit., t. IV, Leipzig, 1913, chap. VII, *Ausgang der deutschen Missionsarbeit*, auquel nous avons beaucoup emprunté dans les pages qui suivent. On trouvera quelques indications brèves, mais assez suggestives dans G. SCHNUERER, *L'Église et la civilisation au moyen âge*, trad. G. CASTELLA, t. II, Paris, 1935, p. 459 et suiv.

(2) Cf. t. VIII, p. 481-482.

(3) Cf. *supra*, p. 43-45.

il dut promettre à saint Norbert de respecter les droits du siège métropolitain et s'engager à ne pas porter l'Évangile aux Liutices païens qui
relevaient de Magdebourg [1].

Cette seconde mission ne donna pas beaucoup plus de résultats que
la première. Dès son départ, Otton eut une première déconvenue :
le prince de Havelberg, qui devait l'accompagner, se déroba à ses engagements, sous prétexte que l'on s'exposait à un massacre. Otton, malgré
cette défection, se dirigea vers Demmin, puis vers Usedom, où, le 10 juin,
il rencontra le duc chrétien de Poméranie occidentale, Wratislas, qui
l'avait secondé lors de sa première mission et qu'il réconcilia avec le duc
de Pologne, son suzerain. Il se rendit ensuite à Stettin, où il éprouva
toutes sortes de difficultés. Entre temps, au mois de novembre, il reçut
de Lothaire l'ordre de retourner dans son église ; Demmin, Usedom,
Wolgart, Gutskow, Wollin avaient été ramenés au christianisme, mais
Otton n'avait pu fonder d'évêché dont le titulaire aurait assuré la persistance de l'œuvre qu'il avait réalisée [2].

FONDATION DE L'ÉVÊCHÉ DE WOLLIN
Il conserva du moins l'administration des églises fondées par lui.
Si l'on en croit l'un de ses biographes, le moine de Prüfening, il aurait,
au retour de sa seconde mission, envoyé à Honorius II un anneau qui
serait remis à l'évêque désigné par le pape, mais Honorius mourut avant
d'avoir pu prendre une décision que le schisme, survenu à sa mort, devait
faire ajourner encore [3]. Otton se heurta, une fois de plus, à la résistance
de saint Norbert qui sut admirablement tirer parti des circonstances.
On a vu comment l'archevêque avait rallié Lothaire à la cause d'Innocent II [4] ; au concile de Reims (octobre 1131), aussitôt après avoir remis
au pape cette adhésion qui ne pouvait manquer d'être fort bien accueillie,
il produisit un faux privilège de 1010 attribuant à la métropole de Magdebourg les pays slaves au delà de l'Oder ; Innocent II reconnut à nouveau les droits de la métropole saxonne et lui subordonna, en plus,
l'évêché de Poznan [5]. Deux ans plus tard, après le couronnement de
Lothaire comme empereur (4 juin 1133), il attribua à la province de Magdebourg la totalité des évêchés polonais, y compris ceux qui étaient
à créer [6].

La mort de Norbert (1134), puis celle de Lothaire (1137) allaient modi-

(1) A. Hauck, *Kirchengeschichte Deutschlands*, t. IV, p. 602 ; P. David, *La Pologne et l'évangélisation de la Poméranie aux XIe et XIIe siècles*, p. 49-50.
(2) A. Hauck, *op. cit.*, t. IV, p. 603-605 ; P. David, *op. cit.*, p. 50-51. On s'est demandé pour
quelles raisons Otton de Bamberg avait été rappelé par Lothaire. Il est fort probable que cette
intervention du roi a été sollicitée par saint Norbert qui voyait d'un mauvais œil s'exercer cette
activité de l'église de Bamberg, au détriment de celle de Magdebourg qui avait toujours revendiqué
une sorte de monopole de l'évangélisation des Slaves entre Elbe et Oder. Il est possible aussi
(cf. P. David, *op. cit.*, p. 51) que Lothaire ait su mauvais gré à Otton de la réconciliation qu'il
avait ménagée entre Boleslas de Pologne et Wratislas de Poméranie, ce qui affermissait l'influence
polonaise dans ce pays.
(3) *Vita Ottonis*, III, xv.
(4) Cf. *supra*, p. 58.
(5) Jaffé-Wattenbach, 7516.
(6) Jaffé-Wattenbach, 7629.

fier la situation. En 1136, Innocent II confirma à l'archevêque de Gniezno, Jacques, son titre métropolitain, alors qu'aux termes de la bulle de 1133, cette métropole devait disparaître, le siège n'étant plus qu'un simple évêché [1]. A la mort d'Otton de Bamberg, survenue en 1139, le même pape remit au successeur de celui-ci, Égilbert, l'administration des pays poméraniens nouvellement gagnés à la foi sur lesquels s'exerçait l'autorité d'Otton, puis, un an plus tard, le 14 octobre 1140, il érigea Wollin en siège épiscopal et plaça sous le pouvoir du titulaire, Adalbert, qu'il avait consacré de ses mains, plusieurs villes de la rive gauche de l'Oder ainsi que Stettin, Kamin, Stargard et Pyritz sur la rive droite [2].

Ainsi s'achevait l'organisation religieuse de la Poméranie qui se trouvait partagée entre quatre diocèses : celui de Wolin à l'ouest, ceux de Poznan et Gniezno au sud, celui de Cujavie à l'est. Toutefois les progrès du christianisme furent assez lents au cours des années qui suivirent : l'évêque Adalbert ne réussit pas à fonder beaucoup de nouvelles églises et l'assassinat de Wratislas, ce prince chrétien qui avait été le meilleur auxiliaire d'Otton de Bamberg, ne put que ralentir le mouvement de conversion. L'arrivée des Prémontrés, autour de l'année 1155, suscita pourtant de nouvelles espérances [3].

OBOTRITES ET LIUTICES La conversion de la Poméranie avait l'avantage d'encercler de pays chrétiens les Obotrites et les Liutices, fixés dans la région entre Elbe et Oder, chez lesquels la pénétration religieuse ne s'accomplissait pas sans peine. On a déjà constaté que, depuis la mort, survenue en 1066, de Godescalc, prince des Obotrites, qui avait adhéré à la foi chrétienne, le paganisme avait regagné du terrain aussi bien chez les Obotrites que chez les Liutices, situés plus à l'est [4]. Henri, fils de Godescalc, passa sa longue existence à combattre cette réaction païenne. Il mourut en 1127 et sa disparition fut le signal d'une guerre civile au cours de laquelle ses fils et petit-fils furent massacrés. Le roi Lothaire, toujours attentif aux choses slaves, s'empressa d'intervenir et confia l'administration du pays des Obotrites au prince danois Cnut Larvart qui fut lui-même assassiné, en 1131, par son cousin Magnus [5]. Cette anarchie, que Lothaire, occupé alors en Italie, ne put efficacement combattre, contraria les progrès de l'évangélisation qui, pendant le premier tiers du XIIe siècle, ont été à peu près nuls. Cependant les deux seigneurs indigènes qui, à la suite du meurtre de Cnut, réussirent à s'emparer du pouvoir, Niclot et Pribizlas, quoique considérés par Helmold comme de farouches païens, ont fait preuve de plus de tolérance et par là rendu l'atmosphère plus favorable à la reprise du mouvement d'évangélisation [6].

(1) Cf. P. DAVID, *op. cit.*, p. 60-63.
(2) P. DAVID, *op. cit.*, p. 56-58 ; A. HAUCK, *op. cit.*, t. IV, p. 606-609.
(3) Cf. A. HAUCK, *op. cit.*, t. IV, p. 609-610.
(4) Cf. t. VIII, p. 479-480.
(5) HELMOLD, *Chronicon Slavorum*, I, xxxiv et suiv.
(6) Cf. A. HAUCK, *op. cit.*, t. IV, p. 619, qui note que Pribizlas n'a pas empêché la fondation de l'église de Lübeck et que le fils de Niclot était chrétien.

Chez les Liutices, la situation était à peu près la même. Magdebourg était le dernier bastion du catholicisme et l'auteur des *Annales Pegavienses* pouvait noter, en 1111, qu'« au delà de l'Elbe, à cette époque, on trouvait rarement un chrétien »[1]. Cependant une amélioration ne tarda pas à se produire : Widukind, seigneur liutice de Havelberg, qui en 1127 devait prêter son concours à Otton de Bamberg lors de sa seconde mission en Poméranie, était chrétien[2]. Il eut quelques émules, en sorte que les évêchés de Brandebourg et de Havelberg purent se maintenir, sinon faire preuve de grande activité. La fondation, entre 1133 et 1139, d'une abbaye de Prémontrés à Leitzkau, sur la rive droite de l'Elbe, non loin du confluent de la Saale, devait là aussi permettre une recrudescence de l'effort missionnaire[3].

ACTIVITÉ MISSIONNAIRE DE L'ÉGLISE DE HAMBOURG. VICELIN

L'évangélisation des Slaves de la rive droite de l'Elbe, dans la partie moyenne de son cours, relevait surtout de la métropole de Magdebourg. Au delà du confluent de la Havel, l'activité de Magdebourg se doublait de celle de Hambourg qui, n'ayant plus guère à s'exercer du côté de la Scandinavie, s'était détournée vers les Slaves[4]. L'initiative appartient ici à l'archevêque Adalbéron, qui a trouvé en Vicelin, chanoine de Brême, l'instrument nécessaire à la réalisation de ses desseins. Celui-ci partit en 1126 avec deux compagnons, Rodolphe d'Hildesheim et Ludolphe de Verden, vers le pays des Liutices. Sa prédication eut tout d'abord un certain succès : plusieurs prêtres et laïques accoururent vers lui ; il les réunit dans l'abbaye de Neumünster qu'il fonda à leur intention ; il dépêcha Ludolphe à Lübeck où les colons allemands ménagèrent à cet envoyé du Seigneur l'accueil le plus empressé. Mais bientôt des obstacles surgirent ; la destruction de Lübeck, au cours de combats entre tribus slaves, amena un recul du christianisme ; la mort, en 1137, de Lothaire, qui avait, pendant les dernières années de son règne, vigoureusement soutenu l'effort missionnaire de ce côté, fut également néfaste en raison des luttes qu'elle entraîna autour du duché de Saxe et qui détournèrent l'attention allemande vers des querelles intérieures. La reprise de la colonisation et la reconstruction de Lübeck en 1143 permirent à l'archevêque Adalbéron et à Vicelin de s'atteler de nouveau à l'œuvre missionnaire qui s'annonçait fructueuse au moment où elle fut interrompue, de la plus malencontreuse façon, par une entreprise militaire aussi inutile que stérile[5].

LA CROISADE DE 1147

En 1147, la seconde croisade fut prêchée en Allemagne par saint Bernard[6]. Les seigneurs allemands ne manifestèrent aucun enthousiasme pour se rendre en Orient

(1) *Annales Pegavienses*. a. 1111.
(2) Cf. *supra*, p. 183.
(3) A. HAUCK, *op. cit.*, t. IV, p. 621-622.
(4) Sur cette évolution de l'activité missionnaire de Hambourg, voir A. HAUCK, *op. cit.*, t. IV p. 622.
(5) A. HAUCK. *op. cit.*, t. IV, p. 622-628.
(6) Cf. *infra*, p. 193-195.

et ils firent valoir, pour justifier cette abstention, la présence de Slaves
païens aux portes de la Germanie. Certains suggérèrent qu'ils pourraient
servir Dieu en allant combattre à cette frontière toute proche ; saint
Bernard eut le tort de se laisser persuader, sans peut-être se rendre bien
compte que l'évangélisation, en bonne voie, des Slaves ne pouvait que
pâtir de la substitution d'une conquête militaire à une pénétration pacifique. Bref, l'expédition contre les « Wendes » fut décidée au concile de
Francfort (19 mars 1147). Le pape Eugène III imposa lui-même la croix
à un bon nombre de chevaliers, dont des prédicateurs, évêques, prêtres
ou moines, s'efforcèrent ensuite de grossir l'armée [1].

Les croisés s'assemblèrent tout le long de l'Elbe. Les Saxons formaient
la majeure partie du contingent, mais des Souabes, des Tchèques et des
Polonais s'étaient joints à eux. Le pape était représenté par l'évêque
Anselme de Havelberg qui devait veiller à ce que l'expédition ne fût
pas détournée de son but.

Le résultat fut déplorable. Au nord, on attaqua les Wagriens, cette
tribu des Obotrites située dans la région d'Oldenbourg, que Vicelin avait
essayé d'évangéliser. Après quelques échecs, les croisés s'empressèrent
d'accepter les propositions de conversion qui leur furent portées et de
dissoudre l'armée. Le contingent du sud alla dévaster le pays des Liutices
et n'insista pas davantage. Il y eut de ce côté aussi un certain nombre
de baptêmes, mais, comme le remarque Helmold [2], le seul résultat de
la croisade fut de surexciter la haine des Slaves contre les chrétiens ;
l'œuvre missionnaire s'en trouva retardée [3].

COLONISATION ALLEMANDE
ET ÉVANGÉLISATION DES PAYS SLAVES
Comme l'a remarqué l'historien
allemand Hauck, « à partir de
l'année 1147, il fut évident que
les pays wendes ne pourraient devenir chrétiens, tant qu'ils resteraient
wendes » [4]. Aussi l'évangélisation des pays slaves va-t-elle désormais
affecter une physionomie nouvelle et être en corrélation étroite avec la
colonisation allemande au delà de l'Elbe.

C'est au margrave Albert l'Ours, investi depuis 1134 de la marche du
Nord, qu'appartient l'initiative de cette politique. Solidement établi
sur la rive gauche de l'Elbe, dans le cours inférieur du fleuve, il étendit
progressivement son influence sur la rive droite et contraignit les Slaves
à se retirer dans la région de la Havel et de la Sprée où il alla ensuite les
chercher. Dès 1136, il avait repris Havelberg ; en 1150, après la mort
de Pribizlas, il s'établit à Brandebourg où la domination germanique
devint de plus en plus solide. Albert l'Ours eut d'ailleurs une politique
fort habile et très différente de celle qui avait inspiré la croisade de 1147 ;
il ne se présenta pas en ennemi des Slaves, mais s'efforça au contraire de

(1) Sur ce concile, cf. W. Bernhardi, *Konrad III*, p. 547-558 ; E. Vacandard, *Vie de saint Bernard*, t. II, p. 297-299.
(2) Helmold, *Chronicon Slavorum*, I, lxv.
(3) Cf. A. Hauck, *op. cit.*, t. IV, p. 629-631.
(4) A. Hauck, *op. cit.*, t. IV, p. 631.

gagner leur confiance et contracta même des alliances familiales avec eux. Il se préoccupa avant tout de mettre en valeur une contrée jusque-là assez déshéritée, fit venir des colons d'Allemagne, de Hollande et de Flandre ; les moines cisterciens et prémontrés ne tardèrent pas à paraître à leur tour. Il en résulta un sérieux progrès économique dont l'évangélisation devait tirer des fruits : peu après 1150, l'évêque de Havelberg put s'installer à nouveau sur son siège épiscopal où il s'attela aussitôt à la reconstruction de la cathédrale qui sera consacrée en 1170. Pendant la seconde moitié du XIIe siècle, dans ces pays restés longtemps païens, des églises s'élèvent un peu partout et les conversions deviennent de plus en plus nombreuses [1].

Au même moment, le jeune duc de Saxe, Henri le Lion, installait des colons saxons dans le pays des Wagriens qui correspondait au Holstein actuel, mais il se heurta presqu'aussitôt à l'archevêque de Hambourg qui prétendait exercer une sorte de monopole sur cette région que Vicelin avait été chargé d'évangéliser. Hartwig de Stade, qui, en 1148, avait succédé à Adalbéron sur le siège métropolitain, sacra, en 1149, évêque d'Oldenbourg Vicelin, et évêque de Mecklembourg un clerc du nom d'Emmehard. Henri le Lion s'éleva contre cette double nomination et émit la prétention de donner l'investiture aux évêques du pays wende. Il en résulta un long conflit qui ne facilita pas l'œuvre d'évangélisation. Vicelin, qui n'était animé d'autre zèle que de celui des âmes, continua à prêcher ; pour avoir la liberté de ses mouvements, il consentit à recevoir l'investiture de la main de Henri le Lion, mais l'archevêque Hartwig tint bon. Le différend sera finalement porté devant Frédéric Barberousse qui s'efforcera de lui donner une solution. Il n'en demeure pas moins que cette rivalité du duc de Saxe avec l'archevêque de Hambourg a retardé de quelques années la pénétration chrétienne au pays des Wagriens [2].

PROGRÈS DU CHRISTIANISME PARMI LES SLAVES

Dans l'ensemble, il y a donc eu reprise du mouvement missionnaire au delà de l'Elbe. Cette extension au dehors a eu des conséquences au dedans. Dans les pays situés sur la rive gauche de l'Elbe, où il n'y avait de chrétiens, au début du XIIe siècle, que dans les villages occupés par les Allemands, on a pu construire quelques églises et enregistrer des conversions. Là aussi l'évangélisation va de pair avec la colonisation allemande qui a été très active pendant cette période [3]. La seconde moitié du XIIe siècle verra le travail s'intensifier et les progrès s'accentuer.

---

(1) Sur cette évangélisation de la Havel et de la Sprée, on consultera avant tout les excellentes pages de A. HAUCK, *op. cit.*, t. IV, p. 631-636.
(2) A. HAUCK, *op. cit.*, t. IV, p. 638-643. En 1154, un nouvel évêché a été fondé à Ratzebourg. Vicelin est mort à ce moment et, peu après, le siège d'Oldenbourg sera transféré à Lübeck.
(3) A. HAUCK, *op. cit.*, t. IV, p. 577 et suiv.

§ 2. — Le problème musulman [1].

CHUTE DE LA DOMINATION ALMORAVIDE EN ESPAGNE Pendant que la Chrétienté, grâce à l'effort missionnaire des évêques et des moines allemands, étend ses limites au nord-est de l'Europe, au sud-ouest et en Orient elle se défend, parfois avec peine, contre les assauts que livrent les Musulmans aussi bien aux royaumes espagnols qu'aux États latins de Palestine et de Syrie.

En Espagne, la croisade avait marqué de sérieux progrès pendant les premières années du xiiᵉ siècle et la puissance almoravide, qui s'était étendue de l'Afrique du Nord à la péninsule ibérique, avait reçu de sérieuses atteintes [2]. Pourtant tout n'était pas terminé et c'est seulement en 1144 qu'à la suite des chevauchées d'Alphonse VII de Castille, plus encore des révoltes qui se produisirent à Cordoue, à Malaga, à Grenade, à Murcie, à Valence, que l'effondrement fut total. Alphonse VII put faire son entrée à Cordoue ; il crut un moment qu'il était à la veille de réaliser son grand rêve et de devenir effectivement « empereur d'Espagne ». Cette occupation ne fut toutefois qu'assez éphémère et, avant de mourir (1157), le roi de Castille sera contraint d'évacuer Cordoue, trop éloignée du centre de ses États [3].

CONQUÊTES D'ALPHONSE-HENRI DE PORTUGAL Tandis qu'Alphonse VII faisait reculer les Almoravides, plus à l'ouest les Musulmans étaient également refoulés par le comte de Portugal, Alphonse-Henri, l'un des meilleurs ouvriers de la reconquête chrétienne dans la péninsule ibérique au milieu du xiiᵉ siècle. Fils de Henri de Bourgogne et d'une bâtarde d'Alphonse VI de Castille, ce jeune prince, qui, après la mort de son père (1114), s'était fait le champion de l'indépendance portugaise contre sa propre mère, s'efforça de chasser les Musulmans de la vallée du Tage ; profitant

---

(1) BIBLIOGRAPHIE. — I. SOURCES. — Pour la croisade espagnole, on trouvera l'indication des principales chroniques dans CH. PETIT-DUTAILLIS et P. GUINARD, *L'essor des États d'Occident (France, Angleterre, Péninsule ibérique)*, t. IV, 2ᵉ p. de l'*Histoire générale. Histoire du moyen âge* sous la direction de G. GLOTZ, Paris, 1937. — Pour l'Orient, les sources essentielles sont : GUILLAUME DE TYR, *Historia rerum in partibus transmarinis gestarum* (*Historiens occidentaux*, t. 1) ; ODON DE DEUIL, *De Ludovici VII profectione in Orientem* (M. G. H., S.S., t. XXVI, p. 60-73), auxquels on peut ajouter, pour la croisade de Conrad III, OTTON DE FREISING, *Gesta Friderici imperatoris* (M. G. H., S.S., t. XX, p. 347-491) et, pour celle de Louis VII, *Gesta Ludovici VII* (*Ibid.*, t. XI, p. 136-158), compilation assez tardive que l'on devra n'utiliser qu'avec prudence.
II. TRAVAUX. — Pour l'Espagne, outre les pages décisives de P. GUINARD, au t. IV, 2ᵉ p. de l'*Histoire générale. Histoire du moyen âge* sous la direction de G. GLOTZ et les ouvrages généraux indiqués t. VIII, p. 13, n. 1, on pourra consulter : F. CODERA, *Decadencia y desaparición de los Almoravides en España*, Saragosse, 1899 ; l'article *Almohades*, de A. BEL, dans *Encyclopédie de l'Islam*, t. I, p. 51-53 ; F. DE ALMEIDA, *Historia de Portugal*, t. I, Coimbre, 1922. Pour l'Orient et la seconde croisade, on se reportera à nouveau et avant toutes choses à L. BRÉHIER, *L'Église et l'Orient au moyen âge. Les croisades*, 5ᵉ édit., Paris, 1928 ; puis à R. GROUSSET, *Histoire des croisades et du royaume franc de Jérusalem*, t. II, Paris, 1935, et aux autres ouvrages cités t. VIII, p. 296, n. 1, et 486, n. 3 ; on ajoutera : B. KUGLER, *Studien zur Geschichte des zweiten Kreuzzuges*, Stuttgart, 1866 ; C. NEUMANN, *Bernard von Clairvaux und die Anfänge des zweiten Kreuzzuges*, Heidelberg, 1882, sans oublier les chapitres de E. VACANDARD, *Vie de saint Bernard, abbé de Clairvaux*, t. II, p. 268-312 et 428-449.
(2) Cf. t. VIII, p. 482-486.
(3) CH. PETIT-DUTAILLIS et P. GUINARD, *L'essor des États d'Occident (France, Angleterre, Péninsule ibérique)*, t. IV, 2ᵉ p. de l'*Histoire générale. Histoire du moyen âge*, sous la direction de G. GLOTZ, p. 335-336.

des difficultés auxquelles se heurtaient les Almoravides, il remporta une retentissante victoire à Ourique, en 1139, puis, après une série d'expéditions qui lui assurèrent la possession de l'estuaire du Tage, il s'empara de Santarem (mars 1147). Peu de temps après, secondé par des croisés allemands, anglais et flamands, que la tempête avait jetés à l'embouchure du Douro, il entreprit le siège de Lisbonne et, le 23 octobre 1147, il enleva la ville. Au cours des années suivantes, il conquit le pays au sud du Tage, ce qui lui vaudra la reconnaissance de son titre royal par le pape Alexandre III en 1179 [1].

L'INVASION ALMOHADE EN ESPAGNE — Les résultats obtenus par Alphonse VII de Castille et par Alphonse-Henri de Portugal faillirent être gravement compromis par l'invasion des Almohades. Ceux-ci, réunis autour du mahdi Ibn Toumert, s'étaient dressés contre les Almoravides auxquels ils reprochaient une interprétation trop littérale du Coran qui les conduisait à un anthropomorphisme souvent grossier et, dès 1122, avaient proclamé la guerre sainte en Afrique du nord. Après la mort d'Ibn Toumert, survenue entre 1127 et 1129, son disciple Abd-el-Mumin avait conquis le Maghreb occidental, puis un de ses généraux était passé en Espagne où Séville fut prise le 17 janvier 1147. Peu à peu les autres villes du sud tombèrent entre les mains de l'armée almohade, Cordoue en 1148, Malaga en 1153, Grenade en 1154. La reconquête chrétienne semblait interrompue, mais les Almohades n'en avaient pas moins rencontré de sérieuses résistances et, dès 1169, la marche en avant pourra être reprise avec succès. Ce n'est toutefois qu'en 1212 que la domination almohade sera définitivement brisée à la bataille de Las Navas de Tolosa [2].

L'AVANCE TURQUE EN ORIENT. PRISE D'ÉDESSE (25 DÉCEMBRE 1144) — Un peu avant que l'invasion almohade ne vînt menacer la domination chrétienne dans la péninsule ibérique, les États latins d'Orient nés de la première croisade voyaient, de leur côté, se dessiner un grave péril qui risquait de mettre fin à leur existence. La menace turque, qui depuis 1111 n'avait cessé de peser sur eux, avait pris soudain en 1144 une allure terrifiante : le 28 novembre, l'atabek de Mossoul, Imad-ed-Din-Zenki, avait paru devant Édesse et, après un mois de siège, s'en était emparé le 25 décembre [3].

ENVOI DE HUGUES DE GABALA A ROME — Cet événement suscita en Orient une véritable panique. Aussi s'empressa-t-on d'envoyer à Rome l'évêque Hugues de Gabala, afin qu'il apitoyât le pape Eugène III sur les dangers que couraient les chrétientés

---

(1) Sur les expéditions d'Alphonse-Henri, voir : K. ERDMANN, *Der Kreuzzugsgedanke in Portugal* dans *Historische Zeitschrift*, t. CXLI, 1930, p. 23-53.
(2) Cf. CH. PETIT-DUTAILLIS et P. GUINARD, *op. cit.*, p. 315-318 et A. BEL, art. *Almohades* dans *Encyclopédie de l'Islam*, t. I, p. 51-53.
(3) GUILLAUME DE TYR, *Historia rerum in partibus transmarinis gestarum*, XVI, v-vi. Cf. L. BRÉHIER, *L'Église et l'Orient au moyen âge. Les croisades*, p. 103-104.

de Terre Sainte et de Syrie dont les possibilités de résistance se trouvaient affaiblies par suite des rivalités entre les princes et des conflits continuels avec les Grecs. Hugues arriva à Rome en même temps qu'une ambassade arménienne chargée de soumettre au pape certaines questions rituelles et de solliciter sa décision à cet égard. L'attention du pontife se trouvait donc brusquement attirée vers les problèmes orientaux toujours en suspens, union des Églises et protection de la Chrétienté contre l'Islam [1].

APPEL D'EUGÈNE III AU ROI DE FRANCE Contrairement à ce que l'on a parfois supposé, Eugène III a éprouvé une vive émotion à la pensée que la Terre Sainte pourrait à brève échéance retomber aux mains des Infidèles. Le 1er décembre 1145, il adressa au roi Louis VII, aux princes et aux fidèles français une bulle les invitant à se porter au secours des chrétientés de Terre Sainte menacées par les Turcs [2]. Si le pape s'adressait de préférence au prince capétien, c'est qu'il pressentait chez lui des dispositions plus favorables que chez le roi de Germanie, Conrad III, qui, récemment sollicité pour une intervention à Rome, n'avait pas cru pouvoir quitter l'Allemagne [3]; il n'y avait donc pas lieu d'espérer qu'il consentirait à entreprendre une expédition plus lointaine. Louis VII avait, au contraire, toutes sortes de raisons pour se rendre à l'appel pontifical. Pieux, faible et scrupuleux, il éprouvait, au moment où lui parvint la lettre d'Eugène III, des remords de conscience : sous l'influence de la reine Aliénor, qu'il aimait « d'un amour immodéré », il n'avait pas eu à l'égard de l'Église, au cours des années précédentes, l'attitude déférente et soumise qui convenait à un prince vraiment religieux ; l'élection de Bourges, le mariage de Raoul de Vermandois, l'incendie de Vitry, où treize cents personnes avaient trouvé la mort, étaient pour lui autant de mauvais souvenirs qui durent plus d'une fois troubler la quiétude du jeune souverain dont la foi était aussi inquiète et timorée que sincère et convaincue [4]. La bulle pontificale arrivait fort à propos et allait recevoir immédiatement la conclusion souhaitée.

(1) On a un récit de l'entrevue d'Eugène III avec Hugues de Gabala dans la chronique d'OTTON DE FREISING (VII, XLIII) qui se trouvait à la curie au moment où ce prélat y parut. Cf. H. GLEBER, *Papst Eugen III (1145-1153)*, p. 36.
(2) JAFFÉ-WATTENBACH, 8796. Cette bulle a été parfois considérée comme étant seulement du 1er décembre 1146, ce qui conduisait à penser que l'initiative de la croisade devait appartenir non pas à Eugène III, mais au roi de France, Louis VII, qui en aurait émis l'idée pour la première fois le 25 décembre 1145, lors de l'assemblée de Bourges. Cf. notamment C. NEUMANN, *Bernhard von Clairvaux und die Anfänge des zweiten Kreuzzuges*, p. 15-25. La difficulté vient de ce que, dans son récit de l'assemblée de Bourges, Odon de Deuil ne fait aucune allusion à la bulle pontificale et indique simplement que Louis VII annonça aux évêques et aux barons assemblés son intention de prendre la croix. Il est fort possible que ce chroniqueur, qui se propose uniquement de relater les gestes de Louis VII, ait, pour grandir l'importance du rôle du roi, tu l'initiative du pape ; il n'est pas impossible non plus que Louis VII ait pensé que les seigneurs de son royaume suivraient plus facilement son exemple, s'il présentait le projet de croisade comme sien et non comme dicté par le pontife romain. Quoi qu'il en soit, E. CASPAR, *Die Kreuzzugsbullen Eugens III.* dans *Neues Archiv*, t. XLV, 1924, p. 285-306, a prouvé de façon péremptoire que la bulle, où apparaît pour la première fois la volonté de croisade, était bien du 1er décembre 1145 et non pas 1146. Elle a dû parvenir à Louis VII autour du 15 décembre et le roi, en prenant la croix à l'assemblée de Bourges le 25, a certainement obéi à la suggestion pontificale. Suivant le *Chronicon Mauriniacense*, III, VII, Louis VII aurait été directement informé de la prise d'Édesse par des ambassades venues d'Orient ; il n'y a pas de raison de récuser ce témoignage qui ne s'oppose pas à ce que le roi ait été en même temps touché par Rome.
(3) Cf. *supra*, p. 87-88.
(4) Cf. *supra*, p. 81-82.

ASSEMBLÉE DE BOURGES Le roi venait précisément de convoquer les évêques et les barons du royaume à Bourges où il devait se faire couronner le 25 décembre, comme cela avait lieu souvent à l'une des grandes fêtes de l'année. La pensée de la croisade n'avait été pour rien dans cette convocation. Aussi, lorsque Louis VII fit part de sa décision et qu'il invita les assistants à suivre son exemple, l'assemblée se montra-t-elle très surprise et peu enthousiaste. L'évêque de Langres, seul parmi les prélats présents, joignit ses exhortations à celles de son souverain et engagea chaleureusement les chevaliers à prendre, sous la direction du roi Louis, le chemin de la Terre Sainte. « La parole de l'évêque et l'exemple du roi, ajoute Odon de Deuil auquel on doit un récit de cette assemblée, ne produisirent pas de moisson immédiate »[1]. Il semble que certains personnages, dont l'abbé de Saint-Denis, Suger, aient élevé des objections au moins contre le départ du prince. L'on décida, en fin de compte, de tenir une nouvelle assemblée à Vézelay au moment de Pâques. Entre temps, Louis VII envoya une ambassade au pape et se mit en rapport avec saint Bernard, dont le concours paraissait indispensable[2].

SAINT BERNARD PRÉDICATEUR DE LA CROISADE Saint Bernard se rendit aussitôt à l'appel du souverain. Toute sa vie, il s'était intéressé au sort de la Terre Sainte et des chrétientés orientales. C'était lui qui, en 1128, avait rédigé la règle des Templiers[3] et, depuis ce moment, il n'avait cessé de suivre avec sollicitude les progrès de l'ordre religieux militaire qu'il avait contribué à organiser. S'il a décliné la proposition du roi Baudouin II de Jérusalem qui l'avait invité à venir en Terre Sainte pour y fonder un monastère cistercien, il n'en était pas moins acquis par avance à l'idée de secourir les chrétientés en danger. Toutefois, n'étant pas sans doute au courant de l'initiative d'Eugène III, il voulut avant toute intervention prendre les instructions du Saint-Siège. Celles-ci ne tardèrent guère ; la bulle du 1er mars 1146 renouvela avec plus de précision l'appel adressé le 1er décembre ; Eugène III y exprimait le regret de ne pouvoir, en raison de la situation de l'Italie, venir en France, comme l'avait fait son prédécesseur Urbain II pour « emboucher la trompette évangélique » ; il conviait

(1) ODON DE DEUIL, *De Ludovici VII profectione in Orientem*, 1.
(2) Selon OTTON DE FREISING, *Gesta Friderici*, I, xxxiv, saint Bernard aurait été mandé à l'assemblée de Bourges pour donner son avis. Le silence d'Odon de Deuil et des biographes de saint Bernard ne permet pas d'ajouter foi à ce témoignage. Geoffroy d'Auxerre (*Bernardi vita*, III, iv) parle seulement de négociations entre le roi et l'abbé de Clairvaux. Selon H. GLEBER, *op. cit.*, p. 42-48, l'absence de Bernard à Bourges s'expliquerait par le fait que Louis VII, comme il semble résulter de la lettre d'Eugène III (JAFFÉ-WATTENBACH, 8876) en date du 1er avril 1146, se serait fait couronner à Bourges non par l'archevêque du diocèse, Pierre de la Châtre, avec lequel il venait de se réconcilier après un long différend, mais par l'archevêque Samson de Reims, ce qui était désobligeant à l'égard de Pierre. De là une certaine réserve de saint Bernard à l'égard du projet de croisade et les pourparlers entre le pape, le roi et l'abbé de Clairvaux dont la lettre du 1er avril serait l'épilogue. Le 26 mars, Eugène III a interdit à Samson l'usage du pallium et l'a mandé à la cour de Rome (JAFFÉ-WATTENBACH, 8896). Toute cette négociation reste très obscure. La seule chose certaine, c'est que le 1er avril 1146, pape, roi et abbé de Clairvaux étaient d'accord pour déclencher la croisade.
(3) Cf. t. VIII, p. 491.

du moins « tous les fidèles fixés en Gaule » à prendre la croix [1]. En même temps, il invitait saint Bernard à prêcher la croisade en son lieu et place [2].

ASSEMBLÉE DE VÉZELAY   Celui-ci accepta aussitôt la mission qui lui était confiée et il se rendit à Vézelay où l'assemblée prévue était convoquée pour le 31 mars 1146. Une foule immense était accourue à l'appel du roi. Comme à Clermont, l'église étant trop petite pour la contenir, il fallut dresser en plein air une tribune improvisée d'où saint Bernard harangua ses nombreux auditeurs. Il donna d'abord lecture de la bulle par laquelle Eugène III communiquait les fâcheuses nouvelles venues de Terre Sainte, recommandait aux fidèles du Christ de prendre la croix, rappelait les privilèges prévus pour ceux qui participeraient à la sainte expédition, accordait enfin à ceux-ci « l'absolution et la rémission de leurs péchés ». Il commenta ensuite avec son habituelle éloquence la parole pontificale. Son discours n'a malheureusement pas été mieux conservé que celui d'Urbain II à Clermont et l'on en est réduit au témoignage des historiens de la croisade. Odon de Deuil, en particulier, rapporte que l'assistance écoutait avec ravissement cette voix, qui semblait celle d'un ange et paraissait descendre du ciel, et qu'elle recueillait les paroles du saint « comme le calice des fleurs boit la rosée ». Le cri « Des croix, des croix, donnez-nous des croix » s'échappa bientôt des poitrines haletantes. Saint Bernard céda au désir de l'assistance. « Il semait les croix plutôt qu'il ne les distribuait et, lorsque celles que l'on avait préparées à l'avance furent épuisées, il dut déchirer ses vêtements pour en faire de nouvelles qu'il sema jusqu'à la fin du jour » [3].

Parmi les seigneurs présents, beaucoup prirent la croix. Aliénor d'Aquitaine manifesta l'intention d'accompagner Louis VII en Orient, ainsi que le frère du roi, le comte de Dreux ; Alphonse, comte de Toulouse, Henri, fils du comte de Champagne Thibaut, Guillaume, comte de Nevers, Thierry, comte de Flandre, et plusieurs autres seigneurs de moindre importance prirent l'engagement de suivre leur suzerain [4]. L'armée de la croisade était sûre d'avoir des chefs. Restait à l'organiser et à lui assurer les contingents nécessaires.

Après le concile de Clermont, en novembre 1095, Urbain II avait parcouru l'ouest et le midi de la France pour mettre sur pied l'armée qui irait délivrer la Terre Sainte [5]. De même, saint Bernard n'a pas considéré que son rôle fût terminé avec l'assemblée de Vézelay. Il entreprend immédiatement un voyage à travers la France. Son itinéraire est assez difficile à reconstituer, mais il semble que la Bourgogne, la Lorraine et la Flandre aient été plus particulièrement touchées par sa prédication. Il ne se contente d'ailleurs pas de prêcher ; il écrit aux seigneurs des

(1) JAFFÉ-WATTENBACH, 8876.
(2) OTTON DE FREISING. *Gesta Friderici*, I, xxxiv. Eugène III a-t-il adressé à saint Bernard une lettre particulière qui serait perdue ? Il est difficile de se prononcer à ce sujet. Cf. E. VACANDARD, *op. cit.* t. II, p. 275, n. 3.
(3) ODON DE DEUIL. *De Ludovici VII profectione in Orientem*, I. Cf. L. BRÉHIER, *op. cit.* p. 104-105, E. VACANDARD, *op. cit.*, t. II, p. 276-279.
(4) Ces noms sont donnés par le *Chronicon Mauriniacense*, III, vii.
(5) Cf. t. VIII. p. 288 et suiv.

régions qu'il ne peut atteindre par la parole [1]. Bientôt son action allait s'étendre, au delà des limites du royaume capétien, à des pays qui, primitivement, ne paraissaient pas destinés à participer à la croisade.

TRANSFORMATION DU PROJET PONTIFICAL — Dans la pensée d'Eugène III, l'armée envoyée au secours de la Terre Sainte devait se recruter exclusivement en France et en Italie. Le pape n'a jamais envisagé, en particulier, la participation du roi de Germanie, Conrad III, dont il n'avait cessé d'escompter la venue dans la péninsule, pour rétablir l'autorité et le prestige du Saint-Siège à Rome et dans la région avoisinante [2]. Saint Bernard a complètement transformé le projet pontifical : sous son impulsion, la croisade française est devenue une vaste entreprise internationale à laquelle le monde chrétien devait participer tout entier et qui affecterait d'autres régions que la Terre Sainte, comme l'Espagne ou même les pays situés à la frontière nord-est de la Germanie. Sa prédication, commencée à Vézelay, continuée dans l'est et le nord de la France, va rayonner en Allemagne à la fin de 1146 et au début de 1147.

SAINT BERNARD EN ALLEMAGNE — A vrai dire, saint Bernard fut appelé en Allemagne pour une tout autre raison. De graves événements venaient de s'y produire ; comme au temps de la première croisade, un mouvement populaire, provoqué par la prédication d'un moine cistercien du nom de Rodolphe, s'était déchaîné contre les Juifs et des massacres avaient eu lieu à Cologne, à Mayence, à Worms, à Spire, à Strasbourg. Les efforts de l'épiscopat pour apaiser cette agitation s'étant révélés inefficaces, l'archevêque de Cologne avait eu l'idée de faire appel à saint Bernard qui interrompit sa prédication en Flandre pour venir dans la région rhénane où il obligea Rodolphe à cesser ses prédications et à regagner son monastère. Le calme fut rétabli, mais l'abbé de Clairvaux voulut profiter de sa présence pour entraîner les Allemands à la croisade et, avec eux, leur roi Conrad III [3].

La chose n'allait pas sans difficultés. L'Allemagne était divisée et Conrad III avait à faire face à une opposition qui contestait ses droits à la couronne ; de plus, sa présence était sollicitée en Italie où il rêvait d'aller recevoir la dignité impériale [4]. Saint Bernard s'adressa d'abord aux évêques. On a conservé une lettre de lui à l'archevêque de Cologne et à divers prélats qu'il ne pouvait visiter, où, après avoir rappelé la tragique situation de la Terre Sainte et transmis l'invitation du Seigneur pour la délivrance de la Palestine, il s'exprime en ces termes :

Votre pays est fertile en hommes courageux et riche en robustes jeunes gens ; la renommée de votre courage a rempli l'univers entier. Ceignez vos

(1) Cf. E. VACANDARD, *op. cit.*, t. II, p. 279-282. On trouvera notamment p. 281 la traduction de la lettre adressée par le moine Nicolas, sous l'inspiration de saint Bernard (*Epist.* CCCCLXVII) au comte de Bretagne.
(2) Cf. H. GLEBER, *op. cit.*, p. 48 et suiv., qui a très nettement dégagé la conception première d'Eugène III.
(3) Cf. E. VACANDARD, *op. cit.*, t. II, p. 282 et suiv.
(4) Cf. *supra*, p. 85-86.

reins, prenez vos armes glorieuses, pour l'amour et la défense du nom chrétien... Voici, natures guerrières, une occasion de vaincre sans péril. Ici, vaincre
est une gloire et mourir un gain... Je vous propose un marché avantageux.
Prenez la croix ; la matière coûte peu, mais elle est d'un grand prix ; elle vaut
le royaume de Dieu [1].

Il fallait avant tout convaincre le roi. Saint Bernard alla le trouver
à Francfort-sur-Mein ; il ne put le décider à prendre le chemin de l'Orient.
Découragé, il songea un moment à retourner à Clairvaux, mais, pressé
par les évêques, il consentit à prêcher la croisade aux Allemands, comme
il l'avait fait dans certaines régions françaises, afin d'entraîner la masse
des chevaliers. Il parcourut la vallée du Rhin et le succès qu'il obtint
à Fribourg-en-Brisgau l'engagea à continuer ; à Bâle, à Schaffouse, à
Constance, il souleva également l'enthousiasme, quoiqu'il fût obligé de
recourir à un interprète [2]. Il est probable que, pendant qu'il accomplissait ce voyage triomphal, il faisait agir aussi sur le roi, préparant ainsi
la nouvelle entrevue destinée à enlever son adhésion [3].

CONRAD III PREND LA CROIX   Saint Bernard parut à la diète que
Conrad III avait convoquée à Spire
pour le jour de Noël de l'année 1146. Après la cérémonie du couronnement,
il renouvela, du haut de la chaire, l'invitation qu'il avait adressée quelques
semaines plus tôt à Francfort. Conrad III essaya encore de se dérober.
Finalement, le 27 décembre, pendant une messe qu'il célébrait en présence de la cour, saint Bernard, poussé par une irrésistible inspiration,
prit une dernière fois la parole. Son discours se termina par un suprême
appel au roi, qu'il plaça dans la bouche même du Christ et où le Maître,
après avoir énuméré tous les bienfaits que Conrad avait reçus de lui,
terminait par ces mots : « O homme, qu'ai-je dû faire pour vous que je
n'aie pas fait ? » Conrad III ne pouvait manquer d'être touché. Il promit
de ne pas être ingrat et prit la croix [4].

LE PLAN DE SAINT BERNARD   Saint Bernard pouvait regagner sa cellule. Il ne perd pas de vue la croisade
pour cela. Plus que jamais, comme l'indique sa correspondance [5], il songe
à la transformer en une vaste entreprise à laquelle auraient participé
tous les États européens, l'ordre cistercien devenant l'animateur du
mouvement qu'il se proposait de déchaîner partout contre les infidèles
et les païens. Il essaie d'entraîner l'Angleterre, la Bohême, la Bavière,
la Pologne, le Danemark, la Suède, la Norvège ; il surveille attentivement
les préparatifs de l'expédition d'Orient, reparaît en Allemagne au printemps de 1147 pour assister à la diète de Francfort où l'on décrète contre

(1) Saint BERNARD, *Epist.* CCCLXIII.
(2) GEOFFROY D'AUXERRE, *Bernardi vita*, VI, I-III. Cf. E. VACANDARD, *op. cit.*, t. II, p. 293-295.
(3) Telle est l'opinion de H. COSACK, *Konrads III. Entschluss zum Kreuzzug*, dans *Mitteilungen des Instituts für oesterreichische Geschichtsforschung*, t. XXXV, 1914, p. 278-296, réfutée par H. GLEBER, *op. cit.*, p. 53-54.
(4) Voir le récit de cette assemblée de Spire dans E. VACANDARD, *op. cit.*, t. II, p. 295 et suiv.
(5) On trouvera le catalogue des lettres écrites à cette occasion dans E. VACANDARD, *op. cit.*, t. II, p. 301, n. 1.

les Slaves cette autre croisade dont les résultats devaient être plutôt malheureux [1]. Après quoi, il revient encore une fois à Clairvaux, afin d'y recevoir le pape Eugène III qui parcourait la France.

ROLE D'EUGÈNE III Celui-ci, préoccupé avant tout par la situation de l'Italie, n'avait guère participé aux préparatifs de la croisade. Depuis le jour où il avait alerté Louis VII, il s'en était remis entièrement au roi de France du soin d'organiser l'expédition destinée à écarter la menace turque. Tout au plus est-il intervenu auprès de l'empereur byzantin, Manuel, pour faciliter le passage de l'armée occidentale à travers l'Empire grec [2]. Pour le reste, il a laissé faire saint Bernard sans lui prodiguer, semble-t-il, trop d'encouragements. Il paraît même avoir considéré d'un assez mauvais œil l'adhésion de Conrad III dont l'éloignement pouvait avoir de fâcheuses répercussions sur la situation de l'Italie et qu'il eût préféré sans doute voir se diriger vers Rome plutôt que vers Jérusalem.

Peu au courant des négociations de saint Bernard avec le roi de Germanie, par ailleurs toujours empêché de rentrer dans sa capitale, Eugène III, à la fin de l'année 1146, avait formé le projet d'un voyage au delà des Alpes tout à la fois pour négocier la venue de Conrad III en Italie et pour manifester l'intérêt qu'il portait à la croisade. Dans les premiers jours de 1147, il quitta Viterbe, accompagné de dix-sept cardinaux, séjourna quelque temps dans l'Italie du nord, puis gagna Lyon, où on relève son passage le 22 mars, Cluny où il arrive le 26, et Dijon [3]. C'est là qu'il rencontre Louis VII, venu au devant de lui pour le saluer [4], puis, après cette entrevue qui fut des plus cordiales, il se dirige vers Clairvaux, où il se trouve le 6 avril [5]. Son séjour y est bref, car il tient à être à Paris pour la fête de Pâques qu'il célèbre à Saint-Denis [6].

C'est au début de ce voyage qu'Eugène III a été mis au courant de ce qui s'était passé à la diète de Spire. Il manifesta peu d'empressement pour féliciter Conrad III de sa décision ; il lui dépêcha finalement le cardinal Dietwin avec un message qui n'a malheureusement pas été conservé et dont le contenu ne peut être perçu qu'à l'aide de la réponse du roi [7]. Il semble que l'approbation n'ait pas été très chaleureuse et que le pontife ait laissé percer ses sentiments intimes mêlés de pas mal d'inquiétude. Conrad III, que Dietwin rencontra à Francfort au moment où se tenait l'assemblée destinée à organiser la croisade, ne se montra pas outre mesure choqué de la froideur manifestée par le pape ; il envoya à son tour auprès d'Eugène III une ambassade composée des évêques de Worms et de Havelberg et de l'abbé de Stavelot qu'il avait chargés de ménager une rencontre avec le pontife à Strasbourg pour le 18 avril.

---

(1) Cf. *supra*, p. 185-186.
(2) Cf. H. GLEBER, *op. cit.*, p. 48-49.
(3) Pour l'itinéraire d'Eugène III, voir JAFFÉ-WATTENBACH, 8991 et suiv. Cf. H. GLEBER, *op. cit.*, p. 50-52.
(4) *Annales S. Benigni Divionensis*, a. 1147 (M. G. H., *S.S.*, t. V, p. 44).
(5) E. VACANDARD, *op. cit.*, t. II, p. 300.
(6) H. GLEBER, *op. cit*, p. 52-53.
(7) Cf. H. COSACK, *art. cit.*, p. 290 ; H. GLEBER, *op. cit.*, p. 54.

Eugène III ne put déférer à ce désir, ayant promis d'être à Saint-Denis pour Pâques qui tombait le 20 du même mois[1]. Les choses en restèrent là et Conrad III, dès le mois de mai, quitta Bamberg pour Ratisbonne, puis, descendant le Danube, il se dirigea vers l'Orient[2].

Quant au pape, il resta encore quelque temps en France. La fête de Pâques, célébrée par lui à Saint-Denis, avait donné lieu à de brillantes manifestations. Eugène III eut de longues conversations avec l'abbé Suger que, quelques semaines plus tôt, dans un synode tenu à Étampes, Louis VII avait chargé du gouvernement du royaume tant que durerait son absence[3]. Il tint ensuite à Paris un concile qui s'occupa surtout de la philosophie de Gilbert de la Porée, puis, après une dernière entrevue à Saint-Denis avec Louis VII et Suger (11 juin 1147), il reprit, par petites étapes, le chemin de l'Italie[4], tandis que le roi partait à la croisade.

ÉCHEC DE LA SECONDE CROISADE Il n'y a pas lieu d'exposer ici les faits militaires et diplomatiques ayant trait à la seconde croisade dont les résultats négatifs intéressent seuls l'histoire de l'Église. Il suffira de constater que l'expédition pour laquelle saint Bernard déploya une fois de plus toute son ardeur d'apôtre se termina par le plus lamentable échec.

Diverses causes contribuèrent à ce total insuccès. Comme lors de la première croisade, de trop nombreux pèlerins ont gêné les mouvements de l'armée. Au lendemain de sa prédication de Vézelay, saint Bernard écrivait à Eugène III :

> Vous avez ordonné, j'ai obéi ; c'est l'autorité de celui qui commandait qui a fait fructifier mon obéissance. J'ai ouvert la bouche, j'ai parlé, et aussitôt les croisés se sont multipliés à l'infini. Les villages et les bourgs sont déserts. Vous trouveriez difficilement un homme contre sept femmes. On ne voit partout que des veuves dont les maris sont encore vivants[5].

Il eût sans doute mieux valu que le nombre de ces veuves temporaires fût moins élevé. La présence à l'armée des femmes, qui, à l'exemple de la reine Aliénor, avaient tenu à suivre leur mari, a été non moins fâcheuse en contribuant à entourer une expédition religieuse dans son principe d'une vie mondaine dont la morale chrétienne eut plus d'une fois à souffrir.

Diplomatiquement, l'expédition avait été mal préparée. L'empereur Manuel Comnène prétendait exiger de Louis VII et de Conrad III l'hommage des territoires reconquis, et les deux souverains étaient bien décidés à le lui refuser. Aussi les relations furent-elles rapidement assez tendues et le passage des croisés à travers l'Empire byzantin, marqué par toutes sortes de pillages, ne fut pas fait pour les améliorer. Manuel alla jusqu'à refuser de recevoir Conrad III quand il traversa Constantinople et menaça

(1) H. Gleber, *op. cit.*, p. 53-58.
(2) Bernhardi, *Konrad III*, p. 591 et suiv.
(3) Hefele-Leclercq, *Histoire des conciles*, t. V, 1re p., p. 810.
(4) H. Gleber, *op. cit.*, p. 73.
(5) Saint Bernard, *Epist.* ccxlvii.

de l'assiéger dans Péra s'il ne passait immédiatement en Asie. Louis VII fut mieux accueilli, mais ses soldats s'entendirent mal avec les Grecs, à tel point que l'évêque de Langres proposa de commencer la croisade en prenant Constantinople.

Enfin le manque de coordination entre les armées amena une série de défaites militaires : Français et Allemands furent successivement battus et arrivèrent tellement affaiblis qu'il devint impossible de songer à une expédition contre Édesse. Quelques opérations, effectuées au petit bonheur et sans aucun plan, ne donnèrent aucun résultat. Conrad III, déçu, retourna en Allemagne. Louis VII, très démoralisé par ses échecs aussi bien que par l'inconduite de la reine, resta à Jérusalem jusqu'à Pâques 1149, puis, cédant aux instances de Suger, il reprit lui aussi le chemin de l'Occident[1].

NOUVEAU PROJET DE CROISADE   Fallait-il prendre son parti de cet échec ou essayer de le réparer en tirant parti des leçons qu'il comportait, en mettant davantage au point l'organisation matérielle qui s'était révélée particulièrement insuffisante pour l'expédition de 1147-1149 ? Suger y songea un moment et saint Bernard, malgré le dépit que lui avait causé le désastre auquel avait abouti la croisade prêchée par lui, se montra disposé à lui prêter son concours le plus actif. L'abbé de Clairvaux essaya même de décider Eugène III qui avait accueilli avec une froideur marquée le projet de l'abbé de Saint-Denis et laissé voir les craintes qu'il lui inspirait[2]. Toujours confiant dans l'appui divin, il écrivait à son ancien disciple :

La tiédeur et la timidité ne sont pas de saison dans une affaire aussi grave et aussi importante. J'ai lu quelque part que l'homme de cœur sent croître son courage avec les difficultés. Jésus-Christ est blessé à la prunelle de l'œil. Il souffre à nouveau dans les lieux où il a souffert autrefois. Le moment est venu de faire sortir les deux glaives du fourreau... L'un et l'autre sont à Pierre qui doit les tirer l'un de sa propre main, l'autre d'un signe de sa volonté... Imitez le zèle de celui dont vous tenez la place... J'entends une voix qui crie : « Je vais à Jérusalem pour y être crucifié de nouveau »[3].

Dans la même lettre, saint Bernard annonçait au pape qu'un concile, réuni à Chartres le 7 mai 1150, l'avait désigné comme chef de la nouvelle croisade et il s'en remettait à Eugène III du soin de confirmer ou d'infirmer ce choix contre lequel il élevait certaines objections toutes naturelles. Le pontife hésita, puis il finit par céder aux instances de Suger et de l'épiscopat français ; une bulle du 19 juin 1150 ratifia la décision de Chartres[4]. Mais les choses en restèrent là : un nouveau concile, convoqué à Compiègne pour le 15 juillet, ne se réunit pas et, bien que Suger ne renonçât pas à l'idée d'une revanche de la seconde croisade, saint Bernard n'eut pas à exercer une fonction pour laquelle il ne paraissait guère désigné[5].

(1) Sur tous ces faits, voir : L. BRÉHIER, *op. cit.*, p. 105-108 et les diverses histoires de croisades citées p. 188, n. 1.
(2) Cf. JAFFÉ-WATTENBACH, 9385, du 25 avril 1150.
(3) Saint BERNARD, *Epist.* CCLVI.
(4) JAFFÉ-WATTENBACH, 9398.
(5) E. VACANDARD, *op. cit.*, t. II, p. 445-446.

Suger mourut d'ailleurs le **13 janvier 1151** et saint Bernard deux ans plus tard, le 20 août 1153 [1].

L'ORIENT A LA MORT DE SAINT BERNARD L'abbé de Clairvaux avait complètement échoué dans sa dernière entreprise et, sur son lit de mort, il se lamentait encore sur la situation de la Terre Sainte [2]. Loin d'écarter la menace turque, la seconde croisade n'avait fait que l'aggraver et, en 1187, la prise de Jérusalem achèvera la ruine des espérances qu'avait fait naître la première guerre sainte. C'en est fini de la reconquête chrétienne en Orient où l'on en est réduit à une défensive qui s'avère de plus en plus pénible. En outre, l'idéal religieux, qui avait animé les compagnons de Raymond de Saint-Gilles, est de plus en plus dominé par des appétits d'un autre ordre qui s'étaient fait jour dès la première croisade, mais qui n'ont cessé de s'accroître par la suite. Si l'on ajoute à cela que peu après la mort de saint Bernard la papauté va se trouver de nouveau engagée dans la lutte du Sacerdoce et de l'Empire, on comprend en quoi la disparition du grand ascète, qui avait animé de son souffle ardent l'Église et la Chrétienté, marque vraiment la fin d'une époque, celle de la Réforme grégorienne et de la reconquête chrétienne.

(1) Cf. E. VACANDARD, *op. cit.*, p. 526.
(2) Cf. E. VACANDARD, *op. cit.*, t. II, p. 447. Voir aussi le *De consideratione*, II, i-iv, où saint Bernard, tout en assumant la responsabilité de la seconde croisade, impute son échec aux iniquités et aux fautes des croisés.

AVIS

AU LECTEUR

Nous nous excusons de ne donner ici que la première partie du tome IX. (Les 7 chapitres sont l'œuvre de M. A. FLICHE, *membre de l'Institut, doyen de la Faculté des Lettres de Montpellier.*)

La seconde partie sera publiée ultérieurement. Nous donnerons avec ce futur volume la table complète de l'ouvrage.

TABLE DES MATIÈRES